L'AMOUR EN RELIEF

Guy Hocquenghem est né en 1946. Il a été journaliste à Libération *puis à* Europe 1. *Il a enseigné à Paris VIII (Vincennes-Saint-Denis). Il est l'auteur de nombreux ouvrages dont trois romans :* L'Amour en relief, La Colère de l'Agneau *et* Eve.
Guy Hocquenghem est décédé en août 1988.

De quoi avez-vous le plus peur ?
De perdre la vue.
Chez tous les peuples de la terre la réponse est la même.
Amar, jeune Tunisien, est trop beau pour être aveugle. Il ne voit plus depuis l'âge de quinze ans. Ses doigts, et toute sa peau, sont ses yeux. Il lit, vit, fait l'amour en relief.
Car on fait l'amour à cet aveugle.
Amar refuse le destin charitable imposé par les voyants. « Les gens, dit-il, n'ont aucune idée de ce qu'est un désir sans voir. »
Pour les connaître, il lui faut les sentir, les toucher, les aimer.
Enlevé à son île natale par une protectrice américaine, évadé d'une institution pour infirmes, il est devenu, en Europe et en Amérique, sur les plages, les scènes de théâtre et les pistes de danse, un spectacle pour tous, sauf pour lui-même. Et quand enfin il se croit seul, une ombre, tenace, s'attache à la sienne...

Paru dans Le Livre de Poche :

LA COLÈRE DE L'AGNEAU.
ÈVE.

GUY HOCQUENGHEM

L'amour en relief

ROMAN

ALBIN MICHEL

L'importance de se croire désirée

BEAU?

Comment pourrais-je dire s'il est beau?

Ce serait le trahir. Quand on devient comme lui, on oublie les fleurs, les nuages, les visages. Quand on est comme lui, tout doit disparaître, en quelques jours ou en quelques mois.

Je ne veux pas le décrire; je ne le décris jamais, par superstition. En fermant les yeux, je deviens comme lui; et je n'ai plus envie de parler de ses yeux, noisettes dorées, des boucles de ses cheveux, boucles noires aux reflets violets; ni même de son sourire, son demi-sourire en interrogation, un sourcil levé, qu'il décoche en se retournant, quand il entend quelqu'un marcher derrière lui, un sourire déjà à tout hasard complice.

Il se dérobe et s'évanouit, la mort de sa protectrice ne me l'a pas rendu. Il se dérobe, comme il l'a toujours fait, depuis que je l'ai vu pour la première fois, trois ans auparavant, à Kerkenna.

Comment était Kerkenna, la patrie d'Amar? Autour de l'île, la mer était toujours agitée. Je ne me figurais pas la Méditerranée ainsi, verte et furieuse. Elle se précipitait sur les rochers noirs, luisants comme des phoques, et sur les coulées de mâchefer qui sont une spécialité de l'île.

A Kerkenna, le seul paysage de carte postale était

le dessous de la mer : les fonds pleins de poissons-papillons multicolores, et de langoustes énormes, féroces. Et puis il y avait les falaises, près de la maison, avec des oiseaux couleur de carrière qui criaient dans le ciel.

Cet été-là, les Ames-sœurs avaient mis longtemps pour se décider à m'emmener avec eux. Je ne savais pas s'ils me le proposaient de bonne foi; ils m'avaient déjà emmenée, l'année précédente, chez la tante de l'un d'eux, en Auvergne. En fait, ils m'emmenaient pour me faire sentir que j'étais de trop. Eux, ils ont toujours peur que je leur vole leurs amants, ces amants qu'ils ont eu tant de peine à accrocher; moi, j'arrive, et je peux cueillir d'un clin d'œil le plus beau des garçons qu'ils ont entrepris, depuis des semaines, d'aborder pour leur demander une cigarette.

Voilà ce qu'ils ne me pardonnent jamais : le garçon lui-même, et non moi, les abandonne dès qu'il voit une femme.

Donc, ils avaient décidé de m'emmener avec eux. Je revenais de Londres, où je m'étais fait passer un polichinelle, comme ils disaient élégamment. Je ne me souviens pas s'ils étaient aussi durs que je les fais; je ne les ai jamais revus. Mais c'est avec eux que j'ai vu Amar pour la première fois.

Je les avais retrouvés à l'aller de Paris à Londres. Quand je suis arrivée boulevard Saint-Germain, chez eux, ils m'ont fait toutes sortes de câlins. Ils ne sont jamais avares de gentillesses, surtout aux départs et aux arrivées. Je venais juste de finir avec Léopold; Léopold, pour me présenter à sa mère, m'avait fait appeler Andréa. Il pensait que ça faisait Montparnasse.

J'avais connu Léopold à Saint-Nazaire, où j'étais de passage, pour un week-end à la mer, l'année précédente. J'avais fait une fugue pendant une de mes sorties, je ne suis pas revenue à l'hôpital de Nantes. Je suis restée collée avec lui. Léopold ne s'est jamais douté d'où je sortais; même quand on a rencontré Philippe, qui est mon docteur, un jour où nous étions en virée à Paris, et qu'on a eu, Philippe et moi, une conversation devant lui, sans qu'il ait le moindre soupçon. Mais je ne suis pas rentrée à l'hôpital avec Philippe; je savais qu'il n'appellerait jamais les flics.

La famille de Léopold était des fabricants de petits-beurre, des grands bourgeois de province pleins de préjugés, qui habitaient une grande villa style anglais avec trois jardiniers pour entretenir la pelouse devant, alors que personne ne l'utilisait. J'y suis restée trois mois à partir du moment où j'étais enceinte, et je n'ai jamais osé y mettre ma chaise longue. Le printemps piaillait, les moineaux se battaient dans l'herbe. Mais je sentais toujours la mère debout derrière les rideaux lourds du premier étage, qui m'observait. Elle avait une façon de cogner au carreau, de l'index plié, qui faisait fuir les gamins et les oiseaux.

La mère de Léopold, une femme en tailleur gris comme ses cheveux, conduisait elle-même sa deux-chevaux grise, et me traitait plutôt bien, quasiment en belle-fille. Et puis elle a commencé à se rassurer, à me faire sentir que j'étais une intruse.

On la voyait chaque matin, au petit déjeuner, dans la véranda qui donnait sur la mer. Il faut voir ce qu'ils prenaient comme petit déjeuner : des toasts, des omelettes, des salades de toutes couleurs, au moins trois assiettes l'une dans l'autre et des couverts en argent pour chaque personne. Encore le style anglais. Moi je ne peux rien avaler le matin, sauf un café noir et sans sucre; surtout quand on avait été la veille en boîte à Nantes, avec Léopold. Juste à ce moment-là, l'usine de petits-beurre a été occupée par les ouvriers. C'était mai 68. La vieille dame était un peu dépassée; alors, pendant les grèves, elle avait décidé de me traiter gentiment. Pour elle, ça voulait dire me considérer comme une vache à l'engrais, pour l'enfant qui devait entrer dans la famille. Elle pinçait la bouche quand je refusais ces montagnes d'œufs qu'un larbin apportait sous une cloche en argent.

Fin mai, le temps s'est gâté. Elle « n'était pas dupe », disait-elle à voix haute en ma présence. Les CRS avaient réoccupé l'usine, et elle essayait de me faire dire que je n'étais même pas sûre que l'enfant était de Léopold.

Léopold était apparemment un ramollo blond avec un nez en pomme de terre. A vingt-sept ans, il enlevait ses chaussures le soir, quand on rentrait un peu tard d'avoir été en boîte à Nantes, pour ne pas réveiller la vieille dame. Je préférais, à cette époque, un amant un peu retardé, comme était Léopold; surtout qu'il faisait bien l'amour, concentré, comme s'il se vengeait de tout le reste : pendant la journée, il vivait dans la trouille de sa famille.

Il n'était pas grand, bien bâti à force de tennis, avec une petite bouche et une grosse queue. Il m'excitait, il était bête, il devenait vicieux, quand je lui défaisais sa cravate en passant un doigt dans sa braguette. J'étais jeune, et je pensais que le sexe est un amusement sans importance.

Quand il a commencé à me parler de Londres, j'ai senti que l'idée venait de sa mère, il en avait un peu honte. J'avais compris que l'épisode Saint-Nazaire était fini ou presque; et ça m'arrangeait plutôt. Quant à garder le lardon, à vingt-cinq ans je ne me sentais pas des goûts de nurse, de lait vomi et de couches-culottes.

Je suis allée à Paris prendre l'avion pour Londres. J'ai rencontré les Ames-sœurs dans une fête; je devais rester un jour, et je suis restée une semaine, à regarder mon ventre qui gonflait, dans le blanc-crème de leur appartement; c'est eux qui ont trouvé l'idée géniale de me faire épouser par Léopold, idée d'autant plus géniale que ça les débarrassait de moi;

ce n'était pas eux qui épousaient cette épave de la biscuiterie.

Peut-être aurait-ce été une bonne manière de finir; mais je n'étais pas vraiment prête à finir. Certes, j'aurais dès cette époque bien aimé me marier bourgeoisement. Ne serait-ce que pour voir la tête de mes sept frères et sœurs dans leurs corons, si je me ramenais à Hayange en Mercedes, devenue Mme Léopold.

Pourtant, cette bande-là était mes seuls amis à Paris. Je passais tellement de temps avec des pédés, sans les avoir vraiment choisis; je me suis toujours plus amusée avec eux qu'avec les autres, même en comptant leur méchanceté et leur indifférence. Moi avec eux, perroquet au milieu de singes, nous n'avions rien en commun, sauf les amants qu'on se bataillait à grandes gifles; c'était le bon temps, en somme. Je les trouvais plus directs et plus naturels avec moi que mes propres amants. Et je vivais les mêmes illusions qu'eux : le bonheur de compter les hommes qu'on a eus, l'importance de se croire désirée.

J'ai été à Londres, faire passer l'héritier de la plus grande fortune dans le biscuit à l'ouest de Paris. Léopold est venu me voir. C'était moi qui ne voulais plus de lui. J'étais écœurée, sans force. Je me suis tournée contre le mur ripoliné pour ne pas lui parler. Il s'est barré en laissant un chèque, et pas bien gros, et que je n'ai pas pu toucher tout de suite, vu qu'il était barré, lui aussi. Heureusement, un groupe de filles qui voulaient soutenir les avorteuses m'ont envoyé un mandat à l'hôpital. Quant à mes amis du boulevard Saint-Germain, ils m'ont envoyé une orchidée sous plastique par Interflora, en me laissant payer la surtaxe internationale.

La clinique m'a mise dehors en cinq jours, encore saignante. J'avais commencé à draguer les infirmiers, dès le lendemain du curetage. Quand je suis revenue à Paris, j'avais le choix : depuis que j'étais une avortée, les filles les plus snobs du MLF se me disputaient. J'ai préféré retourner avec eux, boulevard Saint-Germain.

On sortait tous les soirs ensemble, et on buvait les chèques de l'avortement. Enfin, généreusement, ils m'ont proposé de m'emmener les accompagner pour les vacances. Sur ce qui restait des biscuits, on pouvait louer une maison, pas chère du tout, à Kerkenna, une île tunisienne que je connaissais seulement par ses tremblements de terre. Il paraît que c'était la meilleure villégiature pour une jeune avortée.

C'était l'été 68, celui des barricades effondrées. Nous sommes arrivés à Kerkenna : au bout de quelques jours, ils avaient tous oublié qu'ils m'avaient invitée, et que je sortais de la clinique. Ils me traitaient comme ils se traitaient entre eux, de manière impitoyable; et il allait de soi que les victimes qui portaient leur fardeau de douleurs, c'était eux, que je devais ménager. J'ai couché avec tant de supposés vrais hommes, qui se prenaient pour des forces de la nature, et appuyaient sur moi tout le poids de leurs confidences, jusqu'à m'écraser pour me révéler leurs misères et faiblesses intérieures. Les seuls garçons impitoyables que j'ai jamais connus, c'est eux, qui sont construits à chaux et à sable, comme on dit.

En fait de villégiature, le bateau, en approchant, découvrait des sortes de crassiers d'une ville industrielle du Nord, transportés sous le soleil de Tunisie; car l'île est toute volcanique. La plupart des touristes se découragent après s'être tordu les pieds dans les minéraux refroidis. On dirait un haut fourneau éteint. Pas un arbre entier, de la poussière de lave, des buissons d'épines et des câpriers : c'est des arbustes, aux fleurs violettes dont j'ai croqué les petits fruits amers, et des vignes rampant au ras du sol.

La ville a été bombardée par les Américains, en 42. Des murs effondrés, des HLM militaires abandonnées et éventrées, criblées de trous de balles, où les gosses mènent les chèvres. Ici, personne n'a entendu parler de reconstruction depuis la guerre. Dans toute l'île, les pieds heurtent des débris d'obus, des ferrailles rouillées qui surgissent du sol, et le béton des bunkers qui l'entourent se confond avec les rochers. Kerkenna, selon les dépliants, servait à fermer le golfe, autrefois, porte-avion immobile que les alliés ont bombardé tant et plus.

Ça faisait guerre partout, champs de bataille entre le volcan et la mer. Les seuls étrangers étaient des spécialistes japonais, venus pour retrouver certaines sortes de lave qu'on ne rencontre que là, et chez eux. Et quelques maniaques de pêche sous-marine, barbus, qui avaient fait des milliers de kilomètres en avion, leur harpon sur le dos, pour venir tuer des poissons.

La grande distraction, dans notre isolement, était la route, qui fondait au soleil en partant vers la ville. Je regardais la « circulation » : au début, j'entendais un moustique dans le lointain, qui bourdonnait, qui s'enflait; la chaleur faisait trembler le paysage. Le moteur changeait d'allure, en bas, ronflait, grondait, et un scooter passait, en projetant des petits cailloux devant la terrasse.

A Kerkenna, il n'y a que des scooters; c'est la seule forme de cheval qu'ils connaissent. Pour moi, les Tunisiens de l'île étaient comme des Italiens un peu plus sauvages et pas impuissants. Mais pour mes compagnons de voyage... Les Arabes les rendent fous.

Pendant quelques jours, la ménagerie dont j'étais seule femelle était assez calme. On s'observait, intimidés par le paysage. Dans l'île, en dépit du soleil, j'avais tout le temps froid; le paysage de pierre avait quelque chose de glacé. Et l'eau aussi est très froide. J'avais emporté tous les romans de Françoise Sagan, j'étais là pour me reposer.

On avait loué une maison d'où l'on voyait la mer, en haut de la falaise; un petit phare automatique limitait le paysage, à droite. Un phare jouet, noir et blanc, qui était le seul signe de vie, avec les lumières des voitures sur la route. Il s'allumait le soir, dans le ciel vert.

Ils m'avaient donné la seule chambre isolée, une vraie cellule de moinesse. C'était un ancien réservoir à pluie : il n'y avait pas une source dans toute l'île. Bâti en grosses pierres, les propriétaires y avaient ouvert une fenêtre, et au-dessus de moi ils avaient plâtré un plafond voûté peint à la chaux.

Evidemment, au bout d'une semaine, ils ont tous voulu me la reprendre. Ils ne se supportaient plus, tous ensemble dans la grande pièce, une ancienne écurie, où ils avaient tendu des draps sur des ficelles pour se faire des séparations. Comme toujours chez les pédés, ils avaient tous couché les uns avec les autres à différents moments du temps qu'ils avaient coulé ensemble. Mais ils n'auraient même pas pu supporter de s'entendre se branler, tout seuls, dans l'obscurité.

Ils étaient finalement plutôt conventionnels, surtout avec moi : ils ne voulaient même pas que je prenne des bains de soleil nue sur la terrasse en faïence bleue et blanche. De cette terrasse, on voyait des maisons de paysans, tas de pierrailles, presque fondus avec ce paysage de la Lune. Le tas le plus à droite recouvrait nos propriétaires. Mais ils n'étaient pas pauvres, parce que les câpres se vendent très cher. A l'intérieur, une des femmes m'y a amenée une fois, il y avait une stéréo et une télé, et des banquettes en velours rouge et or le long des murs bleutés. Juste en dessous de la maison, la route pelait au soleil. Il se formait des trous énormes dans le bitume, en face de notre entrée. Les camions qui transportaient des ouvriers agricoles, ou des marchands de poissons, ralentissaient devant moi; ils me regardaient en riant, pendant que je tirais un peu la serviette pour me cacher les seins. Les autres entraient en fureur, ils disaient que je nous faisais mal voir des gens du pays. C'était pure et simple jalousie. Eux, à poil, avec des morceaux de carton collés sur le nez pour ne pas rougir, ce n'aurait pas fait une émeute si les ouvriers les avaient vus.

Et c'est sur cette route que j'ai connu Amar. Enfin, qu'on a connu Amar.

On avait loué un scooter en arrivant dans l'île. Encore aujourd'hui, quand j'entends un bruit de scooter, ce qui devient de plus en plus rare, j'ai le ventre qui se noue. Le scooter, les grosses taches de lèpre dans le goudron, et des petites roues qui dérapent dans le gravier...

On était restés tout l'après-midi dans la chaleur, la poussière et la graisse de la station-service. Mais on avait obtenu une vespa bleue avec deux lignes de peinture métallisée dorée qui se finissaient en flèches. On a grimpé à trois dessus, en effrayant les ânes le long de la route; le vent nous montait à la tête, sous le soleil.

A Kerkenna, ils parlent surtout italien; ça fait tout drôle, des Arabes qui parlent mal une autre langue que le français. Ils féminisent les objets, disent la Vespa, la Kodak. Pour moi le scooter était plutôt un petit mâle méchant.

Chacun montait dessus à tour de rôle; je m'y suis mise aussi, bien qu'ils aient dit que c'était mauvais pour ma convalescence. Le problème, quand on est quatre et qu'on n'a qu'un scooter, commence quand on veut aller en ville le soir : les deux qui pouvaient descendre laissaient les deux autres furieux, devant la lampe à pétrole, à chasser les moustiques accumulés. J'étais l'une de ces deux-là plus souvent qu'à mon tour.

Il n'y avait pas grand-chose à faire, en ville, le soir. Regarder le bateau qui arrivait du continent, et siffler les nouveaux prisonniers qui n'avaient pas encore compris où ils étaient tombés. Aller au ciné-club de l'église, voir des vieux péplums et des films hindoux qui cassaient tout le temps, en espérant qu'Amar serait dans la salle quand ils rallumaient la lumière. Monter jusqu'aux casemates qui entourent le port, avec les poèmes arabes, les graffiti de bites et de cœurs percés sur les murs, dans l'odeur de caca. Prendre une glace au bar tout neuf du port, en essayant d'y entraîner Amar sans ses copains...

J'anticipe. Au début, donc, nous étions assez sages, sous le prétexte que tous étions venus là pour nous reposer. Nous restions sans parler pendant des heures, à regarder la croix formée par les faisceaux du phare, au-dessus de nos têtes, les pales d'un grand hélicoptère blanc dans la nuit, qui balayaient en silence la maison. Chacun était absorbé en soi-même, parlait doucement, sans arrêt préoccupé par quelque regret inavouable; sans oser dire l'ennui qui perçait déjà, malgré soleil et plage, et les cartes postales écrites, en cachant le texte du dos de la main, des cartes à ceux auxquels on ne pense jamais à parler sur place.

J'en expédiais deux par jour à Philippe, mon docteur qui accumulait une collection de rascasses et d'oursins en Technicolor. Il y avait aussi le journal tunisien en français, acheté en ville et taché de tomates. Il ne parlait pas du tout de la France de l'été 68, et s'allongeait des pages entières sur des inaugurations d'oliveraies modèles, contre quelques lignes sur les élections en France. Eux, ils continuaient à chercher des nouvelles de la Sorbonne, où ils avaient, pendant quelques jours, fondé un comité de Pédérastes, entre celui des Arméniens et celui des Gens de maison. Mais la flaque se résorbait tous les jours sous le soleil, la peau de chagrin des articles sur les événements en France. Alors, ils faisaient la cuisine – la cuisine le matin, la cuisine après la sieste, en se disputant s'il fallait mettre des herbes ou pas, et en oubliant tout le reste.

L'attrait de la cuisine est retombé, quand il n'y a plus eu d'argent pour acheter autre chose que des féculents. Alors se sont organisés les tours de scooter pour sortir le soir. La chasse était rouverte; descendre à minuit à Kerkenna, je ne voyais pas ce qui les y forçait, sinon la recherche effrénée d'une bite. J'entendais le moteur du scooter revenir en zigzaguant, tard, dans le bruit des cigales. Personne ne parlait des hommes, mais la drague était redevenue le principal. Ils étaient revenus d'en être revenus. Ils ne pouvaient rester indéfiniment veufs du printemps 68. Un soir, ils ne se sont plus gênés pour faire des bruits dans la salle de bains sans eau, où il n'y avait qu'un baquet. Ils se plaquaient sur la face un petit sourire satisfait, au lever de deux heures de l'après-midi. Pure bravade; celui qui l'arborait n'avait rien fait, la veille au soir, en ville. C'était juste pour énerver les autres. Moi, je n'ai jamais compris ce qu'ils peuvent bien trouver, la nuit, au milieu de désertitudes complètes, dans un port sans bateaux, dans une ville sans cafés, dans des rues sans lumières. Fait étrange; les hommes les plus virils, et les plus courageux, hésiteraient à aller aux endroits où, eux, ils vont tous les soirs; alors que c'est précisément pour les rencontrer qu'ils y errent.

La nuit, je comptais les passages du phare sur mes rideaux en nylon rose, et j'entendais le bruit de la vespa, le moteur qui s'arrêtait au bas de la côte, quand ils ramenaient quelqu'un. Les Arabes sont tellement cachottiers qu'ils voulaient que personne ne se rende compte de rien, surtout moi. Je me retournais dans mon lit, je les imaginais en train de sucer les plus sales clodos du port.

Un de leurs amants s'est installé à la maison, un serveur du café de Kerkenna; un jour il est arrivé en vélo à l'heure du déjeuner. Comme l'argent commençait à manquer, on mangeait des pâtes à l'huile d'olive avec des bouts de fenouil tout sec cueilli le long de la route. Quand le garçon est entré, ils ont rougi tous les trois; il devait être un habitué, qui les faisait à tour de rôle. Quand quelqu'un m'empruntait la chambre, je secouais les draps et les couvertures à les déchirer, j'ouvrais en grand les fenêtres, il y restait tout de même une sale odeur d'hommes qui se croient tout permis.

Quelque temps après, j'épluchais des courgettes que nous donnait la propriétaire, et le soir tombait sur la terrasse. Et Amar est passé devant la porte; je suis sûr qu'il n'était pas venu par hasard, la maison devait déjà avoir une réputation.

Tout est parti de ces trous dans la route, dont j'ai déjà parlé. Des sortes de lèpres, je les regardais qui s'agrandissaient, tous les jours, qui creusaient la peau du goudron jusqu'au caillou. Du fait que j'étais là, les trous devant la terrasse devenaient un gag; les vieux tournaient la tête, à vélo, pour me regarder, et manquaient de se casser la gueule.

Ce soir-là, je ne regardais pas le passage, j'épluchais les légumes; et j'ai entendu le bruit du scooter, montant la côte. Ils revenaient des courses; je suivais le bruit du changement de vitesse parce qu'ils devaient me rapporter des cigarettes. Quand j'ai relevé la tête, j'ai eu un éblouissement, d'être restée courbée, dans la chaleur, sur le panier. J'ai froncé les sourcils; il y avait quelqu'un devant le soleil; quelqu'un qui était invisible, une auréole de fils d'or à la place de la tête et une silhouette noire avec des longues jambes à cheval sur un vélo. Mais même à contrejour, je pouvais voir son sourire, une tache blanche dans un trou noir. Mon premier souvenir d'Amar est aveuglant. Il y a eu un bruit de ferraille et un autre vélo est arrivé, un vieux vélo de femme, et s'est effondré dans un des trous. Amar s'est retourné : le garçon qui venait d'arriver était celui qu'il attendait.

Il n'était pas du tout le même Amar qu'aujourd'hui. Il n'avait pas quinze ans, trop long pour son âge, son pantalon lui montait au mollet. Son ami était très laid, de trois ou quatre ans plus vieux. Dans le couple, c'était bien sûr le laid qui parlait tout le temps, qui s'offrait à tout ce que le pire touriste aurait pu vouloir. Le plus vieux a redressé sa machine. Ils étaient arrêtés entre deux des trous, Amar toujours perché sur sa vieille bécane. Ils regardaient dans ma direction. Ça m'a mise en colère, et j'ai bien failli empêcher tout le roman. Mais, depuis notre arrivée, j'étais, au milieu de ces trois folles, la vierge sage qui viendrait d'avorter du petit Jésus; brusquement, je me suis dit que je pourrais au moins essayer, moi aussi. Et pour les provoquer, eux, j'ai commencé à draguer ce garçon inconnu dont je voyais maintenant le visage. Car Amar était le plus invraisemblable rêve de folle au naturel.

Il ne faisait aucun geste; il souriait simplement, avec la main autour de la taille de son affreux ami, en regardant vers moi. L'ami était tout grêlé de boutons, mais Amar ne s'en rendait pas plus compte que des insectes autour de nos têtes.

Je me suis retournée, et j'ai vu que tous les habitants de la maison étaient là, silencieux. L'un dans l'entrebâillement de la porte, et les deux autres auprès du scooter, dont le moteur s'était arrêté de stupéfaction. Celui qui était dans la porte de la cuisine regardait Amar depuis plus longtemps que moi-même. Du moins, c'est ce qu'il a prétendu plus tard, pour avoir été le premier à l'avoir vu. Mais c'est moi qui me suis levée; je me suis essuyé les mains sur mon maillot, et je leur ai fait signe d'entrer.

Ils ont appuyé leurs vélos sur le muret, et Hocine, c'était le nom du plus laid, a poussé la barrière.

Maintenant que je les voyais bien, assis sur le bord de nos deux chaises longues, la laideur d'Hocine était encore plus repoussante, et Amar ne cessait pas de le caresser d'un air distrait, comme un animal familier. Tous ces garçons de là-bas se tiennent par le petit doigt. Je ne sais s'il était tellement habitué, ou plutôt indifférent, comme j'ai pensé plus tard, à la laideur d'Hocine; il agissait comme s'il n'en avait pas conscience. Cette profusion de caresses était destinée à le consoler, à le faire participer à ses propres succès à lui, Amar, la coqueluche des touristes. Au moins, l'avons-nous pensé, après qu'ils furent partis tard dans la nuit, et que nous avons continué à parler entre nous, des heures entières.

Il restait aussi beau, sous l'ampoule nue qui se balançait du plafond, et me faisait des rides affreuses, et transformait les boutons d'Hocine en bubons énormes. Mes amis croyaient à une mise en scène, où il jouait le rôle de l'écrin, et Amar celui du diamant; il aurait probablement ouvert tout grands ses yeux frangés de longs cils, s'il nous avait entendus, après son départ, ce soir-là. D'ailleurs, il faisait tout naturellement, il était « avec » Hocine, c'est comme mon frère, comme la mer avec les vagues, disait-il dans son français d'école, qu'il savait même écrire en gros caractères.

Au bout de dix minutes, nous avions échangé noms et adresses. Nous avons partagé les pâtes, les pâtes de tous les jours; et eux, qui se moquaient la veille des cargaisons de folles en djellabah blanche qui se font musulmanes, ils ont passé la soirée à apprendre le nom arabe de l'eau, du pain, du vin, de tous les objets de la table et des chiffres jusqu'à dix. Ils avaient ressorti une bouteille de vin qu'ils avaient cachée; et ils insistaient pour continuer la soirée, mais Amar et Hocine se sont levés en fermant leurs blousons. Moi, je n'avais presque rien dit pendant le repas; et ils osaient à peine me regarder : une grande femme blanche dévoilée qui buvait du vin, je suppose, telle je leur paraissais.

Le mois suivant, Amar et Hocine nous ont accompagnés tous les jours dans la crique où nous pêchions des petits poissons noirs à l'air de bouledogues miniatures et marins. Amar ne se baignait pas, il enlevait ses chaussures et restait accroupi sur son rocher. Hocine relisait pour la centième fois le manuel du concours des PTT français, car il voulait venir travailler à Paris.

Certains jours, Amar était en djellabah bleue, et d'autres en jeans et baskets comme tout le monde, selon un rythme que personne ne comprenait, de fêtes religieuses ou de visites de gens de la famille de sa mère. Il rentrait chez lui tous les soirs, fermement, en dépit de nos propositions, dans la mystérieuse maison blottie sous un rocher d'où sortait la cime d'un figuier, où nous ne sommes jamais entrés. Il n'y avait là que sa mère, car son père était à Villeurbanne, près de Lyon, depuis près de vingt ans. Depuis 1949, date du dernier tremblement de terre, exactement : les gens de l'île dataient tous les événements personnels par les cataclysmes. Le père avait répudié la mère, et emmené les sœurs d'Amar, qui étaient de plusieurs femmes différentes.

Les photos qu'Amar montrait représentaient une cuisine de HLM, avec un poste de télé, et un monsieur moustachu, le cheveu noir, tout à fait faisable, comme disaient les autres. Autour, une smala de tissus brillants qui étaient une série de sœurs empaquetées jusqu'au cou, henné, bijoux en argent, et des lignes de points bleus en suspension, tatoués depuis le coin de l'œil. Amar était le seul garçon de la famille, ce qui lui assombrissait parfois, ostensiblement, le regard; une responsabilité trop lourde, qui devait l'empêcher de boire, de faire la fête et l'obligerait à travailler dur, dans trois ans, dès qu'il en aurait dix-huit.

Ils ne manquèrent pas de se vanter de leurs nombreuses relations, folles huissières de ministère qui n'avaient qu'à tendre la main pour saisir une carte de séjour vierge. Tout en multipliant les tentations, ils s'interrogeaient : Amar ne nous fréquentait-il pas par intérêt? Cette idée avait été écartée au début, parce qu'il refusait toutes les invitations au café. Elle a été à nouveau suggérée à propos de ces emplois imaginaires à Paris. Un drame a éclaté, les uns ne voulaient plus parler de la journée avec cette « folle méchante et froide qui voit le calcul partout », l'autre ricanant de l'écœurante naïveté coloniale.

A cette époque, aucun d'entre nous n'avait les moyens d'écraser les autres par la richesse, ou de conquérir Amar parce qu'il disposerait d'une solution pour lui, un travail et un logement à Paris. Mes compagnons n'avaient pas de vrai métier, pas encore. Ils faisaient des chantiers de peintures pour gagner leur vie, dans les appartements des amis, qu'ils dégueulassaient sous prétexte de les décorer. Il y avait la figuration dans les films, il y avait au pire le stand de frites aux puces. Plus tard, alors qu'ils commenceront à faire de l'argent, ils continueront à se dire « étudiants », pour se rajeunir, avec les étrangers.

Amar, lui, nous aimait en tas, en bloc. Comme il aimait la musique de notre pick-up, et Hocine. Mais tous ces gens qu'il prenait pour une masse indissoluble d'amitié se haïssaient tôt ou tard, entre eux. A cause de lui.

Pour commencer, chacun a manœuvré pour le

séparer de Hocine. Complot dont il n'y avait pas à être fiers : nous l'avons emmené au restaurant français de l'île, tenu par un couple de Suisses, un faux chalet sous les palmiers. Impossible de faire entrer Hocine, parce qu'il était en sandales, pas en chaussures de ville. Ils n'en avaient, soi-disant, qu'une paire à prêter. Alors qu'ils cachaient, chacun, dans leurs sacs souples, au moins deux paires de mocassins italiens blancs qu'ils ne voulaient pas abîmer.

A la plage, personne ne parlait à Hocine, et je voyais la gêne croissante d'Amar. Finalement, Hocine a cessé de venir, et Amar n'en parlait plus du tout, dès le lendemain, comme s'il n'avait jamais existé. Mais personne ne songeait à le considérer comme insensible.

Il semblait avoir de la peine à éprouver des sentiments sans le toucher; et Hocine était présent tant qu'il s'appuyait sur lui, le serrait par le cou, le pinçait ou lui caressait les cheveux; mais dès qu'il n'était plus là, il était oublié.

Quand nous l'avons eu, pour nous seuls, chacun s'est remis à travailler pour soi. Moi, j'avais plutôt des envies de protection, de maternage sous les oliviers nains, à l'heure de la sieste. J'étais plus excitée par son visage que par son corps. Cette forme de l'amour, je ne l'avais jamais ressentie. Ce que j'avais entrepris par surenchère devenait la raison de ma venue dans l'île. Je sentis alors combien les autres pouvaient être dangereux pour lui.

L'arrivée d'Amar a commencé les disputes, les défiances entre nous. Où vas-tu? Qui s'est servi de mes crèmes sans les reboucher? Tu as déjà eu la Vespa hier... Moi, j'ai cessé de prêter ma chambre. Personne n'avait encore franchement dit qu'il voulait coucher avec Amar. Mais j'ai vérifié que je pouvais fermer ma porte à clef.

Pourtant, ces trois folles perdues de sexe n'osaient toucher même le bras d'Amar sans sursauter. Elles en devenaient petites filles, elles qui n'attachaient plus d'importance qu'au sexe, ce qui les rendait assez tragiques, même n'ayant pas un siècle à nous quatre.

Quand la lune était déjà haute dans le ciel, nous partions à pied jusqu'à l'Œil de Vénus, le lac dans le cratère, un volcan rempli d'eau tiède salée et bouillonnante de sources souterraines. On disait que la mer circulait sous la montagne pour se mêler aux entrailles de la terre. Passé le petit col qui fermait le cratère, on entendait la musique, très forte, de la seule discothèque de l'île, pour les gens des hôtels.

Un Tunisois malin l'avait ouverte l'été précédent : une piste en plein air, en dalles de verre de couleur éclairées par-dessous, au bord du lac; et la musique faisait écho sur la montagne en face, pendant que des Hollandaises éléphantesques s'accrochaient en gloussant à des play-boys de plage libanais et grecs, et jetaient des fleurs de jasmin fanées sur les eaux noires.

On ne nous faisait pas payer; nous faisions chic par rapport aux autres touristes, costumes blancs pour eux, mousseline bleue pour moi. Amar était très fier d'être avec nous; il nous présentait à ses copains, qui étaient assis en bande devant l'entrée, entre les vases de fleurs qui bordaient le chemin de terre où ils se moquaient en bavardage arabe des danseurs maladroits, fantoches colorés de rouge et de vert par les dalles de la piste. J'allais voir le disquaire, qui nous mettait des sambas, et eux faisaient une démonstration de danse aux cars de touristes ébahis.

Nous allions aussi à la grande table de pierre qui est au nord de l'île, un vaste rocher blanc tout plat, en pente douce, qui plonge dans la mer au pied de la falaise. Avec le scooter, dans la nuit, nous refaisions le jeu de la chèvre, du loup et du chou, pour se transporter jusque là-bas, un jeu de cache-cache à la lumière de la lune reflétée sur les falaises. L'eau était phosphorescente, et bien plus chaude que le jour; la pierre aussi était chaude, et c'était à qui resterait le dernier avec Amar à regarder la falaise plus claire dans l'obscurité, en guettant le moment où un rocher allait se détacher, avec un craquement sinistre, suivi d'un plouf dans le noir.

Le temps s'est mis à changer, et les grandes tempêtes de septembre sont arrivées. Nous sommes restés enfermés, à décortiquer *Le Monde*, puis à jouer aux cartes, dans la grande chambre, entre les draps tendus que le vent faisait voler.

En France, les autobus étaient de nouveau pleins d'employés allant à leur travail. Nous étions restés en vacances, comme des noctambules qui rencontrent des éboueurs, le matin. Vacances de quoi, puisque personne n'avait d'emploi? La Francc nous avait oubliés sur l'île. Ils parlaient de s'installer en Italie, ou de chercher un travail comme prof à Tunis. Les deux plus jeunes s'étaient mis à se saouler la gueule en ville, tous les soirs. On me laissait seule dans ma chambre, à regarder la pluie battre les vitres; dans la grande pièce, le survivant débouchait des bouteilles de Coca, et c'était le seul bruit qui m'arrivait. Personne n'avait encore couché avec Amar. A force de se surveiller les uns les autres, il s'était fait un accord tacite, d'attendre qu'il se décide, ou que l'hiver nous coince là.

Nous avions des soirées de famille, avec des discussions politiques auxquelles je ne comprenais pas plus qu'Amar. Un jour, Amar m'a laissée le maquiller, les lèvres et les paupières émeraude, et les pommettes rehaussées de paillettes. Il se regardait dans la glace, et immédiatement il courait se mettre la tête sous le robinet, dehors, et revenait en riant, le maquillage coulant sur sa peau brune, et les cheveux collés par l'eau.

Mais d'être enfermés pendant ces longues journées nous faisait monter la tension. Les deux saoulards avaient cessé de faire la cuisine, et l'autre refusait de faire la vaisselle, s'enfermait l'après-midi pour écrire. Le problème vaisselle a d'ailleurs cessé de se poser, parce qu'en trouvant Amar en train de la faire pour éviter les drames, ils ont tout cassé.

Le temps des confidences était venu. Ils défilaient dans ma chambre, l'un après l'autre; ils n'avaient plus qu'une envie, celle de se tirer, en emmenant Amar, bien sûr. Un matin, j'ai ouvert ma fenêtre, l'air était plein de l'odeur des câpriers mouillés. L'un d'eux lui proposait de partir, avec lui, en bateau, pour la Sicile, au moins pour quelques jours, « après on verrait ». Mais Amar ne voulait pas comprendre ce « on verrait ». Et c'était lui qui demandait ce que nous devenions, nous les restants, dans ce beau projet. Il n'était même plus question de moi, maintenant que l'argent de mon avortement était épuisé. Depuis longtemps, nous vivions suspendus aux mandats que la poste mettait des semaines à délivrer, et nous passions notre temps à faire le siège de l'unique guichet environné de mouches.

Dans la grande pièce, les deux ivrognes se consacraient à faire des crapettes, en sirotant du rosé tiède, et ricanaient en se tenant par le coude si on leur faisait une remarque. Tous les mots de notre conversation, en français, devenaient des mots méchants, même s'ils ne le signifiaient pas par eux-mêmes; il ne restait que la douzaine de mots arabes, auxquels on s'exerçait en présence d'Amar, qui n'étaient pas des insultes.

Comme Amar ne comprenait que le français de l'école, et l'écrivait mieux qu'il ne le parlait, les pires choses pouvaient se dire en sa présence, à condition de garder une voix douce. Ainsi je me suis fait mille fois traiter, sur le ton dont on dit : passe-moi le sel, de sale vagin puant ou de pute à nègres. Surtout cet après-midi-là, où ils avaient bu toute une caisse de petites bouteilles de bourra, qui est un alcool à brûler local. Le plus vieux s'est étendu sur le lit à côté d'Amar, qui avait un peu trop bu aussi, et il s'est mis à lui passer la main sur la poitrine par la chemise entrouverte, en sanglotant des mises en garde contre tous les autres qui étaient des hypocrites et ne cherchaient qu'à coucher avec lui. Amar faisait d'ordinaire semblant de ne pas comprendre. Cette fois-ci, il s'est brusquement levé et a demandé si on pouvait lui prêter le scooter.

Tous les garçons de l'île cherchaient à emprunter ce scooter. Nous avions toujours refusé. Il suffisait de les voir conduire une fois pour comprendre. Il y a des gens qui courent à l'abîme, parce qu'ils n'attachent pas tant d'importance au risque que nous; et Amar était de ceux-là. Les autres avaient passé l'après-midi à essayer de le saouler à la bourra. J'ai essayé de dire que non, il ne fallait pas, mais ils m'ont coupée en affirmant que le scooter était à tout le monde, et ce n'était pas à moi de décider.

La dispute a continué, entre ceux qui voulaient l'emmener faire un tour sans le laisser conduire, et le plus saoul de tous, qui disait que c'était ridicule, que personne n'avait besoin d'une vieille folle comme tuteur et autres choses horribles. Je me suis bouché les oreilles et leur ai hurlé de se taire. Du coup, ils sont tous partis en claquant la porte.

Alors seulement je me suis souvenue que la veille, quand j'étais descendue faire les courses à Kerkenna, la roue arrière avait crevé; et l'épicier, qui m'avait aidée à la changer, m'avait fait remarquer que le pneu de secours était tout lisse. Je me suis levée pour aller leur dire, mais quand j'ai passé le coin de la maison, j'ai vu que celui qui était resté avec Amar était en train de l'embrasser sur la bouche. J'ai eu un hoquet, et j'ai réalisé que j'avais pas mal bu aussi; j'ai reculé pour revenir me coucher à plat ventre sur mon lit, en ne faisant pas de bruit, pour qu'ils ne se retournent pas. J'ai mis les oreillers contre ma tête pour ne pas entendre le bruit du moteur qu'ils essayaient de faire démarrer; ils n'y arrivaient pas. Je me suis promis que j'irais les prévenir, s'ils arrivaient à le faire partir, en priant le ciel qu'ils n'y arrivent pas; parce qu'à ce moment précis, je les haïssais trop, même pour leur adresser un seul mot.

J'ai relevé la tête. Il n'y avait plus aucun bruit. J'ai couru à la fenêtre, et j'ai vu la Vespa, très loin, qui descendait la côte en roue libre, et la chemise blanche du passager qui flottait au vent, le passager accroché au corps d'Amar qui était penché sur le guidon. La machine a sursauté quand il a enclenché la vitesse, et le moteur a démarré. Je me suis mise à courir pour les rattraper, mais ils n'étaient déjà plus qu'une petite tache qui montait le grand tournant, très loin.

J'ai repris le chemin de la maison, en marchant dans la pierre noire volcanique, dans le jour gris qui tombait des nuages. Les deux autres ronflaient dans la grande pièce, avec une bouteille vide à côté. La nuit est tombée, j'ai dû dormir un peu. J'ai entendu au loin un klaxon de police, et ça a remué dans la grande pièce, la bouteille est tombée par terre. Je n'ai pas allumé, je préférais rester dans le noir. Le klaxon s'est rapproché, et la voiture est arrivée devant la maison; ça n'était pas la police, mais une ambulance. Les phares se sont reflétés sur la terrasse toute luisante de pluie. La folle qui était partie avec lui est sortie de l'ambulance, un bras en écharpe et un pansement sur le menton. Je l'ai agrippé en hurlant le nom d'Amar; il s'est dégagé en grimaçant de douleur, pure comédie. Les autres, dans la grande pièce, sont sortis aussi, en se frottant les yeux. Je me suis forcée à être gentille, et j'ai demandé à l'accidenté s'il avait mal. Il m'a dit que ce n'était rien, qu'il avait seulement l'épaule luxée. « Dieu merci, le visage a été sauvegardé », a-t-il ajouté, en imitant une starlette devant la presse. J'ai trouvé que le moment était mal choisi pour ce genre d'humour, et j'ai fondu en larmes, et finalement c'est moi qu'il a fallu consoler.

Amar était resté à l'hôpital; la Vespa avait heurté en plein le mur d'une villa à l'entrée de la ville, en essayant d'éviter un trou. Le lendemain, tous les yeux étaient cernés. Il allait de soi, sans même le dire, que le moment du départ était venu. Nous avons marché jusqu'à la ferme des propriétaires, les prévenir, et appeler l'hôpital; mais il était impossible d'obtenir aucun détail, sinon qu'Amar allait bien; et, dans ce cas-là, pourquoi le gardaient-ils?

Le vent s'était calmé; il faisait gris et lourd sur la montagne de lave. Nous sommes restés sur la terrasse, et nous avons vu venir une véritable armée de vélos et de Vespas, qui montait vers la maison. Ils sont restés devant l'entrée, sans oser passer le seuil. Sont arrivées deux des parentes d'Amar, qui ont refusé d'aller jusqu'à notre porte, et criaient des choses qui ne devaient pas être très agréables, en arabe, depuis le champ en face. Finalement, un des copains d'Amar a pris la parole et nous a présenté leur requête. Il fallait dire, dans la déclaration à la police, que c'était l'un de nous qui conduisait la Vespa, parce qu'Amar avait moins de dix-huit ans. Tous ces amis d'Amar n'étaient pas du tout menaçants comme nous l'avions cru, mais plutôt suppliants. La police n'a pas cherché de détails. Nous étions les seuls, la famille exceptée, pour nous croire responsables. Les garçons cherchaient seulement à éviter les ennuis; ils avaient tous l'air de penser que c'était la faute d'Amar, de sa folie, cette folie de mécanique chez les jeunes de l'île, qui faisait chaque été des estropiés et des cicatrices; folie dont eux-mêmes parlaient objectivement, avec tristesse.

Quand ils sont partis, nous étions plutôt honteux, sans savoir de quoi. Nous avons fait nos bagages, appelé un taxi pour tôt le matin; ce matin du départ, on s'est installés au café, à regarder de l'autre côté de la vitrine dégoulinante de pluie le quai désert, et les toiles des terrasses qui pendaient, gonflées d'eau. Le serveur avait l'air furieux, contre le temps, contre la fin de saison.

Quand la pluie s'est interrompue, on a couru jusqu'à l'hôpital en s'éclaboussant avec l'eau des flaques restée dans les trous de la route, entre les murs des maisons, d'habitude rose clair ou vert pistache; avec la pluie, elles étaient passées à la détrempe. Tout avait foncé, même la peau des gens, qui paraissaient plus gris que bruns.

L'hôpital était au bout du quai, entre un dépôt de vieux camions militaires rouillés depuis la guerre, et des villas abandonnées, dont les colonnes de ciment s'effondraient et montraient leurs armatures de grillage. J'avais acheté des bonbons à la liqueur de café, et ils n'ont pas cessé de me dire que c'était mauvais pour un malade. Devant l'entrée de l'hôpital, nous avons croisé une petite foule : des chauffeurs de taxi qui attendaient, des infirmiers en blouse sale assis sur le rebord des fenêtres, quelques vieux en pyjamas, mal rasés, qui se tenaient debout sous la marquise et regardaient le ciel sombre en se curant le nez.

L'un des deux côtés de la porte en verre était cassé, et fermé avec de vieux journaux collés avec de l'adhésif. Dans les couloirs, personne ne nous a rien demandé, à tel point qu'on a dû redescendre pour trouver quelqu'un du personnel qui nous indique la chambre d'Amar. Quand je lui ai demandé si je pouvais apporter des bonbons à la liqueur, il a souri et en a réclamé quelques-uns pour lui-même.

Partout, des visiteurs entraient et sortaient des

chambres avec de la nourriture, des couvertures, des bébés. Au premier étage, c'était un peu plus calme. Devant la chambre d'Amar, un panneau « silence » criait dans le désert : c'était de là que venait le plus de bruit, la radio, et cinq ou six personnes dans la pièce, assises par terre, sur le bord du lit, ou en train de lire le journal à haute voix, ou de discuter avec de grands gestes. Je ne pouvais même pas voir Amar, au début, parce qu'un vieux type en blouse se tenait devant lui. Une infirmière se lavait les mains, et plusieurs des copains d'Amar que j'avais vus la veille fumaient des cigarettes, autour du lit. Ils m'ont jeté des regards noirs. Toute l'île me jugeait. Hocine était là aussi, et a tourné le dos.

Je me suis assise sur un tabouret en plastique, et j'ai regardé Amar sans pouvoir parler. Il avait une jambe en l'air dans le plâtre, soutenue par un appareil qui pendait du plafond, et un bandage tout taché de sang autour du front, qui ne cachait pas les yeux, fermés et gonflés. Mais ce qui m'a le plus frappée, c'étaient ses mains, qui étaient attachées le long des montants du lit, comme si on venait de le torturer. Près de la fenêtre, une vieille femme accroupie, dont je ne distinguais que le dos, sanglotait infatigablement.

Il avait le torse enveloppé dans une sorte de treillis de coton extensible, à grosses mailles, et on voyait sous le filet sa peau brune et lisse, et ses muscles qui gonflaient pendant qu'il se tordait les mains en essayant machinalement de se détacher; il parlait très haut, à la cantonade, en arabe : sans doute demandait-il à sortir au plus vite de l'hosto. On entendait des portes qui claquaient, des babouches qui glissaient dans les couloirs. La vieille femme, la mère, s'est mise à frapper le sol de sa tête. Amar n'ouvrait pas les yeux. Il faisait humide et chaud dans la pièce, et une mouche s'est posée sur lui, et a commencé à sucer le caillot de sang, au coin de l'œil. J'ai voulu me lever; le vieux en blouse, qui était le docteur, a fait un geste de la main tout en continuant à parler, et la mouche s'est envolée.

Alors, d'un coup, Amar s'est mis à crier, à essayer de se soulever, à serrer les poings, tirer sur ses bandages; j'étais hypnotisée par le jeu des muscles sous le maillot, qui m'excitaient même ici. Il criait une phrase, toujours la même, en arabe, de plus en plus fort, et il a ouvert les yeux, qui étaient tout cernés d'un énorme noir, et injectés de sang, mais qui vivaient, qui bougeaient, qui m'ont regardée. J'ai demandé à voix basse à Hocine, qui était accroupi par terre et serrait les dents, ce qu'Amar réclamait. Il m'a chuchoté sèchement qu'Amar demandait pourquoi nous nous cachions de lui. J'ai ouvert la bouche pour dire que personne ne se cachait, mais le docteur m'a fait silence avec un doigt sur les lèvres. Hocine s'était mis à pleurer sans bruit. J'étouffais, j'ai voulu me lever brusquement, et j'ai senti une grande douleur qui me déchirait le bas du ventre; j'ai baissé les yeux, et j'ai vu ma robe toute tachée du sang qui gouttait le long de mes jambes jusqu'à mes sandales. L'infirmière s'est précipitée en laissant le robinet couler, et je suis tombée évanouie. La blessure mal cicatrisée de mon curetage venait de se rouvrir, quand j'avais compris qu'Amar était aveugle.

Mrs. Halloween

JE me suis réveillé, et j'ai su que c'était le matin. Parfois, en Californie, je dormais sur le sable, quand le hitchiking n'avait rien donné. La chaleur tombait doucement autour de moi, et le sable crissait sous mes sandales, un sucre cristallisé tiède qui devenait plus ferme avec l'humidité, au crépuscule et au petit matin, sous mon dos. Je m'éveillais parce que le soleil avait touché ma main, et j'attendais qu'il ait séché les gouttes de rosée salée sur mon visage.

Quand je dis « sur », je résume à la façon des voyants. J'éprouvais plutôt l'impression de m'évaporer et m'élever moi-même, doucement, vers le soleil levant. En Californie, j'ai commencé à me sentir ma peau, à devenir ma peau; sa sensibilité venait de changer brusquement, multipliée, chaque pore, affolé par l'électricité saline, follement excité par la mer et le soleil.

Ma peau. Même au travers d'un tee-shirt, le soir, en marchant le long de l'autoroute, avec à l'horizon sonore la musique d'une radio mexicaine mal réglée, la musique d'ambiance du snack du carrefour, sans doute, et les vrombissements de moteur comme des gros bourdons volant autour de moi, je repérais l'approche des voitures à la chaleur des phares qui montait dans mon dos. Il y avait un instant où cette chaleur devenait cuisante, presque une brûlure; je me retournais pour faire face, en devinant les gros yeux lumineux qui se promenaient sur moi, tandis que le conducteur ralentissait, en face de Rudolph Valentino Park, sans oser m'aborder.

Et Zita grimpait sur moi pour insulter le quatre-roues en langage chat, tout en me griffant machinalement l'épaule.

Amar n'est pas mon prénom exact. Le prénom que ma mère criait pendant des heures, dans la petite cour, ombrée par le figuier au tronc peint en blanc, où séchait le linge, mon vrai nom, est U'mar, comme le second calife après le Prophète, que vous dites Omar parce que les Européens ne peuvent jamais comprendre les voyelles arabes.

Ma mère m'a élevé, seule. Mes demi-sœurs sont parties avant ma naissance en Europe. Je porte son nom : elle ne possédait comme patronyme que le nom de son village.

Ce sont les Européens qui m'ont appelé Amar, à Kerkenna. Plus tard, j'aurais pu rectifier mon prénom; il était installé en moi, Amar collait à ma chair, des gens qui ne se connaissaient pas entre eux commettaient la même erreur. Omar : Mrs. Halloween aurait dit que ce prénom faisait joueur de bridge.

J'ai mis des années à bien parler les langues des Européens. Quand on me demandait comment je m'appelais, au début, en Amérique, j'étais obligé de faire répéter la question, situation terriblement humiliante, que je fuis comme la peste.

Un soir, que je ne peux me rappeler sans honte, j'étais au vingt-deuxième étage, dans un hôtel. J'ai connu tant d'ascenseurs que je peux reconnaître les pays par leur style de liftier. L'hôtel était au bord d'un grand port; derrière les immenses vitrages froids des baies, une rumeur de bateaux planait sur le lac. De temps à autre, j'entendais très nettement un bruit, une sirène, un cri, qui montaient comme un papier envolé bousculé par le vent, jusqu'au rebord de notre fenêtre. J'étais couché à côté d'une présence qui gargouillait je ne savais quoi, en me tenant la main.

J'ai cru qu'elle m'appelait. Je me suis penché sur son corps étendu, et je lui ai fait répéter – j'ai compris, trop tard. Ce que j'avais obligé cette femme à m'expliquer, c'était qu'elle me disait : « I love you. »

Depuis, j'ai appris l'anglais. Il y a eu tout un long temps confus, pendant lequel je me débattais dans le silence, ou presque. J'entrais et je sortais de pièces à chambres, et toute ma conversation se passait de main à main : avec la main qui m'entraînait, à table, aux voitures, d'un cercle à l'autre, dans un salon : cercles d'odeurs de vieillards soignés, voix élégantes, parlant d'incompréhensibles idiomes aux nasillements insolents. Ces cercles s'approchaient, s'écartaient de moi, atolls de bruit, sous la remorque de Mrs. Halloween. Parfois, un bras, une robe de soirée, ou un veston d'après-midi, s'attardait à côté de moi, m'entraînait à son tour dans des halls, des ascenseurs ou des voitures à chauffeurs muets; jamais ne manquait l'assentiment de la canne, manifestée par de petits coups complices à mon égard, télégraphe sonore destiné à me rassurer. Mrs. Halloween était vieille, tellement vieille que je n'ai jamais su son âge. Je ne peux lire les identités des autres. De même, quant à savoir si était authentique sa noblesse d'Europe centrale, sous laquelle elle dissimulait ses origines juives, c'était bien au-dessus de ma compréhension.

Née sur le bord du Danube, elle avait épousé un gouverneur du Minnesota, lui-même sorti de l'Assistance publique et monté au Capitole.

Son nom à lui, que sa veuve avait conservé, signifiait en anglais la fête de tous les saints, ou des morts, comme on voudra; ainsi en avait décidé l'inspiration du directeur de l'orphelinat, à la recherche d'un beau nom pour son pupille.

J'entendais parfois dire par des réceptionnistes que Mrs. Halloween aurait assez bien pu figurer sur la citrouille découpée en lampion avec laquelle les Américains effraient leurs petits enfants; elle avait un dentier, une perruque, une canne.

Donc elle m'a appelé « Amar », et je suis resté Amar. Au début de notre liaison, parce que j'étais trop timide pour répliquer. Ensuite, j'ai fait pour elle ce sacrifice; sacrifice extrême : enfant, une mauvaise prononciation de mon nom n'était pas une faute, mais une insulte, que je punissais à coups de poing. Mais, après mon accident, j'aimais mieux écouter que parler, être appelé qu'appeler moi-même. A Kerkenna, quand j'étais comme les autres fou de vitesse et des bagarres, je cherchais plutôt à prouver mon indifférence, qu'à exercer la violence. Les Français disent que je suis fataliste, les docteurs que les infirmes sont passifs.

Souvent, je ressens mon prénom modifié comme un signe. J'étais tellement devenu autre, depuis mon accident, que je passais par une nouvelle naissance. Mrs. Halloween m'avait mis au monde une seconde fois, à tel point que je n'étais même plus sûr d'être arabe. Elle parlait souvent français avec moi, un français d'avant-guerre. Parfaitement polyglotte, elle m'a appris le « fluent english », plus tard. Trop tard pour que je puisse jamais savoir qui étaient ces exilés permanents de palace, d'Acapulco à Copacabana, ces vieillards aux noms lourds et riches d'histoire européenne, et ces ambassadeurs de l'avant-guerre qui étaient son monde. J'ai sans doute été le dernier à coucher avec la noblesse austro-hongroise.

Mrs. Halloween était, par mariage, de nationalité américaine. Elle m'a offert mon premier magnétophone quelques jours après notre rencontre. Depuis, j'ai passé des années, devant toutes les bandes magnétiques possibles. Les magnétophones ne m'ont plus jamais quitté, vrais chiens fidèles à la voix humaine. Mrs. Halloween me contraignait, des journées, dans des chambres d'hôtel, à répéter des langues inconnues. J'avais la vie entière pour étudier, si je le désirais. Mrs. Halloween était immortelle, ou increvable; et j'ingurgitais le savoir entier de l'humanité susurré par des milliers de voix anonymes.

J'avais toujours étudié à haute voix. J'ai constaté à quel point j'étais différent des autres, du seul fait que je ne conçois pas de texte lu à voix basse. Plus différent par cela de vous tous, que par le fait de ne pas voir.

Encore aujourd'hui, je scande ce que j'écris entre mes dents. Coran veut dire « lecture », mais seuls les Européens ont jamais imaginé une lecture « muette ».

Comme tous les jeunes de Kerkenna, entre les scooters, les jukc-boxes, les films égyptiens ou hindous, je n'avais pas beaucoup de temps pour les vieillards barbus enturbannés que fréquentait ma mère, dans la fraîcheur silencieuse des après-midi des chapelets. Mais j'ai longtemps été croyant, sans être jamais pieux. D'avoir tant récité la « fatihat al kitab », les premiers versets de la profession de foi, a formé en moi ce lien physique entre le Texte et la proclamation, mon cerveau et mes lèvres, même si je ne crois plus à aucun dieu.

Depuis que j'ai appris qu'il veut dire « aimer » en portugais, j'ai renoncé à rectifier mon prénom. Ils ont raison, eux qui me voient, et qui me nomment. Après tout, ils parlent de moi mieux que moi de l'extérieur. Entre eux et ma conscience, ils décrivent une frontière : elle porte un nom différent suivant le côté d'où on la regarde. Car je regarde la frontière, moi aussi, depuis ma confusion intérieure. Mrs. Halloween m'a appris à ne pas avoir peur des mots des voyants. Je dis « on se voit demain » sans la moindre gêne. Je « regarde » l'heure en braille sur ma digicassette. Les voyants ne peuvent prétendre au monopole de l'attention et des rendez-vous. Mrs. Halloween m'a aussi contraint à toujours me tourner vers la personne à laquelle je parle. A Kerkenna, dans les quelques mois qui avaient suivi mon accident, personne n'avait eu la moindre idée de mes nouveaux besoins. Ma mère se tordait les mains, entourée de voisins qui me nourrissaient comme un bébé, oubliant même que j'avais vu, auparavant, que je pouvais reconnaître un instrument, une cuillère.

Mrs. Halloween était patiente et systématique. Elle découvrit en même temps que moi les innombrables gadgets du monde des aveugles. Les plus chers n'étaient pas assez chers pour elle. J'ai eu un réveil parlant, qui annonçait l'heure à haute voix. J'ai eu un photadon, gros comme un stylo, qui vibrait dans ma main quand la lumière était allumée dans la chambre. J'ai eu un perroquet apprivoisé pour aveugles, qu'un vieil Espagnol dressait en Floride, et qui valait des milliers de dollars, car il savait avertir en espagnol des feux rouges, pour traverser les rues; je me promenais aux Bahamas avec l'animal sur l'épaule, l'animal qui sait reconnaître les couleurs, peut-être parce qu'il en porte tant lui-même.

Mrs. Halloween m'apprenait à boire, à l'aide d'un verre siffleur qui indique le niveau du liquide, puis au poids, sans renverser une goutte. Elle m'apprenait le téléphone, l'emplacement du zéro sur les claviers à touches, que je préfère, ou sur les vieux cadrans tournants, le repérage des autres chiffres par voisinages successifs; et j'ai beaucoup utilisé le téléphone, les magnétophones et aujourd'hui la digicassette, cette machine à écrire en braille qui enregistre le texte.

Mrs. Halloween a eu la patience de m'enseigner le braille, au cours de longues soirées de jeux de dés dont elle avait acheté des exemplaires spéciaux en points-relief. J'ai aujourd'hui appris à écrire le braille à la machine à six touches, mais je n'ai jamais utilisé le stylet et la plaque perforée de ceux qui l'écrivent à la main, pas plus que je ne peux lire couramment les lettres. Noter, relire, des adresses, des souvenirs... A quoi bon? Je ne relis jamais, et je crois que la parole humaine n'est faite que pour courir, sans jamais revenir sur ses pas.

Pendant tout le temps que j'ai vécu avec elle, j'ai tout juste appris à signer mon nom, quand Mrs. Halloween en a eu besoin pour mes papiers légaux. Elle ne voulait pas me forcer à ânonner des doigts, en infirme, pas plus qu'elle ne supportait que j'eusse une canne blanche. Un couple de cannes ensemble, selon elle, aurait été risible. Nous avons tout essayé, les tiges repliables, l'antenne fixée au revers de la boutonnière, tout ce qui pouvait faire oublier ma situation. Un été, je me suis promené avec un yoyo électrique muni d'un dispositif sonore d'alerte en cas d'obstacle, qui était une manière de radar coûtant une fortune.

Quand je dis « obstacle », je veux bien sûr désigner les trous, les excavations, qui sont les seuls véritables obstacles. Les plaques d'égouts enlevées, les escaliers qui descendent... Très vite, j'ai appris à sentir un mur, une impasse, une porte fermée sans l'aide d'aucune machine. Je crains le monde en creux, non le monde en relief; un monde troué d'abîmes mortels, rongé de plaques de vide où je peux tomber. La chute, depuis mon accident, est mon obsession. Mrs. Halloween s'était fabriqué un infirme de luxe, un jeune robot dont toutes les vendeuses tombaient amoureuses. Ses gadgets m'habillaient en Martien, en extraterrestre descendu offrir mon corps aux Terriens; ainsi s'exprimaient ses amis, au troisième verre avant le dîner. Au bout d'un an, Mrs. Halloween m'a donné de petites sommes d'argent pour régler certaines dépenses, puis elle m'a habitué à recevoir quelquefois un « cadeau » de ses amis. J'ai dû réapprendre à calculer. J'ai eu un boulier aux boules d'argent, un cubarithme de cent petits cubes d'ivoire, et finalement un vidéobalbulateur, un magnétophone de poche qui annonçait les chiffres que je frappais, et les résultats de toutes mes opérations. Ces machines m'ont appris à me passer des machines. Sans le calcul mental, je n'aurais jamais pu mener une vie indépendante. Là comme ailleurs, Mrs. Halloween préparait le lendemain... Dans ses mains énergiques, en trois ans, le petit paysan de Kerkenna s'est fait cosmopolite. Grâce à elle, je sais même goûter le plaisir d'ordonner les fleurs d'un bouquet, d'en agiter le tableau de parfums et de textures, ce que vous appelez la couleur. Elle a patiemment reconstruit une éducation, tout entière orientée vers ma liberté future. Une éducation de luxe et d'intelligence dont je ne lui ai pas rendu le centième de la valeur en service amoureux.

Au second soir de notre rencontre, nous étions dans la grande salle à manger d'un palace. Il faisait tiède, un orchestre jouait quelque part une bossa nova, et Mrs. Halloween m'expliquait comment explorer mon assiette avec ma fourchette sans faire de bruit, comment sentir le siège que le garçon, bien intentionné, vous approche, en reculant légèrement le talon jusqu'au contact.

Je n'ai jamais cessé d'apprendre depuis ce soir. Je découvrais le tintement des verres, les tapis épais, les parfums de nourriture et de fleurs, la voix feutrée du maître d'hôtel; même un non-voyant perçoit tout cela.

Les usages, les coutumes, sont pour moi bien plus que des usages : les guides qui me permettent d'avoir avec les autres une relation presque normale. J'ai horreur des visiteurs qui ne s'annoncent pas, ou se taisent.

Elle me conduisait à mon siège, dans les avions comme dans les théâtres, en me mettant la main sur le dossier, me signifiant que cet espace-là était mien, et que je devais désormais l'occuper par moi-même.

Pendant le bref temps resté à Kerkenna, je n'avais plus su ni m'habiller, ni me laver, ni manger seul. Elle eut la patience de respecter toutes les répugnances du petit Arabe qui craignait le porc dans toute viande en sauce, de suivre tous les préceptes de ma toilette d'alors, d'abord le ventre, puis la tête et enfin les pieds, comme il est dit dans le Coran. Les premiers mois, je continuais à faire ma prière cinq fois par jour, et à dire *bismillah* à tout bout de champ. Elle me laissait faire, jusqu'au jour où j'oubliai de moi-même.

Ma barbe commença à pousser. Elle se mit à guider mon bras tous les matins, dans une répétition de rasage qui devint bientôt un véritable soin de toilette.

Je me dis parfois que je ne suis que la somme des attentions et des préoccupations de Mrs. Halloween, qui continuent à vivre par-devers elle : elle m'a reconstruit une existence comme je ne l'avais jamais connue.

Il m'arrive de confondre les gens, surtout ceux du début, des premières années. Tant de voix, tant de gens vous confient des émotions étouffées. Mais la sienne est la première identité sûre, juste après que Hocine m'a laissé assis devant l'hôpital à Rome, en partant chercher un taxi.

Je n'ai jamais pris l'initiative de m'en aller. Toute l'île s'était cotisée pour me payer une consultation en Europe. Finalement, ma mère m'avait envoyé, avec Hocine, consulter un grand professeur à Rome; je m'étais laissé faire, mais j'étais déjà sûr qu'il n'y pourrait rien.

Quand l'accident s'est produit, il me semble que je

n'étais encore qu'un demi-animal presque inconscient, fou de timidité, et pour lequel le monde s'arrêtait à peu près à l'embarcadère d'un petit port écrasé de soleil, où les chiens dormaient dans la poussière en attendant l'arrivée du bateau quotidien.

Cet été-là, des touristes européens étaient venus dans l'île. C'étaient mes premiers amis blancs. Je ne me souviens même pas de leur nom; celui de la fille, peut-être. Elle portait un prénom d'homme italien. Ils ont disparu avec le choc qui m'a laissé à l'hôpital de Kerkenna.

L'hiver suivant fut pour moi une période engourdie, où j'entendais, en arrière-fond, du lever du soleil à son coucher, les gémissements funèbres, dans le bruit de vaisselle de terre qu'on range, les plaintes de ma mère. Le malheur m'avait frappé par-derrière, comme un mauvais esprit surgi du désert et retourné au vent de sable après son mauvais coup. En passant la main, je pouvais sentir la tonsure des cheveux, les petites boursouflures des points de suture, juste au-dessus de la nuque, là où ma tête avait heurté le guidon du scooter. Le poil rasé repoussait déjà, m'irritant la paume. Pendant quelque temps, je ne parlais pas, je bougeais à peine. Le docteur de l'hôpital de Kerkenna, complètement dépassé, avait suggéré lui-même de me faire examiner en Italie. Hocine transportait dans un mouchoir noué toutes les économies faites sur la récolte des câpres. En échange, le professeur venait de confirmer que j'étais atteint définitivement de cécité au niveau du cerveau; pour le prix, il ajouta que, contrairement à ce qu'on pouvait craindre, aucun autre centre n'était touché. Je n'étais pas devenu idiot : c'était la seule certitude avec laquelle je pouvais revenir à Kerkenna. Mais Kerkenna, sans la lumière, n'était plus rien.

Ce sont les autres qui m'ont appris que j'étais aveugle, comme ils disent. J'en ai pris l'habitude, mais je n'en ai jamais été vraiment persuadé. Au début, à l'hôpital, je pensais simplement qu'il y avait une bizarrerie dans ma vision, je ne savais quoi exactement. Je n'étais pas dans l'obscurité, mais dans un monde sans couleurs, et sans formes, avec l'impression persistante d'un simple brouillard sur le point de se dissiper. Les accidents de scooter sont si naturels à Kerkenna que j'étais plutôt fier, au début, quand je n'avais pas compris que je n'y voyais plus. Fier au point d'être presque reconnaissant à ces Européens qui étaient à l'origine de ma chute, et qui faisaient de moi un héros. Quand j'eus compris ma cécité, je me résignai à la volonté de Dieu. Je ne trouvais pas de quoi j'étais puni. Je n'avais pas regardé les éclairs en face, comme ma mère m'en dissuadait les jours d'orage, convaincue que cela pouvait brûler les yeux. J'ai découvert, plus tard, dans un dictionnaire européen, que là aussi l'aveuglemcnt est considéré comme une punition; ainsi y étaient cités Œdipe, Orphée, et un sorcier qu'ils appellent Tirésias, et qui avait regardé sa mère se baigner toute nue. Mais je n'avais jamais désiré ma mère, même en rêve.

J'errais en me cognant dans tous les murs de la maison, en me répétant que j'avais dû fauter, sans le savoir. Les distances se chevauchaient, ma mère m'embarrassait, se mettant dans mon passage. Je finis par rester immobile, retourné en moi-même, où je me « voyais » encore un peu.

J'ai donc commencé par apprendre à être aveugle. Quand tout le monde, les amis, Hocine, me croyaient muré dans le malheur, au bord du suicide, silencieux par excès de douleur, j'étais simplement immobile. Drapé dans ma dje'ba, au soleil, pétrifié de stupéfaction, au milieu d'un nouvel univers qui était, me disait-on, non visible. J'étendais lentement, trop lentement, comme une exploration l'ombre de mes bras sur le sol.

En fait d'aveugles, je ne connaissais que les héros des contes que ma mère me faisait, quand j'étais gamin. Je me redisais l'histoire de Baba Abdallah, l'aveugle de la boîte à la pommade, à la barbe blanchie et à la voix cassée, puni par sa curiosité d'avoir voulu appliquer sur son œil droit l'onguent magique réservé à l'œil gauche. Moi, je n'avais jamais cherché à découvrir les trésors qui avaient perdu Baba Abdallah. Je n'avais commis aucun grave sacrilège, excepté boire quelquefois du vin, et avoir crié « Dinemuk! » à la vendeuse de journaux du port. Je n'étais pas aveugle; c'était une supercherie. Un jour ou l'autre, je serais puni d'avoir contrefait l'aveugle, comme ce héros d'un autre conte : pris en flagrant délit d'imiter les aveugles pour mendier, il ne peut détourner la bastonnade qu'en dénonçant à son tour les vrais aveugles comme des contrefacteurs. Entre faire l'aveugle et être authentiquement aveugle, où était la différence? Incapable de la dire, je frémissais de ne pouvoir échapper à la fraude : un jour, toute l'île saurait que je n'étais qu'un simulateur.

Kerkenna me repoussait. L'ayant connue avant mon accident, elle manifestait tous les jours une différence absurde dans l'expérience que j'avais d'elle. Sans me savoir aveugle, je sentais qu'à Kerkenna manquait quelque chose que j'avais connu autrefois. Alors, pourquoi y retourner?

Je tripotais nerveusement les lunettes noires que l'hôpital m'avait données, qui pesaient sur ma figure, car je ne voyais pas à quoi elles me serviraient. J'étais debout, au bord du trottoir, devant l'hôpital, ce soir-là; et il devait déjà être très tard, Hocine était parti depuis longtemps chercher un taxi qu'il ne trouvait pas; un homme, une main d'homme, m'a pris impérieusement par le bras. Depuis plus de deux mois, je ne faisais que me faire trimbaler, habiller, laver par d'autres mains, celles de l'hôpital, celles de ma mère. J'ai suivi la main, et je me suis retrouvé sur le trottoir en face, sans pouvoir revenir, mais ignorant tout ce qu'il y avait devant moi.

J'ai heurté une grille, celle d'un jardin public, où la charité encombrante de ceux qui veulent toujours faire traverser les aveugles m'avait ainsi conduit. Je me suis assis en me demandant comment j'allais retrouver Hocine; plus tard dans la nuit une autre main, jeune celle-là, est venue à moi, et m'a guidé au long des trottoirs, puis une allée de sable. Le bruit de la circulation avait été couvert par le murmure des arbres. Il faisait plus frais, et nous avons marché longtemps, jusqu'au moment où la main m'a fait asseoir sur un banc, et a commencé à me toucher.

Depuis l'accident, j'étais devenu touchable à merci; pourtant mon sexe était mort. Même les filles de l'île, qui m'avaient gavé de caresses et de suçons érotiques pendant mon adolescence, n'osaient plus la toucher, cette part de moi-même devenue sacrée depuis le jour où je ne voyais plus. Quand la main a ouvert ma braguette, j'ai été excité. J'ai senti des lèvres, un menton mal rasé; et puis il y eut comme un grand dérangement, un bruit de course au loin, et la main m'a brusquement quitté, et j'ai entendu les pas qui s'éloignaient.

J'ai fermé le pantalon de Tergal acheté par ma mère au marchand ambulant de Kerkenna, et j'ai avancé un peu, au hasard, jusqu'au bord d'une large étendue de goudron où des autos tournaient comme un manège de pétarades. Là, au bord des jardins de la villa Borghèse, j'ai rencontré Mrs. Halloween.

J'ai entendu une voix plutôt criarde, qui nasillait en américain des insultes, depuis l'autre bord du goudron. Et puis j'ai senti quelque chose se couler doucement contre ma jambe, se frotter à moi, puis sauter d'un bond sur mon épaule. C'était sa chatte qui s'était échappée.

Mrs. Halloween boitait. Elle prétendait que c'était

une blessure de guerre mondiale, la première bien entendu. J'ai entendu son pas sur le goudron, qui dispersait les automobiles. Un pas impérieux de vieille femme riche, qui s'offre une belle canne pour rythmer à petits coups sa promenade plutôt que pour s'appuyer dessus.

Elle m'a appelé. Je ne comprenais pas l'anglais, mais elle était si autoritaire que j'ai avancé. C'est seulement alors que je suis sorti de l'obscurité, m'a-t-elle dit plus tard, guidé par cette canne qui dansait au loin, et qu'elle a vu mes lunettes noires.

J'ai toujours pensé, et j'ai entendu dire, qu'elle aurait pu ne pas boiter. Pas plus que je n'ai essayé de lui faire prononcer correctement mon nom, je n'ai contredit ses propres mensonges. Ce soir-là, elle martelait le sol à petits coups précipités, en tournant autour de moi pendant que je reposais la chatte. Puis elle m'a parlé anglais, français, et italien, pour me dire que ce rond-point de la villa Borghèse n'était pas du tout un endroit pour moi, compte tenu de mon âge, et de ma mutilation. Elle était plutôt abrupte. Je ne comprenais pas pourquoi ç'aurait été un endroit pour elle, à son âge, que la villa Borghèse à onze heures du soir. Nous avons contourné les voitures où les amoureux italiens se font faire des pipes par les vendeuses des grands magasins, selon elle. Il y avait en face, éclairés par les voitures qui tournaient, quelques dizaines de garçons en panne cherchant à se faire un supplément de salaire. Elle m'avait pris pour l'un d'entre eux. Mrs. Halloween a arrêté un taxi à coups de canne, et nous sommes redescendus sur une grande place sonore, à une terrasse, boire un cognac, parce qu'elle s'inquiétait de ma pâleur. Dans le vieux palace où subsistait une odeur de cuisine rance, le portier ne voulait pas de moi; Mrs. Halloween a menacé de dormir dans le hall, en causant un scandale, parce qu'on refusait les infirmes dans un hôtel où on lui faisait payer cent dollars une chambre sans air conditionné. Autour de moi, un charivari de voix en italien a éclaté, et le directeur est allé chercher un code pénal italien, qui définissait les aveugles comme « personnes juridiquement incapables »; il répétait ces mots-là avec une intense satisfaction, et a fini par nous laisser monter moyennant un froissement de billets qui devait signifier un énorme pourboire. Dans l'ascenseur, elle décida que nous quittions le pays, un pays qui déniait leurs droits aux infirmes. Six heures après, au petit matin, j'ai quitté Rome en n'ayant guère connu de la ville que le trajet de l'aéroport à l'hôpital, et à l'hôtel.

Pendant ces quelques heures, j'avais fait une découverte très importante : l'accident en moi n'avait pas tué le sexe, il m'avait rendu indifférent aux gênes et aux critères des voyants. Par exemple, je ne me demandais pas si Mrs. Halloween était laide; elle m'avait déshabillé, puis baigné, elle devait me savonner dans toutes les baignoires de palaces du monde. Elle m'avait conduit dans un lit, entouré d'un peignoir parfumé. J'ai entendu un choc dans un verre, à côté du lit, où de l'eau faisait un bruit bizarre de bulles. Pendant trois ans, elle allait enlever son dentier presque tous les soirs à mes côtés, avant de me sucer consciencieusement, sans la moindre tentative vers autre chose. Elle avait une bouche efficace, et, depuis, j'aime bien me faire sucer. Pendant ce temps-là, je pense à autre chose : pour un aveugle, c'est la forme la plus commode du sexe.

Je suis né dans la bizarrerie; au moment où je suis devenu un être qui fait l'amour, je ne voyais plus. Les gens que j'ai connus plus tard ont toujours cru que mon adolescence amoureuse en compagnie de Mrs. Halloween avait été monstrueuse. Ils n'ont aucune idée de ce qu'est un désir sans voir. Elle a été la vraie raison de ma survie, parce qu'elle m'a donné un accès aux sensations, parce qu'elle faisait ces gestes avec moi; j'ai souvent pensé la nuit, quand je dormais à côté d'elle, à l'embrasser sur le front pendant qu'elle dormait en ronflant et en bégayant des mots allemands, en sueur dans les draps froissés. Comment aurais-je pu faire pour la juger? Elle était tout entière dans ma vie, dans les moindres détails; elle constituait le plus profond de mon intimité.

Quelqu'un comme moi n'est jamais seul, parce qu'il n'est jamais sûr d'être seul. Mrs. Halloween m'a fait comprendre que mon « intérieur », le dedans le plus intime de moi-même, était désormais à elle, comme il serait à d'autres, après sa mort. Laquelle arriva après trois ans de palaces sudistes de la Floride au Brésil, des Bermudes à la Californie.

La mort de Mrs. Halloween, à San Francisco, a été, pour moi, un plus grand changement que celle de ma mère. Non que je n'aime pas ma mère; mais depuis que je ne voyais plus, à Kerkenna, elle était une autre femme : une montagne de désolation, aux gestes maladroits, qui me réduisait à l'état de paquet incommode. Que je n'aie pas essayé de la revoir avant sa mort n'est pas dû à cette insensibilité que Mrs. Halloween me reprochait. Ma mère était morte pour moi du jour où elle disparut de ma vue.

Plus tard, au moment de mes dix-sept ans, Mrs. Halloween obtint d'un tribunal de la ville de Key West mon émancipation, quand la mort de ma mère fut confirmée légalement. Ma mère était morte écrasée par le rocher, au-dessus de la maison, qu'un tremblement de terre avait ébranlé. Kerkenna se vengeait de ma fuite. Mrs. Halloween ne m'avait pris à ma famille que pour me rendre à moi-même : cette émancipation n'était pas qu'une formule légale. Depuis ces premiers jours où elle me faisait explorer mur après mur notre chambre, m'apprenait à utiliser successivement l'espace de mes doigts, le pouce et l'index, puis l'espace de mes bras, le volume qui m'environnait, j'avais reconquis les distances. Les positions, le lever, le coucher, s'asseoir, n'étaient plus le cauchemar d'un animal pris dans une toile gluante d'obscurité; je retrouvais avec ravissement l'exercice normal de ma présence physique. Rien n'est plus absurde que le préjugé dont j'avais souffert à Kerkenna, selon lequel l'espace pour le non-voyant n'est qu'une succession de pièges auquel il ne saurait échapper, puisque le sens de cet espace l'a quitté. Par Mrs. Halloween, j'ai retrouvé une place au monde, qui n'était pas la même qu'autrefois. Mieux que les voyants, je perçois le monde comme un volume, un véritable relief sensuel, non une pâle perspective trompeuse. J'ai une perception en relief du moindre des objets usuels; elle me les faisait toucher et retoucher jusqu'à ce que j'en eusse mal aux doigts, aux muscles de la main, comme les voyants attrapent mal à la tête à force de lire.

Une évidence m'avait d'abord échappé à moi-même, dans la stupidité qui avait suivi l'accident. Plus qu'un autre, je ne me déplaçais, je ne respirais qu'en trois dimensions. Je ne réduisais jamais le monde à son angle visible; je l'explorais minutieusement sous toutes les faces, avant de m'en former une idée.

Le seul objet qui m'échappait, c'était le miroir. Un jour, à Kerkenna, ma mère brisa tous les miroirs après m'avoir surpris à passer la main, indéfiniment, sur la surface glacée, à la recherche d'un souvenir double. Avec Mrs. Halloween, un soir, je me suis amusé à contrefaire, devant le miroir, les gestes d'un homme qui se regarde. Il n'y avait pas à avoir peur des miroirs et des illusions de la vue : ma seule différence avec un voyant est que je ne me laisse pas prendre à l'erreur qui lui fait voir, sur un objet plat, une perspective. Je dispose là d'une supériorité, à sentir un objet sans me le représenter.

Quand j'affirme que j'occupais à nouveau une place dans le monde, je dois préciser qu'au début, cette place se confondait exactement avec celle de Mrs. Halloween et de sa chatte. Par une modification de ma manière de percevoir, ses pas, sa canne, son espace, son animal, je les suivais mentalement comme miens. Sa canne : elle l'utilisait tout à mon profit, avertisseur, tacteur, explorateur sonore du monde environnant qui me prévenait et me renseignait. Pourquoi aurais-je eu une canne moi-même, quand celle de Mrs. Halloween me traçait le chemin?

Elle me précédait partout d'un demi-pas, ombre portée vers l'avant de ma propre sensibilité, qui s'atténuait au cours des années. Le bord d'un trottoir, la montée d'un marchepied de train, je ne les affrontais jamais seul, ni même le premier. Elle ne me poussait jamais en avant; je m'effaçais devant elle, aux entrées. La politesse cachait une tactique. Elle faisait résonner sa canne sur l'obstacle, en gardant le contact avec moi, qui n'avais qu'à suivre ses gestes.

Les chaleurs, les goûts avaient subi depuis mon accident une transformation complète. Après quelques incidents malheureux où je me brûlai les doigts sur des réchauds et des allumettes, ma peau devint un thermomètre à distance. Les goûts, surtout, prirent en compagnie de Mrs. Halloween une complexité incroyable. L'absence de mots, qui sont réduits aux contrastes simples, amer-acide, sucré-salé, réduit ma possibilité de description au blanc et noir, pour ces séries de goûts qui sont les couleurs des non-voyants. Même dans l'amour, ma bouche deviendra le siège essentiel de mon plaisir. Au bord tremblant des lèvres s'élabore la plus mystérieuse et la plus raffinée des impressions, celle qui seule peut équivaloir au battement des ailes d'un oiseau qui s'envole. Mes lèvres m'auront servi à explorer le monde plus qu'aucun autre organe : Mrs. Halloween disait qu'à cet endroit, nos points de sensibilité sont les plus nombreux, serrés comme une pelote d'épingles vibrantes.

Le luxe où elle me faisait vivre ne m'étonnait pas. Un gamin sorti tout droit d'une île de pêcheurs n'a pas vraiment conscience de ces choses-là, et je n'étais pas impressionné par les marques extérieures d'un respect et d'une puissance que je ne voyais pas.

De temps à autre, un accès de remords me prenait. J'imaginais l'imam de la petite mosquée de Kerkenna criant en postillonnant dans sa barbe à ma mère quel nouveau genre de vie je menais. Avec sa mort, ces scrupules ont disparu. Même l'imam aurait été secrètement fier : vivre aux dépens d'une femme n'a rien de honteux. Le Prophète lui-même n'a-t-il pas épousé la veuve Khadidja pour son argent?

De temps en temps, Mrs. Halloween me faisait toucher des petits rectangles de plastique où son nom était gravé en relief, et qui lui fournissaient partout des billets, par un système magique et transcontinental qui valait tous les génies des contes de mon enfance. Les frontières étaient de pur papier, papiers qu'elle remplissait pour moi dans les salles d'embarquement de première classe; elle me déclarait comme adopté de la Croix-Rouge, ou réfugié de guerre, selon les attestations fantaisistes qu'un de ses amis, haut fonctionnaire à l'ONU et chevalier de Malte, un titre qui me faisait rêver, lui faisait parvenir.

Du jour de mon émancipation, elle m'habitua donc à avoir mon propre argent, et à accepter les cadeaux de ses amis. Mon seul moyen de vraiment « connaître » des gens, de pouvoir m'en former une « image mentale », est de palper leur corps entier. Et le plus simple, pour parvenir à ce but, est de faire l'amour avec eux. A cette époque, la plupart des corps que j'explorais étaient vieux; cela ne me choquait pas. Je les décrivais ensuite à Mrs. Halloween, et nous riions aux éclats en comparant l'image que j'avais formée d'eux à la description qu'elle m'en donnait. Chacune de ces aventures me laissait un billet dont je ne pouvais même lire le chiffre.

Pour quiconque d'autre que moi, la vie avec Mrs. Halloween aurait semblé le comble de l'artificiel. A la longue, je me suis familiarisé avec toutes les nuances de la culture pratique d'un homme bien élevé, telle qu'elle avait dû exister en Europe avant la dernière guerre. Elle ne descendait dans aucun hôtel qui n'exigeait pas la cravate à la salle à manger. Je savais reconnaître la soie des synthétiques, un bon vin d'une imitation californienne, l'or parmi les autres métaux. Elle avait pour l'or un attachement d'Européenne exilée qui a subi toutes les guerres. Moi, je n'en avais jamais vu, si bien que ce métal qui formait mes objets de toilette n'était pour moi qu'un certain poli, tiède, très loin du tranchant brutal et glacé de l'acier, ou de la mollesse granuleuse de l'argent. Elle couverte de ses bijoux, et moi de son or, nous aurions dû nous faire dix fois attaquer, au cours des longues promenades de nuit que nous entreprenions parfois. De nuit? J'ai adopté la nuit pour vivre, qui m'est si commode. Avec Mrs. Halloween, qui était insomniaque, nous vivions le plus souvent entre le crépuscule et l'aube; c'était à mon tour de la guider, parfois dans une ruelle obscure, ou sur le bord des plages.

Le mot « blind » en anglais, comme la plupart des mots qui me désignent, veut donner l'impression de confusion, de bousculade où je me débattrais sans cesse. Je ne suis pas du tout confus, j'étais même capable de guider un voyant dans l'obscurité; la confusion, la bousculade, les voyants la provoquent autour de moi, m'obligeant à porter un signe distinctif de ma cécité, pour éviter qu'eux ne me heurtent. Je n'ai jamais pu m'accoutumer au cri : « Attention! » qu'ils prodiguent après coup. Avertissement toujours trop tardif, qui n'avertit de rien.

Un moyen de me faire reconnaître comme aveugle : nous avons beaucoup hésité, Mrs. Halloween et moi, parce qu'elle ne voulait me voir ni avec les affreuses lunettes noires de l'hôpital, qu'elle jeta par la fenêtre le premier soir, ni avec une canne blanche ou un autre insigne humiliant. Je pris l'habitude de marcher dans les rues avec les paupières fermées, car tout est normal dans mes yeux, pour le regard d'un voyant : les muscles bougent, les réflexes, la pupille, paraissent normaux. Les yeux fermés, je deviens pour eux un aveugle. Mais pour moi, fermer les yeux n'est qu'une ruse, car je ne suis jamais ébloui.

J'ai tout entendu, tout subi, de ce qu'un aveugle qui n'en a pas l'air peut éprouver. Même quand je marchais les yeux fermés et hésitais à un coin de rue, la pièce glissée dans la main. Chaque fois qu'on me traite en aveugle, j'ouvre les yeux, ce qui met les âmes charitables en fureur.

Mrs. Halloween m'a conduit chez de grands médecins, et chez les pires guérisseurs. Je commençais à connaître mon dossier. L'ensemble des organes de la vision semblait intact, et pourtant devenu inutile, chez moi. Un laboratoire de Floride entreprit une série de piqûres avec un produit radio-actif, qui devait servir à marquer mes nerfs optiques, à les rendre visibles aux rayons X. Les médecins espéraient ainsi établir l'endroit exact de la coupure, la coupure dans le nerf. Ils n'y parvinrent jamais. En revanche, à dater de ces piqûres, la réaction des gens de la rue, s'il faisait nuit, sur mon passage, devint parfois étonnante. Je ne comprenais pas pourquoi ils se retournaient, s'exclamaient. Et puis un soir, en se penchant sur moi, Mrs. Halloween a poussé un grand cri. Mes yeux, prétendait-elle, brillaient faiblement dans l'obscurité; ils étaient devenus subtilement phosphorescents.

Je ne sais si c'est à cette époque que j'ai commencé à me sentir beau. Je supposais que j'étais beau, ne serait-ce que parce que ma mère et toute l'île me l'avaient toujours dit. Entre le gamin qui écoute impatiemment les compliments des vieillards accroupis en cercle et fumant gravement leurs pipes à eau, et celui qui écrit ce texte, deux mille ans ont passé. Je sais que je suis beau comme d'un maléfice, d'une ruse de mon corps avec moi-même qui ne peux le voir.

Les voyants se sentent beaux d'un visage qu'ils ne peuvent voir qu'indirectement, par le secours trompeur du miroir. Je me sais beau aux voix. Aux voix de ceux qui me parlent. Ma beauté est l'émotion qui les fait balbutier, rien d'autre qu'un effet mystérieux qui m'entoure comme un gaz. Je me sais beau sans m'imaginer beau, sans me chercher une représentation de moi-même. Peut-être l'aurais-je fait dans les premiers mois qui ont suivi l'accident, tâcher de mémoriser mes propres traits, à cette époque. Je ne l'ai pas fait, je me suis oublié.

Assez vite, j'ai perdu cette angoisse du souvenir visuel. Une nouvelle sensibilité est née. Même quand mes mains cherchaient à « imaginer » le corps que j'avais rencontré, je voulais moins juger s'il était beau qu'établir le contact total. Le corps à corps reste mon accès à la connaissance des autres. Sans ce contact, entre elle, entre il et moi, il y a trop d'hypocrisie; cette masse d'hypocrisie gluante que je sens dans la voix parlant à l'aveugle. Pour moi, toutes les voix découvrent si facilement ce qu'elles cachent, pour mieux l'avouer.

Il y a aussi les voix d'après l'amour, la voix qui déborde de gratitude, de confiance, qui raconte sa vie, les plus secrets des désirs. Faire l'amour avec un aveugle, pour ces voix, c'est faire l'amour avec un mort qui écoute.

Mrs. Halloween me disait souvent que je décrivais des personnes-voix, des êtres non de chair, mais de vent et de plainte. Ce n'était pourtant pas faute de les avoir perçus, leurs peaux moites, leurs odeurs. Leur être moral se réduisait pour moi à leur son, à la façon plus précisément dont s'harmonisaient ou se contrecarraient leur sonorité et le grain de leur peau.

La voix m'est tout ce que vous est un visage : une empreinte indélébile, le chemin sûr pour retrouver une qualité de la présence. Je pouvais faire de graves erreurs sur les voix. N'en fait-on pas aussi sur les visages?

Mrs. Halloween, pour les démarches de mon émancipation, était entrée en contact avec le reste de ma famille. Je l'appris alors, ma mère était morte seule, sans aucun enfant autour d'elle. Je n'ai pas pleuré. Quelqu'un que je n'entends pas souffrir n'existe pas pour moi; ce que je ne touche pas ne me touche guère. Aussi ma famille ne me revint-elle à l'esprit que deux ans plus tard, au moment où je reçus une enveloppe épaisse, qui sentait le patchouli, et qui contenait des feuillets arrachés à un cahier d'écolier. Au fond, une poudre fine jusqu'à la poussière était tombée entre les feuillets.

C'était du khôl. J'ai retrouvé les gestes appris par ma mère, pour tailler en pointe une allumette, et la porter jusqu'à la paupière après l'avoir trempée dans l'impalpable minerai. Au contact du bâtonnet, mon œil s'est un peu irrité, comme pendant les jours de fête de mon enfance, quand la poudre s'étire entre les cils. Je sentais l'humidité des larmes sur ces membranes qui sont censées me cacher le monde. Bientôt, j'allais verser de vraies larmes.

La lettre de mes demi-sœurs m'avait donné envie de parler arabe, de comparer mon ancien monde au nouveau. J'ai décidé d'aller voir ces sœurs que je n'avais jamais rencontrées. Elles laissaient leur adresse à Paris, elles écrivaient en français. Nous sommes allés vingt-quatre heures en Europe, Mrs. Halloween et moi. A l'arrivée j'ai pris Djamillah pour Alissa, et réciproquement. La voix de quatrième octave de Djamillah, je l'avais tout naturellement prêtée à la sœur aînée.

Le bruit me gênait à Paris plus qu'ailleurs, où les rues, et même la circulation des plus grandes avenues, qui semblaient des couloirs noyés de foule, étaient plus comprimées, plus serrées dans un espace restreint que nulle part. Je suis resté à l'hôtel, près du jardin des Tuileries; et pour tout Paris, j'ai exploré le visage de mes sœurs, venues nous attendre à l'aéroport et que je n'ai pas quittées de la journée. Nous avions installé, dans la suite louée par Mrs. Halloween, un coin de maison tunisienne : les oreillers et les polochons posés en carré sur le sol, contre les murs; Alissa avait apporté avec elle un canoun fait d'une grosse boîte de conserve, une de ces théières en métal émaillé, et ces quarts à anse que nous utilisions en Tunisie. Le directeur de l'hôtel, appelé par la femme de chambre affolée, nous trouva tranquillement installés au milieu de la fumée de charbon de bois.

Depuis ma naissance, mes sœurs vivaient avec mon père, à Lyon; les premières années, claustrées comme si elles avaient été à Kerkenna. Elles lui avaient échappé en couchant avec les mauvais garçons de Villeurbanne. Je ne comprenais pas par quel mystère elles avaient échangé leur visage, ce visage que je connaissais seulement, autrefois, par des photographies. Passe encore que je ne reconnaisse pas leurs voix; mais pourquoi, comparé au vague souvenir des portraits que ma mère me montrait autrefois à Kerkenna, Alissa paraissait-elle plus jeune, plus douce que sa cadette? Peut-être commettais-je tous les jours les mêmes erreurs, mes doigts m'annonçaient des formes, et je les rapprochais arbitrairement de vagues souvenirs. Au fond, mon monde ne coïncide avec celui des voyants qu'au prix d'un gigantesque malentendu : je ne saurai jamais si je touche les mêmes objets qu'ils voient.

Cette rencontre avec mes sœurs s'est terminée par une soirée au mauvais mousseux dans un des lieux les plus chics de la ville, et m'a définitivement dégoûté de chercher à confronter un passé visuel avec mon présent. Ma famille était comprise dans ce dégoût : mon père, d'ailleurs, n'avait même pas fait le voyage depuis Lyon. Pour lui, un aveugle ne pouvait que porter malchance.

Ce fut ma seule tentative pour « retrouver mes racines ». Si j'avais éprouvé cette confusion à revoir mes sœurs, qui n'étaient après tout que des demi-sœurs et dont le souvenir visuel était déjà fort indirect, à Kerkenna, je n'aurais sans doute pas supporté de retrouver ma mère. Sa mort solitaire, disaient-elles, avait plutôt débarrassé ma famille, reconstituée à Lyon autour de la seconde épouse. Elles m'admiraient, mais ne me cachaient pas que personne ne se souciait vraiment, à Lyon, d'un infirme à nourrir en plus.

Nous sommes partis pour San Francisco dès le lendemain, Mrs. Halloween et moi. La Californie lui fut funeste. Quinze jours après notre arrivée, elle m'avait emmené sur le grand pont du Golden Gate. J'aimais les bords d'océan, comme elle; la vastitude du panorama me parvient aussi, choc de l'immensité sur ma face tournée vers le couchant.

Peu de passants troublaient notre promenade : un pas de femme nous a passés. Le pont résonnait sourdement sous les roues des voitures. Il balançait très légèrement, hésitant à s'envoler vers le Pacifique. Soudain Zita a dû s'échapper à nouveau : au moment où je sentais le souffle d'un camion qui me dépassait, Mrs. Halloween a couru en boitillant vers l'avant. Et puis, il y a eu un dérapage de talons hauts sur le ciment, devant moi, un cri étouffé. Peut-être était-ce une illusion, mais j'ai entendu le craquement des os, du crâne. Et aussi, le rebond mou du sac sur la chaussée, et la canne qui roule, abandonnée, jusqu'au vide, j'ai crié son nom, reflété sur le miroir des piles en béton. Le corps, lui, m'a-t-on dit, avait plongé dans le Pacifique.

Nous étions en Amérique : les pas que j'avais entendus autour de nous se sont éloignés précipitamment. J'ai appelé à l'aide, j'ai fait des signes à une voiture dont le moteur ronflait derrière moi; le conducteur, après avoir contemplé les traces d'Elsa, m'a dit d'un ton de reproche : « Elle était votre accompagnatrice? » J'avais la très forte intuition qu'il pensait que c'était à moi, à l'aveugle, et non à elle, de mourir écrasé.

La chatte ne fut jamais retrouvée, ni le conducteur du camion. Quand la police est arrivée, le sergent qui commandait la patrouille m'a mis dans la main un mouchoir en papier. J'ai commencé à me moucher, et c'est alors que j'ai senti sous mes doigts de l'eau qui coulait. Pour la première fois depuis mon accident, je pleurais avec mes yeux.

J'ai vraiment compris ce que je perdais avec Mrs. Halloween lorsque j'ai dû vivre cette vie d'institution qui est, paraît-il, normale pour nous. Sans doute pleurons-nous avant de savoir ce que nous pleurons.

Le même après-midi, je fus emmené toutes sirènes hurlantes par deux flics qui sentaient la brillantine et mâchaient du chewing-gum en crachotant dans un poste émetteur radio. En sortant de la voiture, je cherchais malgré moi l'aide de la canne de Mrs. Halloween. Au lieu de revenir vers la ville, nous avions passé le pont en faisant demi-tour. Nous nous sommes arrêtés, une demi-heure plus tard, devant une maison. Les flics me suivaient, sans savoir qu'on doit toujours me précéder. J'ai marché dans un jardin aux allées de terre, j'ai passé une porte de verre, et, dans la maison climatisée, une femme jeune et amicale m'a fait asseoir et m'a proposé de l'orangeade, puis s'est mise en devoir de m'apprendre la mort de ma protectrice, que j'avais parfaitement comprise. Qu'elle me fût enlevée comme elle me fut apportée, par le souffle du hasard, j'y trouvais une satisfaction amère, pendant que la dame me caressait les cheveux en m'annonçant le retour de son mari, qui était le juge des enfants. J'étais brutalement ramené par tous ces gens à des milliers de kilomètres en arrière. La pitié suintait d'eux tous; ils me parlaient, me touchaient comme on le fait à un petit enfant ou à une créature diminuée. J'en avais perdu l'habitude. Même dans l'apprentissage, mes relations avec Mrs. Halloween étaient libres et adultes.

Le juge était un jeune homme à la voix faible, qui sentait le déodorant et parlait de moi comme d'un « il », au mur d'en face, ou à des interlocuteurs que je ne voyais pas. J'étais redevenu un neutre, une chose.

Jusqu'à sa mort, Mrs. Halloween m'a toujours voussoyé, en français et en italien, que nous pratiquions tous deux couramment. Elle ne m'avait jamais considéré, et pourtant elle était impérieuse de paroles et de gestes, comme un mineur, un gamin. Peut-être comme un sauvage, mais un sauvage indépendant. Le jeune homme au déodorant m'a fait entrer dans son bureau, m'a dit qu'il était le juge : j'exècre cette manie qu'ils ont de me répéter ce qu'ils ont déjà dit en ma présence, comme si de ne pas voir m'avait coupé les oreilles. Il m'a dit ne pas avoir peur de lui. Si les circonstances n'avaient été aussi tristes, je lui aurais éclaté de rire au nez. Pourquoi aurais-je peur de lui? Pour moi, juges, policiers, docteurs ne sont qu'un nom, une abstraction. Le costume, par lequel ils terrifient les autres, l'intimidation ne m'atteignent pas.

Le juge m'a expliqué que j'étais orphelin; mon père ne m'avait jamais reconnu. Je retombais sous sa juridiction, ou celle de ses pareils, à laquelle je n'aurais jamais dû échapper. Je lui opposai en vain mon permis de séjour américain, mon émancipation au tribunal de Floride. La justice de Floride ne protégeait pas si bien les mineurs que celle de Californie. De toute façon, fit-il doucement, mon « handicap » lui donnait le droit, et même le devoir, de me mettre sous sa protection. Il voulait bien reconnaître la validité des certificats de l'ONU donnés par l'ami de Mrs. Halloween, qui faisaient de moi un réfugié. Le juge parlait d'elle avec condescendance, convaincu que j'étais resté trois ans entre les mains d'une folle. Il m'a proposé tout de suite un entretien avec un psychiatre « pour décompresser ». J'ai cru comprendre qu'on avait trouvé dans le sac un testament, qui abandonnait toute la fortune de Mrs. Halloween à la chatte. Le juge faisait les plus grandes réserves sur la validité du legs. D'ailleurs, la chatte était apparemment morte également dans l'accident, me laissant sans ressources.

Je restai silencieux. Il déclara que, le tribunal étant fermé ce jour-là, il prononçait séance tenante (et j'entendis en effet sa signature crisser) une mesure de garde provisoire dans une institution dont je compris mal le nom, à Santa Barbara. Décision prise en vertu de la loi sur l'enfance en danger, qui permet de prolonger la minorité jusqu'à l'âge de vingt et un ans. C'était cela, ou le renvoi en Tunisie. D'ailleurs, ajouta-t-il en frottant méticuleusement une tache sur le papier, cette mesure n'avait rien de répressif. On ne faisait que remettre les choses en ordre. L'Etat m'allouerait, en tant que réfugié, une pension pour couvrir les frais de l'institution; je pouvais dès maintenant engager une procédure rétroactive pour l'indemnisation de mes années passées sur le territoire américain aux frais d'une tierce personne, bénévole, au lieu de l'accompagnateur salarié auquel mon statut me donnait droit. Avec un peu de persévérance, je pouvais devenir pensionné à vie.

Je restais confondu de tant de générosité, méfiant devant ces promesses. Cette nuit-là, je dormis sur un canapé-lit auquel le juge s'était pincé les doigts en le dépliant. Je voulais pleurer encore, mais les larmes ne venaient plus. Pour la première fois, en trois ans, je dormais seul. Je restai longtemps éveillé, à guetter les bruissements d'insectes dans le jardin, qui montaient lentement, bruit nocturne de l'air rafraîchi. Je rejetai les couvertures d'armée rugueuses, et je marchai jusqu'à la fenêtre à guillotine. Je pouvais marcher seul, comme si le fantôme de Mrs. Halloween et celui de la chatte m'eussent encore accompagné. Ces hommes, cette femme qui m'avaient saisi par le bras depuis l'accident, ne me laissant pas un instant de répit sans contact, m'avaient dissimulé cette découverte primordiale.

Je marchais peut-être déjà seul depuis longtemps, trompé par l'habitude confiante qui me faisait sentir Mrs. Halloween, quand même elle se reculait. Bien des fois, sans doute, sans que je m'en sois rendu compte, elle retirait son bras, l'air de rien, continuant une conversation commencée, au moment de franchir une porte, de gravir un escalier. Je restai seul, debout dans l'embrasure, cherchant distraitement sur ma peau le rayonnement de la lune, à méditer cette nouvelle liberté.

L'institution Valentine MacPherson était au sommet d'une colline couverte de pins qui sifflaient au vent du Pacifique, au-dessus de la plage de Santa Barbara, sur laquelle donnait la colonnade d'entrée. La vue était grandiose, et faisait s'exclamer les visiteurs, en laissant les pensionnaires indifférents. Pénétrant dans l'institution, on était accompagné une dernière fois, comme pour un adieu, par le panorama californien.

Tout le bâtiment marchait à coups de cellules photo-électriques et d'infrarouges. Le mobilier, les murs étaient à angles arrondis, et les escaliers droits, avec des tapis qui avertissaient par une sonnerie avant la première marche. Les poteaux, les arbres dans la cour étaient entourés de clôtures plastifiées souples, qui évitaient les accidents.

Je suis entré salué par le souffle discret d'une double porte à air comprimé. Les portes des bâtiments s'ouvraient selon le même système : de la bibliothèque au gymnase, en passant par les bureaux des Pères et de la directrice, chaque passage était muni de détecteurs de rayons lumineux ou caloriques, qui faisaient à notre place le travail de l'œil, et évitaient toute collision.

Le fondateur de l'institution, MacPherson, l'avait voulue intégralement conçue selon les normes les plus modernes; cette prévenance généralisée, destinée à faciliter la vie des pensionnaires, satisfaisait la plupart de mes camarades. Pour moi, qui savais ouvrir une porte du monde réel, ces précautions étaient inutiles. Dans chaque chambre, les lampes étaient posées hors de portée, la fenêtre s'ouvrait par une manette électrique, l'eau chaude et l'eau froide étaient munies d'avertisseurs sonores. Il fallait éviter aux élèves tout effort d'adaptation. Un haut-parleur diffusait de demi-heure en demi-heure un véritable programme de guidage, analogue à ce que j'entendais parfois à la radio dans les limousines que louait Mrs. Halloween; au lieu d'annoncer les autoroutes encombrées, la voix de la directrice rappelait l'heure des activités sportives, des groupes de causerie, susurrait au coucher des sermons inspirés par l'ange de la pureté aveugle, ou des poèmes de pensionnaires célébrant le chant des petits oiseaux.

Le parc et les allées, entre les bâtiments, étaient munis d'avertisseurs tactiles, posés à hauteur de la main sur des poteaux de bois. Les boules menaient aux ateliers, les cônes au gymnase, les croix à la chapelle.

Nous nous rassemblions une fois par semaine dans cette chapelle, lors de la prière en commun pour l'âme de Valentine MacPherson. Son père avait été le plus gros fabricant de machines agricoles de l'Ouest. Elle était devenue aveugle et sourde près d'un siècle auparavant, à la suite de l'explosion d'un modèle de moissonneuse-batteuse à vapeur en démonstration, à l'âge de six mois. Comme introduction au cours, les professeurs nous contaient sa vie : il avait fallu des années pour que son entourage eût l'idée de lui faire toucher certains objets en communiquant par un code tactile. Un mois après, elle connaissait tout l'alphabet en relief. Un an après, elle écrivait couramment. Un jour, les professeurs eurent l'idée de faire toucher à la petite muette les cordes vocales pendant l'exercice de la parole. Elle imita à son tour les gestes du gosier et de la langue, se mit à parler, et devint une curiosité pour le monde de l'époque. L'aventure de ce singe savant était pour l'institution une épopée exemplaire, que chaque élève finissait par connaître par cœur.

La chapelle était aussi électronique que le reste. Des haut-parleurs stéréophoniques chantaient des motets, des ventilateurs brassaient des nuées d'encens. Le public, debout derrière nous, témoignait de son étonnement devant les jeux de lumière, où nous figurions en aubes blanches.

L'institution était éclairée jour et nuit, y compris les chambres, pour offrir en permanence à Dieu le spectacle de notre innocence. Accessoirement, cette mesure simplifiait, pour le personnel voyant, les tâches de surveillance.

Au centre de la cour d'honneur, une statue de la petite MacPherson causait tous les jours des chutes et des contusions. J'ai passé des heures devant cette statue « conçue », disait le piédestal, « pour que les non-voyants puissent conserver le souvenir de la fille de leur bienfaiteur ». Les cheveux, les vêtements, la peau même de la statue avaient été réalisés en matériaux indestructibles, qui se rapprochaient tactilement du réel. Le relief, paraissait-il, était caricaturalement exagéré, pour que notre représentation en volume en fût facilitée. Bien sûr, je ne résistai pas à l'envie de toucher les yeux de la statue; je constatai avec désappointement que le sculpteur s'était contenté d'utiliser le verre, confondant le visuel et le tactile. J'entendis un sifflet bref qui me fit descendre du piédestal. La directrice communiquait par ce moyen ses ordres aux pensionnaires.

Ce bruit, exaspérant et familier rappel à l'ordre d'une surveillance omniprésente, j'allais l'entendre des centaines de fois pendant mon séjour.

Les cours ne m'intéressaient pas, la directrice m'ayant placé dans une classe élémentaire, après avoir vérifié que j'ignorais l'emplacement de Calcutta et le nom de George Washington. La première semaine, je fus surtout fasciné par la bibliothèque, où je pouvais oublier mon chagrin en lisant : nous avions nos après-midi libres. Je ne lisais pas le braille, et je n'arrivais pas à l'apprendre. Ce mode de lecture est trop lent pour moi; la simple pensée de tous ces textes cachés sous la dentelle délicate des points me donnait le vertige. Par contre, je fis une débauche de cassettes, auxquelles j'étais déjà accoutumé. Ces voix de vieilles filles, lectrices anonymes et bénévoles, dont j'entendais la moindre toux, le bruit des pages tournées, me faisaient écouter les textes d'études comme on écoute un conte. J'en connaissais des passages par cœur, que je débarrassais des intonations des lectrices.

J'appris à l'institution l'usage des machines à écrire, celles pour voyants ne différant pas de celles pour aveugles, ce qui me ravissait; et celle qui écrit en braille, à six touches, dont chacune représente un point, qu'on frappe simultanément pour former un caractère. Je n'ai jamais pu souffrir la tablette et le poinçon que mes camarades portaient attachés au poignet, qui me faisaient l'effet de la sébile du mendiant. Ils produisaient pendant les cours un petit bruit d'insectes perforant leur papier. La machine ne faisait qu'un ploc-ploc mécanique.

Plus tard, des gens m'ont dit que je ne pouvais avoir l'idée de ce qu'était un texte de littérature, contraint comme j'étais à toujours le connaître dans son défilement verbal et sonore. J'avais quitté Kerkenna sans avoir jamais vraiment lu, quoique sachant en principe à peu près écrire le français. J'ai toujours su écrire avant de savoir lire, et je n'ai jamais lu qu'à haute voix. L'idée d'un texte muet me fait toujours froid dans le dos; naturellement, par le simple fait de connaître des passages entiers par cœur, je suis très capable de me reculer intellectuellement, et de considérer l'ensemble du passage comme le ferait un voyant.

Je découvris aussi, en déplaçant les montagnes de cassettes d'une *Histoire des civilisations,* que la plupart des cultures avaient ignoré le texte muet. Même les anciens Romains se faisaient lire les lettres ou les livres à haute voix. Seule la littérature moderne européenne avait été écrite exprès, aurait-on dit, pour échapper aux aveugles.

La découverte de mes camarades est venue bien après celle de la bibliothèque, comme une conséquence de mes lectures. J'avais passé toute cette semaine sans remarquer personne; j'aurais pu aussi bien vivre seul, si ce n'est un frottement, ou un bruit de livre fermé, parfois, comme un fantôme, autour de moi, et ce grignotement de papier pendant les cours, sous la voix du professeur. Ils se mirent à protester quand je m'obstinai à essayer d'apprendre le braille en déchiffrant à haute voix mon manuel, alors qu'eux tous lisaient couramment et muettement dans la salle d'études.

Mes camarades : pour la première fois, j'étais dans la même nuit que d'autres non-voyants. Nous étions réunis par ce seul fait, cour des miracles de destins différents retombés en enfance.

J'appris qu'il existait plus de cent mille aveugles en Amérique. Je m'étais jusque-là cru le seul, ou presque. La nouvelle ne me fit pas plaisir. Mes camarades avaient d'étranges coutumes, comme celle de toujours annoncer le prénom de la personne à qui ils parlaient, dans un groupe, moyen que les Pères avaient imposé pour éviter la confusion.

Le fait de lire le braille couramment, pour ces aveugles complets, traduisait pour moi leurs vies recluses, sans autres expériences que les réfectoires, les ateliers, les salles de cours et les chambres à porte vitrée où l'on ne sait jamais si la directrice ne vous observe pas depuis le couloir, pendant une de ses tournées surprise où elle ramassait un linge sale qui traînait, rangeait une chaise, changeait une ampoule.

Je parle des aveugles complets, parce que je découvrais que dans cet endroit, qui n'existait que pour réunir des « aveugles », cette notion même éclatait en mille morceaux. La sélection était purement arbitraire : la plupart des pensionnaires, d'ailleurs, étaient parfaitement convaincus, mais ils étaient les seuls, d'être simplement des « mal-voyants ». Je sais par expérience qu'un aveugle s'imagine longtemps, peut-être toujours, être un voyant. Moi-même, lors de mon premier examen médical, j'avais pu affirmer au docteur que je « voyais » sa blouse blanche parfaitement bien. Il avait fallu l'examen approfondi pour découvrir que je n'avais rigoureusement aucune perception visuelle. Et cette affirmation des médecins ne m'avait jamais totalement convaincu : personne ne se croit jamais aveugle; et nous en étions la bonne preuve, tous rassemblés ici avec la certitude d'y avoir été mis par erreur. Nous avions peut-être raison : chacun à notre manière, nous voyions. Je découvrais que l'acte que les voyants appellent « voir » est en fait l'ensemble complexe de toute une civilisation, inscrite dans nos corps.

Dans la bibliothèque de braille, je fis la connaissance de Huong; il était à moitié vietnamien et fils d'un GI. Il était alexique, c'est-à-dire, m'expliqua-t-il en s'installant à ma table au déjeuner, qu'il ne pouvait ni lire ni écrire en noir, mais qu'il était obligé, lui qui voyait parfaitement bien, de lire et d'écrire en braille. D'autres souffraient de désordre spatial, incapables d'organiser et localiser les objets. Ceux-là étaient les pires, parce que, quoique voyants, ils étaient plus incapables que n'importe lequel d'entre nous de s'orienter, fût-ce tactilement. D'autres encore étaient simplement incapables de regarder, de fixer leur attention visuelle, comme cette grande fille canadienne qui restait toujours immobile devant le premier objet qu'elle fixait, et qu'on retrouvait n'importe où on l'avait abandonnée, hypnotisée par une cuillère, un bouton de porte. D'autres n'avaient plus de mémoire visuelle, d'autres encore perdaient le sens du haut et du bas. Aux yeux des Pères, tous étaient aveugles.

Parmi ceux d'entre nous qui « voyaient » sans pouvoir utiliser leur perception, le plus touchant était David, un gamin de douze ans, doux et souriant. Il était presque impossible de s'en séparer, une fois qu'on l'avait abordé. David poussait des cris à fendre le cœur dès qu'on s'éloignait de lui. David souffrait d'une maladie compliquée, avec troubles mêlés de la perception de l'espace et du temps : quand quelqu'un s'éloignait de lui à vitesse normale, David le voyait disparaître à l'accéléré, comme arraché à vive force à son espace visuel, dans un vertige qui le mettait au bord des larmes. Alors, il fallait quitter David demi-pas par demi-pas, comme un acteur qui pose pour une caméra tournant à l'accéléré.

Le plus étonnant de mes camarades était un paralysé complet, victime de la thalidomide. Le petit tronc avait déjà quinze ans de vie végétative; il avait appris à se déplacer en chaise roulante, et même à actionner des objets en déclenchant par des petits cris des mécanismes électriques reliés à ses cordes vocales.

Dans l'institution, maintenue dans un continuel état d'affolement par la directrice, les Pères étaient de toutes les nationalités. Beaucoup de membres du personnel étaient des volontaires non rémunérés; et ce petit monde charitable s'agitait autour de la supérieure, de coups de téléphone en dossiers qui se perdent, persuadé d'offrir sa peine à Dieu.

Les enseignants nous parlaient avec cette gentillesse de confitures qui me faisait toujours me retourner, comme si ces propos s'adressaient à quelque bambin derrière moi. Impression justifiée : les Pères ne s'adressaient pas vraiment à nous. Ils s'adressaient à autre chose, au-delà de nous, au-dessus de nous; pendant que leur face physique se tournait vers nos corps, leur pensée allait à Dieu, dont nous étions les témoins préférés. Nous étions le salut par le néant : presque au-dessus du péché, ce qui n'empêchait pas de nous surveiller, mais de nous soupçonner. Incapables de faire le mal, voués tôt ou tard aux élans mystiques, à la grande musique, l'orgue de préférence, nous étions la terre de Mission par excellence.

Ils se méfiaient de moi. Ils ne furent pourtant pas

des ennemis. A mon égard, même la directrice s'adoucissait; quelque chose en moi les amolissait particulièrement, qui m'a fait prendre conscience du pouvoir de ma beauté. La main sèche de cette femme, quand elle me touchait, tremblait toujours un peu, en me sermonnant pour mon manque de sociabilité.

L'idée que les aveugles sont près de Dieu m'apparaissait plutôt comique. A la limite, les Pères m'auraient bien accepté avec un Dieu qui fût celui du Coran. Je n'avais évidemment pas la même religion qu'eux, même pas le même genre de religion. Souvent, je pense que je suis devenu inconsciemment athée, mais un athée de musulman ne sera jamais comme un athée de catholique. Et quand je ne saurai plus un mot du Coran, je continuerai à croire à la légende de Hassan, ses neufs djinns et sa baguette magique. Je continuerai à me purifier avec l'eau, avec du sable au moins, quelque chose qui coule, après chaque acte de la vie quotidienne : j'étais stupéfait, dans les hôtels américains, de ne pas trouver un robinet à hauteur des waters, mais un rouleau de papier, chose que j'avais crue due uniquement à la saleté des Italiens. Je continuerai à rassembler soigneusement tous les débris de ma toilette, poils de barbe, ongles, dans un petit papier que je brûlerai. « Quand vous vous disposez à faire la prière, lavez-vous le visage et les mains jusqu'au coude, purifiez-vous quand vous aurez satisfait vos besoins naturels, ou lorsque vous aurez eu le contact de l'amour... » Je ne faisais depuis longtemps plus aucune prière, mais cette invocation me revenait comme un impératif plus puissant que toutes les croyances.

Sans avoir été religieux, je m'aperçus que d'avoir été élevé comme un croyant me donnait une chance dont mes camarades ne bénéficiaient pas. La plupart étaient sales, sans intérêt pour leur corps, s'habillaient n'importe comment, avec des pulls enfilés à l'envers et couverts de taches grasses, ou des pyjamas portés toute la journée.

Je n'avais pas cette ignorance de mon propre corps. Je sais depuis tout petit l'importance de se purifier, que vous appelez la toilette. Ensuite, avec Mrs. Halloween, j'avais appris à mettre en ordre tous les petits trucs, les préceptes minutieux, qui me permettaient de manger en public (je préférais manger seul, un geste de distraction, comme de poser mon coude dans mon assiette, étant toujours possible) sans différer notablement d'un homme « normal ». La plupart de mes camarades ne pouvaient manger sans renverser leur verre, et considéraient tous les éléments de vêtements qui étaient hors de leur champ tactile comme irrémédiablement perdus. Les très nombreux diabétiques, parmi les pensionnaires, comme si une infirmité en entraînait une autre dans un destin cynique, portaient autour du cou une seringue dont le piston était muni de crans, pour se faire eux-mêmes les centicubes d'injections quotidiennes nécessaires. Ceux-là sentaient l'alcool à désinfecter, avec des relents de lit défait.

Cette indifférence n'était pas la haine contre les conventions des voyants, incompréhensibles souvent pour eux. Ils se laissaient aller par obéissance, par résignation au statut de maladroits assistés auquel les invitaient les Pères. Moi, je n'étais pas l'un d'entre eux; si je méprise les règles des voyants, je sais les manier, leur faire illusion, être invisible au milieu d'eux, si je le désire.

Les plus affligeants, et de loin les plus nombreux, sur le total des pensionnaires, étaient les vieillards. Ils étaient enfermés dans une autre aile, où nous n'allions qu'une fois par semaine, serrer les mains molles des pauvres êtres à demi végétatifs, abandonnés, alignement confus d'odeurs sûres, de vieux flacons d'eaux de Cologne trop longtemps débouchés, de vieilles robes de chambre portées toute une vie. Un frottis de pantoufles, un gargarisme qui était presque un râle signalaient à côté de nous une présence presque effacée, une vieille femme qu'à nous seuls nous aurions oubliée et laissée mourir, qui n'était perceptible qu'aux voyants.

Involontairement, les Pères nous permettaient, ce jour-là, à ceux d'entre nous du moins qui avaient gardé quelque vitalité, de palper d'un coup tout l'avenir d'une vie d'aveugle, selon leur idéal : vie confite d'ennui, d'impuissance. Neuf aveugles sur dix sont des vieillards; je retrouvais mon exceptionnalité. Ces visites me poussaient plus loin dans ma détermination à n'être pas l'un d'entre eux. Ces vieux avaient été progressivement, inéluctablement, privés de mouvement. Les risques, les primes d'assurances poussaient à leur immobilisation. Ils roulaient d'avant en arrière, sur eux-mêmes, ce qui produisait ce grincement continuel de chaises autour d'eux. Pour la première fois, je constatais chez les autres aveugles ce roulis à l'ancre, dont la plupart des jeunes, aveugles de naissance, étaient aussi affectés. Ce balancement sur soi-même remplaçait tous les mouvements réels, les explorations. Il équivalait, en sonore, à l'uniforme d'aveugle d'institution.

Les pensionnaires qui étaient là depuis des années parlaient un véritable argot, un argot qui avait ses côtés drôles. D'un Père qui faisait toujours le pontife en faisant ses cours, ils disaient qu'il avait la voix « mousseuse ». D'une couverture, d'une chevelure, qu'elle était « mouton », douce au toucher, mais aussi d'une musique ou d'une personnalité. L'essentiel des conversations tournait autour des difficultés à sortir de l'espace où on nous enfermait, celui de la maladresse. Un maladroit, ai-je appris, se dit « blind », un « aveugle », un mot que nous n'employions jamais que dans son sens originel. Un maladroit « rame », c'est-à-dire qu'il étend les bras pour se repérer, ou il « encaisse », il se cogne. La peur de se cogner les paralysait tous.

Il restait parler, se toucher. J'avais découvert le tact seul, appris les langues. Je n'avais pas besoin d'être mis à l'élevage en lieu clos. Mon éducation d'aveugle, pour les Pères, s'était faite de façon sauvage; il fallait tout reprendre à zéro, faire table rase, si possible. Ils voulaient effacer l'empreinte de Mrs. Halloween. Parler, se toucher : les Pères étaient des bavards mystiques aux mains baladeuses. L'espèce de vague religiosité dont ils entouraient les « groupes de communication », où l'on parlait de soi en se tenant par la main, me rendait toutes ces activités répugnantes.

Je n'aimais pas raconter mon passé, comme eux, écrasé sous l'attendrissement compatissant des autres, qui attendent leur tour pour « assumer leur handicap ». Ils voulaient dire : assumer son malheur; et chez moi, dont ils admiraient l'indépendance quotidienne, ils la considéraient paradoxalement comme un refus à m'« assumer comme non-voyant ». Ma langue restait paralysée, dans ces groupes de parole. J'avais déjà renoncé au bavardage sur soi où s'enfoncent les handicapés. Moi, je ne me sentais pas aveugle.

Les doctrines des Pères, sous la forme de douceurs insinuantes, avaient contaminé ces cervelles molles. Dans chacune des activités auxquelles mes camarades s'exerçaient, ils finissaient par acquérir un talent totalement spécialisé; leur manie en arrivait à constituer, avec l'encouragement des Pères, tout leur univers. Les seuls avec qui je parlais étaient deux Mexicains, jumeaux, atteints de glaucome congénital. Encore mal-voyants, destinés à une cécité prochaine, ils apprenaient des techniques de l'aveugle, pour l'instant inutiles, mais qui leur deviendraient bientôt indispensables. Ils apprenaient à être aveugles, et, en attendant, profitaient de leur reste en chipant les barquettes de confiture sur la desserte du déjeuner.

Dans les « activités », chacun était tellement absorbé dans son propre jouet, que l'ensemble de l'institution, vue d'hélicoptère, aurait pu n'être qu'une assemblée de solitaires. Il y avait un flûtiste virtuose de seize ans, qu'on exhibait aux fêtes, des traducteurs de livres qui mettaient la Bible en indonésien, des experts dans l'assemblage de composants électroniques, qui ne savaient pas tenir leur fourchette à table. En communauté, ces gens, qui démontraient de si étonnantes aptitudes, se transformaient en voix simplettes, croyant objectivement à leur « infirmité », eux qui n'avaient jamais rien connu de l'univers que l'en deçà de la grille du parc. Leur véritable infirmité était là : dans leur isolement loin du monde.

La vie à l'institution était exaspérante par son côté systématique, appliqué que je retrouve aujourd'hui comme un goût. A force de recompter les pensionnaires, de leur inculquer la peur d'oublier un objet ou un mot, les professeurs trouvaient plus simple de transformer les élèves en maniaques.

La maison baignait dans la spiritualité électronique. De temps à autre, une aventure s'ébauchait entre deux pensionnaires dans le bâtiment des « jeunes », dont certains, que je prenais pour des gamins, étaient des adolescents attardés à plus de trente ans. Les Pères ne toléraient de relations entre pensionnaires de « blocs » différents (ceux des garçons mal voyants, ceux des filles mal voyantes, ceux des garçons non voyants, etc.) qu'à certaines conditions mystérieuses, qui résultaient d'un examen approfondi, par la directrice elle-même, de dossiers et d'interrogatoires serrés, qui lui embrouillaient la tête pour des semaines. On ne faisait pas l'amour dans l'Institution. Mais un jeune homme pouvait envisager le mariage avec une jeune fille, au bout de cette longue enquête. Les Pères étaient hantés par la peur de la génétique, ils remontaient les arbres généalogiques à la recherche des autres aveugles. Ainsi, sous l'affectation d'hygiène, se manifestaient très clairement leur peur et leur haine de la cécité. Inévitablement, des couples se formaient, que le retardement systématique n'empêchait pas de se désirer suivant les règles catholiques. Ils les toléraient mieux que les couples « dominos », comme ils disaient atrocement : les couples entre aveugles et voyants. Au moins, le gène étant localisé, ne risquait pas de contaminer et de s'étendre.

Des mains tremblantes de vieux adolescents s'unissaient parfois maladroitement, par-dessus la table du petit déjeuner, renversant les cafetières. La passion était purement verbale; même le toucher entre « fiancés » restait avant tout symbolique; le baiser sur la joue, à tâtons, était la caresse la plus osée.

Incroyable : sur les cent filles et garçons, en bonne forme physique, aux visages pleins, aux corps bien nourris, qui restaient après soustraction des débiles et des vieux, aucun n'avait même la moindre idée de ce qu'était le sexe. Je n'ai pas mis longtemps à le vérifier à la main.

Ces types n'avaient peut-être jamais bandé, ces filles pensaient qu'on fait des enfants en s'embrassant à vingt-cinq ans. Et leur développement corporel était le même que chez n'importe quel étudiant américain.

Heureusement, j'ai commencé la gymnastique. Je n'avais jamais fait de culture physique, je préférais jouer au foot, enfant, à Kerkenna. Nous admirions tous les joueurs vedettes, nés dans la rue de Tunis. Les sports m'ouvraient un monde interdit aux infirmes, comme il ouvrait chez moi la seule porte de réussite aux plus misérables.

Je suis vite devenu un des plus assidus aux sports. Le prof de gym était un ancien spéléologue, aveugle de naissance, et qui avait monté tout un système à nous approprié. Il ne quittait pas le terrain de sports et le gymnase. Christopher avait perdu plusieurs doigts dans des grottes souterraines, qui étaient pour lui aussi claires que le plein jour. La spéléo est l'alpinisme des non-voyants, m'expliquait-il en réparant sa « cible harmonique », avec un terrible accent d'Oakland; Christopher était noir, j'ai oublié de le mentionner, je ne vois pas le noir.

La « cible harmonique » était un concours d'adresse où j'ai gagné tous les prix. Une grande cible ronde de bois sonore, avec des cercles concentriques, portant des clochettes de tonalité différente, de plus en plus aiguë à mesure qu'on approchait du centre, résonnait à chaque flèche. Une corde, reliée à la clochette centrale, permettait de procéder une fois à un repérage, avant de bander l'arc.

Christopher commençait toujours sa classe par nous laisser placer à notre gré, dans le vaste gymnase sonore; et nous devions chacun appeler un autre d'entre nous, qui répondait une fois, pour nous permettre de nous diriger vers lui, avant de prononcer à son tour le nom d'un autre... La séance durait jusqu'à ce que nous ayons parcouru tout le gymnase, en possédant l'espace.

Je me suspendais aux anneaux, au trapèze, dans le vide. La main de Christopher m'accompagnait. Nous sautions au cheval d'arçon; Christopher signalait d'un cri bref l'emplacement du chevalet.

Je n'aimais pas quand nous marchions en rangs, au rythme d'un disque de musique africaine, chacun la main sur l'épaule du précédent, long ver aveugle se tortillant dans le préau. Je préférais les courses de bicyclettes, pas celles qui sont immobiles, avec des poids qui frottaient sur la roue pour faire les côtes, et une sonnerie électrique pour la ligne d'arrivée : les vrais tandems, que Christopher me laissait parfois conduire, les bras sur mes bras; ils étaient ordinairement pilotés par un voyant, et actionnés par un aveugle.

Nous courions toutes les épreuves de la course à pied, les plus maladroits en tenant un anneau glissant le long d'un fil tendu à côté de leur couloir; les autres au pied, par la simple différence du sable et de l'herbe. Une frange caressait nos visages enfiévrés à l'arrivée, marquant la fin de la course.

J'ai fait partie de l'équipe de base-ball. Nous portions des brassards à grelots, et le ballon que Christopher dégoupillait produisait un bip-bip continu dans l'air pur du Pacifique, au-dessus de nos têtes. J'ai vécu cet été-là les meilleurs moments de la vie à l'institution. Christopher me racontait ses expéditions, au vestiaire, en cachette, car les Pères n'aimaient guère qu'on nous incite au voyage.

Christopher m'avait reconnu, non comme Arabe, mais parce que je n'étais pas aveugle, dans leur sens à eux. Mon accident n'était qu'un accident, un passage, une initiation. Je n'allais pas construire toute mon existence autour d'un de ces « métiers d'aveugles », qui permettent aux voyants d'utiliser au mieux notre faiblesse. Leur idéal de vie serait un petit couple, entre une standardiste et un kiosquiste, ou une violoncelliste et un monteur de postes de radio, posant leurs deux cannes blanches côte à côte auprès du foyer. Ils participeraient à ces rencontres d'après-institution, ces groupes d'anciens qui venaient prendre le thé ici chaque mois, comme s'ils regrettaient d'en être sortis. Je ne voulais plus être « accueilli », je ne voulais plus de bonnes âmes.

Je me suis alors persuadé que mon enlèvement par Mrs. Halloween avait été la grande chance de ma vie. Si j'étais resté, comme mes compagnons, à la charge de ma famille, ma mère m'aurait tôt ou tard fait mettre dans une institution, certainement bien pire que celle où j'avais abouti. Mes seuls souvenirs, mes seuls désirs, auraient été, comme les leurs, étranglés entre ces deux mondes clos : les familles étaient les seuls visiteurs, avec les anciens de l'école, qui étaient autorisés à pénétrer dans l'institution. J'avais eu la chance d'y entrer assez tard et assez formé, pour sauvegarder mes distances.

Les pensionnaires anciens voyants étaient complètement fixés à leurs familles, à leurs lettres, à leurs visites; leur famille contenait les seuls êtres vivants à qui ils pouvaient rattacher un souvenir visuel. Moi, je ne pensais qu'au monde fou et anonyme, dehors.

Avoir pour seule mémoire visuelle des photos de famille; l'image de ces parents, dont un éducateur lisait d'une voix neutre les lettres, ces élèves la recherchaient, silencieux, absorbés dans la lecture, pour retrouver le souvenir d'eux-mêmes comme voyants. Pierre de touche de leur tragédie, car ils avaient pour la plupart depuis longtemps perdu toute « image » intérieure, si ce n'est sous la forme de ce regret persistant et revenant qu'ils confondaient avec un souvenir.

Moi, je n'avais plus rien à rechercher à Kerkenna, où je ne retournerais jamais. La cour poussiéreuse entourée de chambres fraîches blanches et bleues, le velours râpé des divans où l'on s'asseyait en tailleur pour le repas pris sur la petite table ronde, l'école, la poussière des scooters, les mouches qui entrent par la porte du bar dont le rideau est entrouvert, tout ce monde s'arrêtait à mon accident, et ne reviendrait jamais. J'étais alors un jeune poulain à la tête vide, effrayé par sa propre ombre. Depuis, j'avais déjà plus vécu qu'aucun des autres gamins de Kerkenna ne le ferait jamais dans toute sa vie.

Il y avait dans l'institution un calme qui m'étonnait. Le grand calme des résignés. Moi-même, j'étais devenu presque neutre, spectateur plutôt qu'acteur de mon enfermement. J'étais prêt à attribuer ce calme à l'engourdissement spontané des élèves, qui avaient réussi à transformer toutes les occasions de se toucher en bondieuseries ou en naïvetés.

Un jour, par inadvertance, je me suis demandé à haute voix, au réfectoire, pourquoi le jus de raisin qu'on nous servait était si amer. Un ancien m'a décrit ce qu'était le bromure, dont les Pères bourraient notre boisson du soir. Depuis, je n'ai plus bu que de l'eau du robinet de la cour de gym.

Tous ces jeunes étaient attardés sexuels, et moi j'ai toujours été plutôt précoce. Le bromure, sans doute, mais aussi leur incroyable résignation. Moi, j'étais un corps, j'étais un sexe.

Je passais la matinée au cours, et l'après-midi en bibliothèque ou à l'atelier : un grand hangar, au centre de la pelouse; il contenait un échantillonnage du travail aveugle; des bureaux, où des magnétophones dictaient à des secrétaires sténo en formation les cours du marché de la viande; le standard de l'institution, à touches vibrantes, une section de programmation sur computers; un atelier spécial où des mal voyants recopiaient des livres en caractères géants, pour la mégathèque de l'institution. Au fond, l'atelier photo.

J'avais demandé à y faire un stage, et la directrice avait gloussé de satisfaction, parce que ça voulait dire que j'étais sorti de l' « état de choc ». Ils avaient considéré que j'étais en état de choc, les premiers jours : j'avais refusé de leur parler.

Je suis devenu un expert dans les bains de développement, les températures; je reconnaissais les bacs à l'odeur. Au grain, je sélectionnais les papiers. Au début, j'oubliais d'éteindre la lumière, ou de fermer la porte, ce qui fit un certain nombre de clichés voilés. Je fis munir l'ampoule d'un buzzer qui m'avertissait.

Dans tout le bâtiment, du fait du toit qui devait être en tôle, et des cloisons trop minces, les élèves participaient à un concert de bruits. Au milieu des sonneries, des coups, des bruits de machines, s'élevait par moments une musique irréelle, hésitante. Quand je me penchais sur les bacs malodorants, ou que j'accrochais des photos à sécher, j'entendais une suite de notes qui avaient l'air de roulades jouées au hasard, parfois séparées par un choc sourd. Les descendants d'esclaves noirs qui jouaient du gumbri, chez moi, accordaient ainsi des heures les cordes de leur instrument, accompagnant leur jeu de petits coups du plat de la main sur la caisse de la guitare.

Un jour, au moment d'ouvrir le labo, au lieu d'entrer j'ai tourné et j'ai continué vers la musique. Chacun d'entre nous, avec l'aide des Pères, disposait de certains trajets balisés dans l'institution. Ils n'aimaient pas qu'on s'en écarte seul. Pour les rencontres, il y avait les « groupes de rencontre » et leur confiture pieuse. D'ailleurs, deux pensionnaires ne pouvaient jamais être sûrs d'être sans témoin.

Le bruit musical a continué, sans que la personne se soucie de mon approche. J'ai mis une note finale à la partition en me heurtant bruyamment dans ce qui me parut une cloison de bois, et se révéla au gémissement le corps d'un piano.

Derrière le piano, accroupi ou étendu sur le sol, quelqu'un travaillait, ou venait de s'arrêter de travailler. J'ai demandé qui était là, et je n'ai eu en réponse que des marmonnements, jusqu'à ce que Jenny retire de sa bouche le coin de bois dont elle se servait pour réparer l'instrument. Jenny apprenait à accorder les pianos.

Elle se remit à faire gémir sous ses doigts légers la

grosse bête blessée, en se laissant parfois tomber, avec un petit « aïe », le marteau sur les doigts. Elle n'osait pas parler la première. Il a fallu la questionner; elle m'a raconté son histoire, par demi-phrases, en continuant à travailler. Les élèves connaissaient par cœur leurs infirmités, et aimaient à en parler.

Des enfants de six ans parlaient sérieusement de leur « péri-phlébite rétinienne » et autres horreurs. Jenny non plus n'était pas vraiment aveugle : elle était juste incapable d'identifier les objets; une cécité psychique lui avait fait perdre la vision du mouvement. Seuls les corps immobiles, à l'arrivée ou au départ, sans qu'elle-même bouge, lui étaient perceptibles. De plus, elle ne voyait qu'une toute petite partie du champ visuel : seule une fente bizarrement découpée, mais de la même façon, sur les deux rétines, « voyait ». Jenny s'imaginait le monde à travers cette fente tortueuse qui demandait de longues minutes où elle retenait son souffle pour la faire apparaître.

Jenny n'a jamais réussi à me voir. J'étais trop mobile. Elle me montrait des partitions de braille, où chaque note est indiquée par une lettre de l'alphabet, et où la musique est écrite à la suite comme un texte. Je l'ai retrouvée les jours suivants : elle continuait à réparer son piano en montant lentement vers l'aigu.

Chaque note de piano comprend plus de cent vingt pièces, et il y a quatre-vingts notes. En manœuvrant sa clef et son coin, Jenny se laissait caresser les seins. Elle ne paraissait pas plus de quinze ans, et mes mains erraient sur sa peau de blonde qu'elle disait couverte de taches de rousseur; baignés de sueur et poussière, nous roulions par terre, dans les bleus de travail brodés des initiales de l'institution. Le piano nous cachait, et protestait parfois d'un appel vibrant, quand un pied ou un coude heurtait ses cordes nues.

Quand le piano fut terminé, Jenny se mit au clavier et déchiffra d'une main la partition en braille d'une chanson enfantine, qu'elle jouait de l'autre en même temps. Elle avait une façon de rentrer la tête dans les épaules quand je lui caressais le cou, en petit écureuil craintif, qui frissonnait au moindre attouchement.

Sa naïveté me troublait. Jenny attirait les caresses avec avidité, dès qu'elle se fut habituée à moi. Pour qu'elle ne risque pas de voir le sang, quand je l'ai dépucelée, je l'ai lavée moi-même avec l'éponge du labo. Elle voulait « tout dire aux Pères », un tout d'ailleurs assez imprécis dans sa tête : elle croyait sincèrement qu'on allait se marier. Ne serait-ce qu'à cause de l'âge, il n'en était pas question.

Je devais être le premier qui l'ait touchée avec désir. Elle n'avait jamais connu les jeux d'adolescents que j'ai vécus à Kerkenna. Elle croyait que chaque fois qu'on se touche en amoureux, une trace demeure, une marque au fer rouge, que les Pères ne pourraient manquer de remarquer.

Sur la note la plus haute, nos lèvres se sont approchées à se toucher, et je sentais le léger tremblement de sa bouche; nous nous sommes embrassés en réinventant le baiser, avec la langue dans le creux chaud et humide. Pour la première fois, j'embrassais sur la bouche. Mrs. Halloween ne m'embrassait jamais, ni aucun des amis auxquels elle me prêtait. Je connaissais le corps des femmes, leur bouche autour de mon sexe. Pour la première fois aussi, je faisais l'amour avec quelqu'un proche de mon âge, quelqu'un qui avait moins de trente ans de différence avec moi.

Je l'entraînais dans le labo, que je fermais à clef. Les vapeurs méphitiques des fixateurs nous entouraient, pendant que nous faisions l'amour. Jenny me caressait inlassablement les cils, en décrivant le petit intérieur d'aveugles où nous vivrions bientôt, peuplé dans quelques années, pourquoi pas, de petits aveugles nos enfants.

La photo marchait bien, puisqu'on me confiait maintenant la clef. En dépit du fait qu'ils me trouvaient encore « asocial », les Pères et la directrice considéraient que je commençais à ressembler aux autres; le petit loup indépendant deviendrait un bon aveugle. Je commençais à leur devoir quelque chose, ma formation, c'était le principal. J'aurais pu devenir le petit chouchou de l'institution, à ce qu'il paraissait; on me répétait que j'avais une figure d'ange.

On me reprochait encore mon refus d'entrer dans aucune confidence, et surtout un manque de pudeur qui effarouchait le personnel. J'étais accoutumé, avec Mrs. Halloween, à considérer comme strictement pareil d'être nu ou pas, en fonction de la température, qui est douce en Floride.

Le vêtement, qui m'indiffère, est juste un obstacle entre moi et les corps; un empêchement tout à fait semblable à celui qu'éprouve un voyant devant un écran ou un cache; mettons, un porteur de lunettes noires dont il ne peut deviner le regard.

En septembre, j'ai passé victorieusement mon brevet de technicien en photo. La directrice m'avait amené elle-même jusqu'à la salle d'examen dans sa Cadillac, une main sur mon genou et l'autre au volant. Les profs organisèrent sur la pelouse une petite réception en mon honneur. Je fus présenté, entre un verre de vin cuit et un petit gâteau, au sénateur de Santa Barbara, et à sa femme; elle criait d'une voix hystérique (elle était déjà un peu saoule) : « On jurerait qu'il y voit, n'est-ce pas? » Un vieux monsieur, qui était le fils du MacPherson fondateur de l'institution, m'a remis mon diplôme, et m'a serré les mains entre les siennes, deux espèces de battoirs à grain desséchés.

Le lendemain, le Père qui s'occupait du labo est venu pour m'accompagner au travail. J'ai cru qu'il avait découvert ce que je faisais avec Jenny. J'ai toussé pour l'avertir; elle avait déjà dû entendre le pas du Père, et est restée derrière son piano, à marquer son irritation par des fausses notes aiguës.

On devinait facilement quand un Père était là, au frottement de la robe. Mais le Père voulait seulement me faire développer un rouleau de photos de la fête de la veille. Il sentait la réglisse et on l'entendait suçoter des pastilles en contemplant les clichés. Tout d'un coup, il m'a saisi le bras, et il m'a dit d'une voix coupée par l'émotion : « Savez-vous ce que vous venez de développer là? Votre propre photo... quel dommage... » (que vous ne puissiez vous voir) formulaient inconsciemment ses lèvres bien rasées.

D'habitude, je ne me souciais pas de ce que représentaient les photos. Seule leur texture était importante. On aurait pu me faire développer des clichés pornographiques que ça m'aurait été complètement égal.

En l'entendant, j'ai été pris d'une exaspération incompréhensible; j'ai arraché l'épreuve molle et ruisselante, et je l'ai déchirée, tiède et bruissante comme un être vivant.

J'ai brusquement cessé de m'intéresser à la photo. Je suis retourné quelquefois au labo, mais j'avais toujours l'impression d'être floué, puisque je ne pouvais même pas voir le résultat de mes travaux. Jenny, blottie contre moi, ne comprenait pas ce qui avait causé ma colère. Résignée dès la naissance à être aveugle, elle admettait sans discussion l'existence du monde des voyants autour d'elle, comme supérieur à elle; elle reconnaissait sans contestation la présence d'une autorité hors d'atteinte pour ses petites paumes hypersensibles. Depuis que je lui avais fait découvrir le sexe, tout son univers se bornait à moi, à me toucher insatiablement comme pour s'assurer que je n'avais pas disparu. Il n'y avait qu'un seul corps au monde, le mien. Et cela, imaginait-elle dans sa frêle petite cervelle, jusqu'à la fin des temps.

Pour ne pas rester à ne rien faire, j'ai demandé à essayer la kinésithérapie, une activité très en vogue chez les élèves. La salle de kinési se cachait dans les sous-sols, une grande salle, fraîche, carrelée, et bruyante comme une piscine, avec le « flac » des mains qui pétrissaient les muscles répété par les murs.

Comme à beaucoup d'autres élèves, le massage m'était presque naturel. J'avais la connaissance tactile de mon propre corps. Quand j'étais tout petit, au hammam, à Kerkenna, le masseur me tordait les bras et me montait sur le dos au milieu des seaux de bois pleins d'eau bouillante puisée dans le bassin fumant. La vapeur courait sur les dalles et montait les piliers vers la voûte obscure. J'avais appris l'importance du corps, des longs massages du vendredi. Mrs. Halloween avait continué ce culte à sa manière, en me savonnant dans les baignoires-piscines des hôtels intercontinentaux.

Contrairement à la photo, il n'y avait pas de sens caché dans cette activité-là; tout le monde était fait pareil. J'étais en mixité complète avec le monde sensible.

Après quelques leçons, je lisais à corps ouvert, et à pleines mains, les entorses, crampes, et autres faiblesses musculaires. Les corps tremblaient, se durcissaient, avouaient leur faiblesse. Pour décontracter le sujet, je parlais sans interruption; les nœuds de peine, de nervosité se défaisaient lentement sous mes doigts. J'avais les mains magiques, déclara la directrice, que je soignais pour ses douleurs dans le dos.

J'avais souvent à soigner les membres de notre équipe de rugby, que m'envoyait Christopher. Ce club était célèbre sur la côte Ouest. Il rencontrait, en championnat amateur, celui des pompiers ou de la police de Santa Barbara. Souvent, les non-voyants l'emportaient. Un dimanche matin, Christopher m'amena un patient qui s'était luxé la hanche dans une démonstration au stade. Il l'étendit sur un matelas, à même le sol. Il s'appelait Enrico, et se plaignait à voix basse en italo-américain.

Tous ses muscles étaient tendus, douloureux, parce qu'il était resté au froid juste après l'exercice. J'ai remonté le long de la jambe, depuis les chevilles prises dans des grosses chaussettes pleines de boue. Enrico était très musclé, des muscles trapus, dessinés sous la main comme ceux d'un écorché de plastique souple et chaud. Il fallait bien que j'examine la hanche; mais quand j'ai tiré sur l'élastique de son short, il m'a arrêté la main. J'ai cru que je lui avais fait mal, et je me suis mis à lui parler en italien, que je connais depuis Kerkenna. Le pas du Père surveillant s'est approché, il s'est penché au-dessus de moi et a émis un grognement distrait d'approbation. J'avais commencé à frapper du tranchant de la main la cuisse droite.

Le Père s'est éloigné, et je me suis rappelé que les Italiens étaient très pudibonds. J'ai senti qu'il se relevait sur les coudes. Alors, j'ai su qu'il bandait.

Moi, cela ne m'a pas gêné; lui, ça le mettait apparemment à la torture. Enrico devait être un des infirmiers : la pire faute, pour un membre du personnel, était de laisser deviner une émotion sexuelle aux pensionnaires. Je l'avais reconnu en le touchant : cette façon brutale et pudique de frémir à mon contact était celle d'un voyant. Je l'ai accompagné aux douches. J'ai été surpris quand il a pris l'initiative. Je sentais ses yeux inquiets qui guettaient la porte vitrée du vestiaire, jusqu'au moment où il se mit à me sucer farouchement.

Les garçons, à Kerkenna, faisaient de telles choses ensemble. J'ai cherché ce qui me plaisait en lui.

L'amour pour moi est à la fois complètement abstrait et très précis. Je fais ma propre synthèse des petits bouts de peau, d'organes que je caresse; elle n'a rien à voir avec une image.

Je n'avais jamais fait le sexe au complet avec un garçon; sauf une fois, j'étais vraiment tout petit, avec l'instituteur de l'école coranique. Je n'aurais jamais cru qu'un jeune homme comme Enrico puisse me faire la même chose que Mrs. Halloween, et ses amis ou amies; je pensais que c'était une habitude des vieux nobles européens. J'aurais encore moins imaginé qu'il pourrait se retourner avec tellement de naturel dans la cabine de la douche, comme s'il l'avait toujours fait.

Au début, j'étais assez froid. Enrico a commencé à m'exciter par sa façon d'agir tactilement. Une façon maladroite, aventureuse, de voyant; une tactilité qui explosait sous mes doigts, rassurée peut-être de n'être pas vue, et qu'il découvrait avec moi.

Je n'avais jamais vu quelqu'un jouir. Quand on se caressait, gamins, dans la bergerie de pierres sèches isolée au milieu des cactus, je fermais toujours les yeux au moment de la jouissance; et je n'aurais jamais imaginé de regarder le visage de mon cousin. Je fixais une fente bleue de ciel, entre mes yeux presque clos, une meurtrière par laquelle tombait une lame de soleil, dont j'ai longtemps gardé le souvenir.

Je ne m'étais jamais représenté Mrs. Halloween. Je ne me suis plus jamais excité sur l'image de l'image, comme cela m'arrivait encore à Kerkenna; l'image de l'image, la répétition mentale du mot image, dont je cherchais, les premiers temps après l'accident, à haute voix, à percer le secret par l'incantation. Comme si de dire des couleurs, des noms de couleurs, de formes, de corps, vous en rendait maître.

Je n'ai découvert la pornographie que le jour où j'ai acheté à Times Square des cassettes, des histoires excitantes; j'ai toujours aimé que les gens avec qui je fais l'amour parlent en même temps, juste pour dire des choses aussi bêtes que « encore, encore ». Au moins je les entends. Je fais l'amour avec des personnes-voix, des personnes-peaux. Le menton râpeux d'Enrico sur mon ventre et mon torse, pendant que se pressaient l'une contre l'autre une main, une jambe, une bouche, faisait naître en moi des décharges d'électricité, mouvements réflexes du corps, rapides contractions... Silence calmé des repos, dans la fumée de la première cigarette.

Faire l'amour, mieux qu'une représentation, me suggère l'idée de l'exécution d'un morceau musical : par ces musiques éthérées que jouait à l'infini l'orchestre de chambre des pensionnaires, dans le petit salon aux fenêtres ouvertes; mais une musique de contrastes, heurtée, presque violente, où une odeur irritante s'oppose fortement au lisse d'une peau, aux muscles tendus du bras, à la souplesse des reins.

Il existe une police du regard, une police du voir qui paralyse les non-aveugles. Enrico avait avec moi des trésors de fougue et de tendresse, qu'il n'avait certainement pas avec sa petite amie officielle. Quand nous faisons l'amour, vient un moment où nous sommes tous aveugles, qui est le plus fort instant, le moment exceptionnel. Je le savais déjà, enfant, au moment où le corps perd ses craintes, sa timidité : je ne les ai plus jamais ressenties à faire l'amour avec des voyants, dès lors qu'un corps est proche de moi à me toucher; alors que je les ressens à pénétrer dans une pièce dont je ne connais ni la configuration ni qui l'occupe.

Cette même crainte, cette même timidité réapparurent, inattendues, dans mes relations avec Jenny, depuis que j'avais découvert l'immense importance que je prenais pour elle. Elle se supposait pareille à moi, deux condamnés dans la même cellule; naissait une gêne insoutenable, qui s'exprimait peu à peu par mon impatience. Ces mains aveugles parcouraient désespérément mon visage à la recherche d'une confirmation de ressemblance, brûlées, écorchées par le regret d'une chose qu'elles ignoraient et dont elles cherchaient en vain la clef : ma beauté visible, dont on parlait tant.

A faire l'amour avec Enrico, puis avec d'autres hommes et d'autres femmes après lui, j'ai eu le plaisir de troubler la naïveté des voyants : ils me voient comme un enfant contemple un jouet trop précieux, embarrassés de leur propre désir, et craignant de tout casser. Avec moi, ils ne parvenaient enfin à ce qu'ils avaient toujours désiré, qu'en fermant les volets de chambres d'amour, ou en se réfugiant la nuit dans les jardins publics pour l'amour sans aucun regard de surveillance. Il paraît que la surveillance ne naît que d'un regard croisé, de deux regards.

Avec Jenny, je me faisais l'effet de palper à deux les barreaux de notre cage. Chez les voyants, la cécité devenait une arme imparable, une perfection, qui leur permettrait de fermer les yeux en confiance. Inversement je n'étais « visible », dans l'amour, qu'aux aveugles. Mon visage faisait perdre de vue aux voyants mon infirmité qu'un aveugle n'oubliait jamais. Avec Enrico, elle n'était qu'une conséquence de ma beauté, la touche finale de l'artiste qui crée l'émotion.

J'ai commencé à lui parler d'évasion : j'étais maintenant sûr d'être moins l'aveugle que l'invisible voyeur du monde des voyants.

Nous avons fait l'amour partout dans les locaux de l'institution, entre deux balais dans le placard de la cuisine, derrière les arbres du parc, dans les vestiaires du gymnase. J'ai cessé d'aller voir Jenny, et je l'entendais, parfois, tâtonner le soir dans mon couloir, sans oser franchir le seuil, ni demander à haute voix si j'étais là, sanglotant comme une souris dans les coins.

La première fois que je déclarai à Enrico qu'il fallait que je sorte de l'institution pour aller à Los Angeles, il a eu un sursaut qui a ébranlé son lit. J'attendais la nuit pour regagner ma chambre sans être vu. Il faisait chaud dans les chambres du personnel, qui n'étaient pas climatisées, et sa sueur coulait sur moi. « Tu veux dire... voyager seul? » Nous parlions en italien; je n'avais même pas eu à évoquer le mot d'évasion, qui était indicible dans l'institution. Je confirmai que c'était bien seul. Il se détendit. Il avait eu peur d'avoir à m'accompagner. « Et sans l'autorisation des Pères? » Je lui dis que j'avais un ami, à L.A., qui m'hébergerait. Et je reviendrais à l'institution après une quinzaine.

Enrico ne répondait plus. Je crois qu'il n'était pas trop dupe de l'innocence avec laquelle je présentais cette balade; l'idée d'un aveugle dans la nature, sans guide, lui paraissait tellement absurde qu'il s'en lavait les mains.

De fait, une évasion de l'institution était tellement inconcevable que j'aurais pu traverser la cour d'honneur ma valise à la main, et monter dans un taxi, avant que la directrice réagisse. Il allait de soi que je pouvais me PERDRE, mais m'échapper? On n'échappe pas à ce que je suis. Et quel autre monde que l'institution voudrait de moi?

Les valises des pensionnaires étaient toutes entassées dans une cave fermée à clef, tant il était évident que la plupart d'entre eux n'en auraient plus jamais besoin. Enrico m'a donné un sac de sport, que je ne lui ai jamais rendu. J'ai mis dedans une paire de tennis, quelques chemises et autres vêtements, ma brosse à dents et ma mini-cassette. Ce matin-là, je portais mon jean et des chaussures de ville qu'Enrico m'avait achetées. Mon passeport et ma carte de séjour étaient cousus dans la doublure de ma veste. Mes chaussures étaient trop petites, et me blessaient les pieds.

Nous sommes sortis par la porte du jardin, et j'ai recompté les cinq cents dollars qu'Enrico m'avait donnés en échange de la gourmette qui me venait de Mrs. Halloween. Les billets, je les marquai à l'ongle, un trait pour les un dollar, deux pour les cinq dollars, trois pour les dix et une petite encoche pour les cinquante. C'était un truc de garçon de café. La monnaie américaine, de toutes celles que je connais, est la pire, faite de billets qui ont tous la même taille.

Nous sommes descendus le long du talus de la route. Enrico était tout étonné de me voir capable de suivre la courbe du tournant, dans les lacets qui descendaient vers Santa Barbara, une route que je n'avais jamais faite à pied auparavant. Il s'interrompait parfois pour me regarder, m'obligeant à m'arrêter moi aussi, puisque je me guidais sur ses pas.

En suivant Enrico, je songeais comme il serait facile de me glisser parmi les voyants, du moins tant qu'ils ne me regardaient pas. Il suffisait de s'accrocher au rythme d'un pas. Voilà une expression dont je comprends bien le sens, « emboîter le pas ». Il suffisait de changer de pas, avec un autre passant, pour être ainsi amené au gré des avenues. Suivre un itinéraire précis, bien sûr, demandait une autre organisation : savoir à peu près la carte intérieure de la ville, et n'utiliser le pas d'autrui qu'en passager, qui emprunte plusieurs autobus pour se rapprocher de sa direction.

Tant qu'ils ne me regardaient pas : dès qu'ils me contemplaient, leur pas, donc l'intérêt que j'avais à les suivre, s'envolait. Qu'importe alors qu'ils me découvrent aveugle.

Au troisième lacet, l'odeur de la mer l'emporta sur celle des pins. Très loin, l'océan roulait, des embruns fraîchissaient l'air. Je fis face au vent et le respirai; il sentait le printemps, comme sur le pont, le jour de sa mort. Il y avait tout juste un an.

Un an d'enfermement. Enrico se mit à pousser des cris d'avertissement : le bruit d'un moteur montait la rampe. La voiture ralentit à ma hauteur, puis accéléra de nouveau en projetant des gravillons sur mes souliers, avec un souffle d'air chaud et d'essence brûlée.

Enrico s'était précipité à mes côtés. « Elle ne t'a pas vue? » C'était la voiture de la directrice qui revenait de courses matinales. Je ne portais plus la chemisette et le short réglementaires : elle ne m'avait même pas reconnu. Elle ne pouvait m'imaginer marchant DEHORS habillé comme n'importe quel voyant.

En bas, il y avait une petite foule, à la gare routière. Avec Mrs. Halloween, j'avais tellement aimé les gares, les aéroports. Quand elle était furieuse d'un retard, d'une grève, moi, je jouissais au contraire de ce brouhaha d'une foule sans arrêt renouvelée, comme l'eau d'une fontaine humaine, ponctuée de haut-parleurs, d'odeurs, de courants d'air et de vêtements étrangers. Cette fois-ci, personne ne reviendrait me prendre par la main, quand j'aurais quitté Enrico, après avoir profité, bien sage sur ma banquette, du spectacle sonore d'un comptoir d'enregistrement.

Enrico revint me chercher, me donner mon billet. J'avais presque cru entendre le toc-toc d'une canne, le frôlement de Zita. Au dernier moment, envahi par l'émotion, Enrico me prit par la main pour m'adjurer, au nom de la Vierge et des Saints, de revenir à l'institution, ou, en tout cas, de ne jamais dire que c'était lui qui m'avait aidé. J'ai été surpris : je l'avais déjà presque oublié. Quand je songeai à répondre, il était déjà parti, après m'avoir secoué la main en se raclant la gorge. Je me concentrai alors sur l'odeur et le bruit, sur la foule, lâche et puissante, anonyme, la foule enfin retrouvée.

Plaisance

QUAND je suis revenue à moi, pour mon dernier tableau à Kerkenna, j'avais, en gros plan, la trogne d'un infirmier tunisien qui puait l'alcool de figue, et ses mains fouillaient sous ma robe, soi-disant pour m'aider. Je l'ai repoussé, et j'ai reconnu le mur de l'hôpital de Kerkenna, étoilé de cacas de mouches. On m'avait transportée dans cette chambre quand je m'étais évanouie. Une grosse vieille dame arabe, qui portait au moins cinq jupons l'un sur l'autre, est arrivée, s'est assise sur mon lit, le faisant craquer, et m'a pris les mains et m'a calmée. Le docteur, le même que celui qui soignait Amar, l'a laissée faire en se lavant les mains d'un air dégoûté; pour un homme de Kerkenna, fouiner dans un vagin blessé, ça doit être toute une affaire. Elle a sorti de son sac en brins de laine un petit morceau de charbon, et des pinces, et elle l'a allumé. Elle m'a demandé de remonter les couvertures et ma chemise de nuit, a enlevé le pansement et a promené la fumée autour des lèvres qui recommençaient à suppurer le sang, et puis sans prévenir elle me l'a enfoncé dans la matrice. Je n'ai pas eu mal, je me suis réévanouie; il y a eu des cahots, de l'air plus frais; je rêvais que la mère d'Amar et tous ses copains me poursuivaient en me lapidant avec des charbons ardents, des morceaux de lave du volcan.

Jours et nuits ont passé. Je me suis retrouvée assise, sur une chaise de fer, à Sainte-Anne, dans la galerie qui entoure la cour plantée de tilleuls déplumés et malades. Chaque fois que je reviens, j'ai la consolation de voir une souche morte de plus, et sciée à ras; encore un arbre qui a duré moins que moi.

Philippe m'a reprise en charge, comme avant mon départ; bien sûr, mes trois compagnons de voyage, m'apprit-il avec un petit rire satisfait, m'avaient abandonnée aussi sec à l'aéroport d'Orly après avoir profité de l'avion d'Europe-Assistance qu'il avait envoyé; ils ne s'étaient pas remanifestés.

D'habitude, je rapportais toujours à Philippe du tabac pour sa pipe, qu'il bourrait consciencieusement sans jamais la fumer. Les paquets de tous mes voyages ornaient le mur au-dessus de son bureau. Cette fois, il n'y en avait pas de Tunisie – elle aurait certainement figuré un soleil couchant, des palmiers entourés d'une fumée de pipe qui monte.

Je disais n'importe quoi.

Je me suis retournée pour le regarder. Il avait ses gros yeux globuleux de chien fidèle fixés sur mes bottines, et il ne croyait pas un mot de ce que je lui racontais au sujet de l'accident d'Amar. Considérant que j'étais encore trop agitée, il m'a renvoyée. Clémence, l'infirmière martiniquaise, m'a récupérée en grognant qu'elle ne pourrait jamais partir en Tunisie deux mois pleins. Elle m'a emmenée dans une chambre au premier; j'ai crié que je ne voulais pas dormir là, devant ce parking, que c'était très mauvais pour moi. Je voulais retrouver ma chambre dans la galerie, sous les tilleuls rachitiques. Elle a répondu que Sainte-Anne n'était pas un hôtel, et que des nouvelles s'étaient installées. Puis, quand elle a fini par me rendre mon ancienne chambre, j'ai découvert que mes plus belles affaires avaient été volées pendant que je n'étais pas là, notamment ma robe de soie bleu-noir, et les bijoux de Léopold. Ceux que j'appelais « les bijoux de ma mère », et qui étaient en fait ceux de la sienne, une croix en or que je ne mettais jamais; vous me voyez avec une croix en or?

J'ai refusé de prendre des médicaments, Clémence a déclaré que j'étais une emmerdeuse, et m'a fait une piqûre. J'ai protesté pour la forme, c'est tout ce que je désirais.

Je me suis réveillée en hurlant, les bras en avant, et j'ai encore crié, crié dans le noir, jusqu'à ce que Clémence allume et que je sanglote dans ses bras, en pleurant que j'avais cru devenir aveugle. Ma blessure ne me faisait plus mal au ventre, elle s'était cicatrisée toute seule grâce au marmottage de la vieille sorcière, plutôt que grâce aux antibiotiques que je recrachais, à Kerkenna.

J'ai recommencé à sortir; il fallait bien que je m'occupe de mes affaires qui étaient dans un désordre épouvantable. Tous mes papiers de Sécurité sociale étaient à refaire, il fallait solliciter une nouvelle prise en charge; c'est un métier, d'être soignée pour troubles mentaux. Il m'aurait quasiment fallu une secrétaire.

Je ne pouvais compter que sur Philippe. J'avais décidé de ne pas revoir les pédés avec qui j'étais partie et que je considérais comme responsables de l'accident. Philippe m'évitait, je savais bien pourquoi : je lui avais fait beaucoup de peine.

Philippe avait quitté la clinique en Suisse où il faisait carrière pour me suivre à Sainte-Anne, en perdant des échelons dans son métier de docteur. Philippe n'aime pas que je m'en aille, parce qu'il m'arrive toujours des histoires dont il est jaloux. Il est d'accord avec ma mère, qui l'aurait adoré. Il ne pensait pas que je puisse réellement être amoureuse d'un gamin arabe victime d'un obscur accident. Il aurait admis un adulte, de son âge. S'il avait pu, avec la meilleure foi du monde, il m'attacherait sur mon lit, en me bourrant de cachets et de piqûres à l'entonnoir, pour pouvoir rester tous les jours auprès de moi, avec sa moustache tombante, ses yeux pleurards, ses poils roux dans le nez... Je l'aime bien tout de même. Il m'aidait à me refaire; j'étais la malade qui lui prenait le plus de son temps; les autres femelles du pavillon étaient jalouses, et chuchotaient que je couchais avec lui; ce qui était faux : j'ai des principes, moi, je ne couche jamais avec mes psychiatres.

Je me suis rétablie, le calme, la bonne nourriture, bien dormir, j'ai pu recommencer à sortir, en dépit des menaces de Philippe. Il disait qu'il ne pourrait plus me reprendre après une nouvelle fugue. J'ai écrit à Kerkenna, à l'hôpital, sans obtenir de réponse. Philippe ne voulait pas me prêter l'argent pour retourner en Tunisie. Un matin, j'ai pris mon courage à deux mains, et j'ai téléphoné à des filles qui habitent près de la Bastille, et qui m'avaient donné de l'argent de la Caisse des Femmes. Elles m'ont dit de passer les voir.

Pour me donner des forces, j'avais pris un calva sur mes médicaments, en faisant attendre le taxi, au bar du PLM Saint-Jacques; ça faisait tout chaud dans le ventre. Je regardais derrière la vitre un vieux balayeur arabe en bleu avec son calot rouge, qui aurait pu être le père d'Amar.

J'ai dit au taxi d'aller à la Bastille, et pendant un encombrement il a sorti sa vilaine bite fripée et me l'a montrée dans le rétroviseur. Je suis partie sans laisser de pourboire, et quand j'ai débarqué il n'y avait personne que la petite fille de la femme de ménage, qui a dit qu'elle s'appelait Carmencita, qu'elle avait sept ans et que sa mère était sortie avec Hermeline et Marie-Flor faire des courses au marché d'Aligre.

Hermeline et Marie-Flor sont revenues avec des cabas de légumes. Nous étions devant la télé, Carmencita et moi, à manger des yaourts en regardant les variétés de midi.

Elles habitaient un grand appartement très sombre, un ancien atelier avec des gros rideaux poussiéreux à toutes les vitres, et des disques de Barbara qui chuintaient en permanence. L'immeuble était féministe, sur les poubelles des guirlandes dessinées entouraient les noms des propriétaires, qui étaient toutes des Sophie, des Françoise et des Julie.

Elles avaient cru au téléphone que j'étais venue leur rendre l'argent prêté à Londres. Quand elles m'ont trouvée chez elles, j'ai pleuré dans mon yaourt en racontant comment la blessure de mon avortement s'était rouverte à Kerkenna. On ne pouvait pas décemment réclamer l'argent de son avortement à une femme-enfant comme moi. Elles m'ont ménagé un « statut », ainsi s'exprimaient-elles, dans leur intérieur.

Du coup, je me suis retrouvée avec deux mères pendant un an, moi qui n'ai jamais pu supporter la mienne.

Au début, j'ai plusieurs fois essayé de leur demander l'argent pour retourner à Kerkenna. Je ne leur avais rien raconté, mais elles s'étaient inventé toutes seules une histoire d'amour avec un Arabe, d'après les racontars des pédés qui travaillaient dans le même atelier de stylistes qu'elles, et qui connaissaient les gens avec qui j'étais en Tunisie.

Hermeline est blonde, avec un grand nez recourbé, des pattes d'oie autour des yeux, la peau bronzée et un peu ridée et les seins qui tombent; elle rit très fort en se les tenant. Elle écrit la rubrique de la défense des bêtes dans un journal où tous les hommes sont amoureux d'elle. Marie-Flor était styliste, elle dessinait des milliers de pâquerettes de couleurs différentes pour des impressions de tissus. Elle allait à son travail en Solex, en emportant ses planches de marguerites peintes, sous une feuille de rhodoïd; elle a les cheveux courts et le nez en trompette, elle ne disait jamais rien. Hermeline parlait tout le temps; chaque fois qu'elle me surprenait à la même occupation que le premier jour, ce qui fut continuel, comme si j'avais toujours répété le même commencement, manger des yaourts devant la télé, elle s'exclamait : « Ce n'est pas pour le prix des yaourts, mais est-ce que, vraiment, on ne peut pas prendre l'habitude de le dire, quand on mange un yaourt, pour qu'au moins on en rachète? » Le premier « on », c'était moi, et Carmencita, qui était ma vraie amie. Le second « on », c'était elle, traînant un chariot débordant de yaourts, essoufflée, sans un seul de ces sales machos pour lui proposer de l'aider; et si un osait le faire, lui crachant à la gueule.

Elles étaient végétariennes. La viande pousse au viol, sans doute. Elles mitonnaient pendant des heures des mixtures de jus sombres de légumes qu'elles dégustaient avec des mines de gourmets. Moi, je me faisais un bifteck et des frites surgelées qu'elles me ramenaient. Elles ne mangeaient que des bouillons et des purées d'herbes, et elles pensaient que je me privais d'un grand plaisir.

Je passais ma journée au lit à feuilleter des magazines de football pour les immigrés que j'allais acheter à Barbès, pour trouver une photo de sportif d'Afrique du Nord qui ressemble à Amar. Les magazines traînaient partout, et rendaient Hermeline très nerveuse, soi-disant à cause du désordre; elle ne supportait pas la vue de tous ces beaux mecs qui lui faisaient de l'œil depuis la couverture des journaux. Le pire, quand on y pense, c'est qu'Hermeline aurait fait un malheur à Kerkenna.

Sûr, je les aime bien; l'ennui, avec les femmes, vient de ce que je devine tout trop facilement d'elles; je ne suis dupe d'aucun prétexte, parce qu'elles sont toutes comme moi, sauf qu'elles n'osent pas éclater.

Elles me nourrissaient, m'habillaient, me logeaient, mais ne me donnaient pas d'argent. Tout ce qu'elles me donnaient par ailleurs, pour moi n'était rien, parce qu'elles hésitaient avant de me le donner. Heureusement, j'avais comme argent de poche les remboursements de la Sécu.

Elles m'ont enfin trouvé une place de vendeuse chez un marchand d'objets d'Extrême-Orient, au coin de la rue de Buci et d'une ruelle de Saint-Germain. Toute la journée, j'emballais des bols, des tables en bambou, des sacs en raphia, un tas d'horreurs. J'étais à mi-temps, et je continuais à voir Philippe tous les week-ends. Il me prescrivait du Mandrax : avec de la bière en boîte, c'est juste parfait.

Je pensais toujours à Amar, et je ne pouvais le raconter à personne. Si elles avaient su cette histoire, Hermeline et Marie-Flor m'auraient considérée comme une pute à Arabes, ou une fille à pédés, ou une presque meurtrière.

Personne ne devait se sentir trop propre dans cette affaire; la preuve en est que mes compagnons de Kerkenna n'ont jamais essayé de me revoir. Je suis retournée au « Rosebud », le soir, me faire offrir des verres par les derniers artistes ou journalistes barbus de Montparno; j'ai même rencontré un directeur de collection qui voulait faire de moi son mannequin vedette; il paraissait que j'étais la Twiggy française, et que j'avais une maigreur sculpturale, avec un « p ». J'ai un très beau corps long et lisse, des petits seins fermes en pomme, et pas un gramme de graisse. C'est ma tête qui est moins réussie, parce que je n'ai pour ainsi dire pas de nez.

La bière le soir, le Mandrax, les yaourts et la télé l'après-midi, je grossissais. En rentrant tard, un soir, je les ai trouvées toutes les trois en train de « discuter de mon problème », m'a soufflé Carmencita dans la cuisine. Toutes les trois, parce que la mère de

Carmen participait à toutes leurs réunions, où elles se prenaient pour des psychanalystes ou des tribunaux de femmes.

Je suis entrée en furie, je les ai insultées, j'ai giflé la concierge en lui crachant à la figure qu'elle était une indic comme toutes les bonnes espagnoles; Hermeline et Marie-Flor étaient épouvantées. Elles m'ont dit que j'étais ivre, ce qui était vrai; alors, j'ai marché vers la porte, et je suis sortie pour toujours; et sur le trottoir j'ai réalisé que j'avais toujours à la main la petite Carmencita.

On a couru elle et moi pour attraper le bus au coin de la rue; je suis montée en la tenant toujours par la main; le poinçonneur m'a dit : « Elle est jolie votre petite fille », pendant que là-haut, je voyais à la croisée les trois femmes qui faisaient de grands gestes.

On a voyagé dans la foule qui changeait sans arrêt. J'étais partie sur un coup de tête, sans idée où aller. Carmen était très sage, assise bien droite sur la banquette, et regardait par la fenêtre sans parler. Arrivées au terminus, gare de l'Est, elle a proposé de téléphoner à son père, qui s'était séparé de sa mère depuis que Marie-Flor avait organisé des thés sur le machisme latin. Il nous a donné rendez-vous à son travail, pas très loin, à Stalingrad. Il s'appelait Antonio, il était exilé, il travaillait dans un journal.

On est arrivées dans une petite rue moche bordée d'une HLM à porte en verre; il y avait une caméra au-dessus de l'entrée. A l'intérieur, Antonio nous avait déjà oubliées, et la standardiste a grogné qu'on n'avait qu'à aller regarder, qu'elle ne savait rien; et elle s'est mise à réchauffer une boîte de cannelloni sur un camping gaz, en raccrochant au nez de tous ceux qui téléphonaient. Un grand type maigre est passé, Carmen lui a sauté au cou. Il a dit : « Ah, c'est vous? » Comme s'il nous avait déjà oubliées. Il a embrassé la petite distraitement, et il a ajouté qu'il avait téléphoné à la mère. Elle avait d'abord parlé de kidnapping; il m'a fait remarquer qu'Andréa, mon prénom, en italien, était un prénom d'homme. Il avait d'abord cru qu'un homme avait enlevé sa fille. Finalement, la mère lui avait proposé de la garder. Elle partait avec ses deux patronnes, en croisière, aux Antilles, pour un séminaire sur la condition de la femme immigrée.

Antonio était un grand type avec une cicatrice au milieu du front, un grand nez sensuel et l'air buté. Il ricanait de tout ce qu'il voyait; il avait parlé de la mère de Carmen en ricanant aussi, comme si c'était une mauvaise blague. Il hurlait, pour couvrir autour de nous le vacarme général; les journalistes de nuit, rentrant de dîner, avaient l'air surexcité. Les uns cassaient des téléphones en prenant des crises de nerfs, d'autres renversaient des corbeilles à papier pour retrouver leur article qui était perdu; un couple de lecteurs prenait une douche en baisant dans les chiottes; les rédacteurs les plus chics étaient habillés en costards cinquante mal repassés. Couverts de boutons, ils relevaient leurs manches pour montrer leurs shoots, devant les machines à écrire détraquées.

La saleté était générale; et quand Antonio nous a emmenées vers le fond, en marchant sur les papiers, les mégots, les restes de gras de jambon de sandwich, pour nous faire visiter le journal, j'ai songé que c'était malsain pour un enfant. On aurait dit un couloir de métro en grève de balayeurs; la moitié des employés traînait là-dedans sans rien faire, à rigoler assis sur des bureaux en regardant la télé; cinq ou six tapaient comme des fous, en se bouchant les oreilles, sur des vieilles machines comme au cinéma. Leur journal devait être fini dans une heure, et ils l'avaient à peine commencé.

Entre les waters et une grosse machine à écrire qui tapait toute seule en crachant un ruban de papier,

Antonio nous a emmenées dans une pièce sans fenêtre qui puait le vieux tabac; à l'intérieur, il nous a présentées à un gros type aux ongles noirs, qui était effondré sur le bureau, en train de choisir un mégot pas trop court dans la collection de mégots de cigares écrasés de son tiroir. Il en a proposé un à Carmencita, a allumé le sien et a repoussé les petites annonces porno qu'il lisait en se curant les dents, pour prendre à l'envers les journaux de la veille et grogner qu'il était très « à la bourre ». Antonio lui a passé un bout découpé dans le ruban des grosses machines; il s'est écrié « Nom de Dieu! » et a bondi dehors avec une rapidité que j'aurais jamais crue.

Antonio travaillait tout au fond, là où il y avait le moins d'air. C'était la fabrication du journal : toutes ces tâches étaient faites par des filles, bien que, paraissait-il, ce fût un journal d'extrême gauche. La moitié des filles, les Françaises, étaient moches à faire fuir tout le trottoir de la rue Saint-Denis; l'autre était composée de nanas immigrées qui passaient leur temps à se retaper le maquillage ou à s'enlever les points noirs dès qu'Antonio avait le dos tourné.

En quittant Marie-Flor et Hermeline, je pouvais m'attendre à quitter mon boulot, parce que la patronne était leur copine. Antonio, par solidarité contre elles, m'avait aussitôt proposé de me recruter. Cela m'aurait déprimée, moi, de voir ces zombies toute la journée.

Quand Antonio est apparu dans la caverne, les filles se sont remises à taper. C'était lui qui les commandait. Elles tapaient devant des gros cubes bleus avec des lumières clignotantes; celles qui lui tournaient le dos continuaient à échanger des recettes pour bronzer. Il ne pouvait rien contre elles; comme ils étaient un journal de gauche, ils ne pouvaient pas les licencier.

Alors Antonio a attrapé un lourd casier en bois rempli de matériel à dessin et il l'a jeté, par terre, au milieu des machines. Puis il a marché droit vers l'endroit où ils faisaient les maquettes; là, quelques garçons à lunettes et cheveux longs étaient penchés sur des tables en verre, éclairées par en dessous, qui leur faisaient des cernes épouvantables autour des yeux. Antonio a pris un des types au collet et s'est mis à le cogner contre le mur. J'ai emmené Carmen s'amuser avec les clavistes, c'était le nom des filles qui tapaient. Carmen voulait rester voir son père se battre, elle était ravie. Finalement, une fille claviste, qui devait avoir au moins trente ans et qui était arabe, m'a aidée à l'emmener.

Elle s'appelait Malika; elle avait le visage petit, en triangle, avec des pommettes très hautes et très saillantes. Nous sommes sorties ensemble manger une pâtisserie avec Carmen; elle était encore plus maigre que moi, je n'aime que les filles maigres. Et la bouche minuscule, l'air très décidé. Nous sommes rentrées au journal au moment où ils commençaient à se balancer les meubles d'un bureau à l'autre, parce qu'ils avaient loupé leur édition du lendemain. Malika s'était acheté des loukoums, elle les a posés sur le clavier. Elle prétendait qu'elle était comme moi, qu'elle pouvait manger tout ce qu'elle voulait sans grossir. Elle parlait très vite, en avalant la moitié des mots; pour la première fois une fille me plaisait vraiment, peut-être parce qu'elle était arabe.

Un loukoum est tombé dans la machine, et toutes les touches se sont collées ensemble. Antonio est revenu vers nous, mais Malika continuait à rire sans travailler. Antonio l'a embrassée sur le front, elle lui a donné une tape; ils étaient ensemble. Ils se sont mis à parler de ce qu'ils feraient de Carmen; j'ai envoyé la petite s'amuser à déchirer les rubans de papier qui sortaient de la machine, et que tout le monde piétinait, puis à coller ensemble les photos qui sortaient toutes prêtes d'une autre machine.

Quand elle est revenue, un groupe de cinq ou six personnes discutait ensemble de ce qu'il fallait faire de Carmen et de moi; tous des gens qui ne me connaissaient pas. J'ai fait remarquer que, s'ils étaient un journal sincèrement de gauche, ils devaient me faire une pension et me trouver un logement, puisque j'étais une victime de la société. Antonio a éclaté de rire en me regardant, en se léchant les lèvres, et en mettant de grandes claques dans le dos de Malika. Il l'appelait exprès « mon petit loukoum », en me faisant des clins d'yeux. Enfin, je prenais ses grimaces pour des clins d'yeux; j'ai appris par les autres filles, qu'il avait toutes draguées, qu'il louchait.

Sur quoi Antonio a traité sa femme, la mère de Carmen, de salope; une claviste à lunettes a piqué une crise d'hystérie, il a fallu lui faire boire de l'eau de Cologne, c'était la seule chose pour la remettre. Antonio a proposé, puisque j'étais avec Carmen, que je les accompagne chez eux; je pourrais toujours faire la baby-sitter. Nous sommes tous partis en laissant en plan le journal, dont le chef s'arrachait les cheveux couverts de pellicules.

Antonio habitait chez Malika, qui habitait dans le XIVe arrondissement.

De travailler tous les jours dans une caverne leur avait donné l'habitude d'habiter dans un trou; l'appartement était une demi-cave, un rez-de-chaussée à moitié enterré d'un petit immeuble coincé dans la petite rue de Plaisance, où le soleil ne devait jamais pénétrer. On entrait par une petite porte qu'on pouvait à peine passer de front dans le couloir, dont toutes les portes palières étaient peintes en vert et violet sombre avec des affiches politiques.

La pièce de Malika donnait sur la rue, elle fermait les volets toute la journée. Un matelas était posé par terre, cerné par les assiettes sales du déjeuner d'il y avait quinze jours.

Le petit immeuble était en plâtre, qui se détachait de partout, et les murs suintaient l'humidité de Paris, l'humidité à champignons. Antonio a proposé que je m'installe dans un corridor qui conduisait à la cour; en face, il y avait des chiottes en bois et un vieil évier où Malika a préparé le couscous en me racontant sa vie. Nous sommes montées au premier étage prendre des épices et je me suis aperçue que Malika s'était incrustée dans une nichée d'écolos sympas intellectuels qui possédaient l'immeuble.

Elle ne payait pas de loyer, elle se servait de leur appartement comme salle de bain. Jérôme était un leader des nouveaux habitants du quartier, apparus depuis deux ou trois ans, après 68, accrochés comme des moules le long des rues étroites encombrées de poutres de démolition. Par la fenêtre du salon de Patricia, c'était le nom de la femme de Jérôme, on voyait les mufles plaqués de marbre des centres de congrès modernes, au-dessus des étagères où elle faisait pousser sans engrais du thym et du romarin.

Au sommet de l'immeuble, s'étaient réfugiés les vieux, les retraités du gaz, les anciens garçons de café qui s'arrêtaient dans la rue, devant les enseignes peintes sur des façades déjà bouchées de parpaings, celles de leurs bistrots d'autrefois. Partout, dans la rue de Plaisance, les vieux étaient montés, comme des rats devant une inondation; aux étages nobles, des sociologues non mariés, comme Jérôme et Patricia, s'installaient dans trois chambres dont ils abattaient les murs, pour en faire un appartement de couple moderne.

Malika, elle, était une aventurière; elle connaissait tout le prêt-à-porter, avait été à Ibiza, fumait l'herbe qu'elle avait gardée de l'amant précédant Antonio. Il y en avait une vraie forêt sous le lit.

Elle était bien conservée, un peu sèche, avec un côté rapace, qui devait la maintenir en forme.

Nous avons installé Carmen dans leur chambre, et Malika m'a ramenée demander un lit, au premier étage, pour elle, et un matelas pour moi. L'homme qui nous a ouvert, Jérôme, était chauve, avec une petite barbe blonde, et des yeux bleus à fleur de tête qui avaient l'air de sourire en permanence. Il était en train d'essayer de faire avaler une cuillerée de petit pot à un bébé qui crachait tout; sa femme, une grande blonde seulement habillée d'une robe de chambre masculine, tapait à la machine dans la salle de bain. Nous sommes tous descendus à la cave chercher un petit lit pour Carmen. Jérôme a contemplé pensivement le corridor sans fenêtre où je devais dormir, s'est gratté la barbe; nous sommes retournés chez lui, et il a suggéré finalement, en baissant la voix et en regardant vers la salle de bain, que je prenne, en attendant, la chambre de bonne au-dessus, dont ils voulaient faire la chambre d'enfants, plus tard.

En attendant, j'y suis restée presque deux ans.

A côté de la maison, un café minable étalait sa façade en bois peint en marron. Le bar était un vrai zinc crado, incrusté de gravures et de noms dans le métal. Le café était surtout fréquenté par des Arabes. Ils venaient boire le premier calva avant le premier métro, à cinq heures et demie du matin, discuter ensemble, en jouant aux cartes et au tiercé, le samedi et le dimanche. Je n'avais jamais autant fait attention aux Arabes à Paris. Je m'étonnais de la différence entre eux, imperméables et blousons gris, et le souvenir ensoleillé de Kerkenna. J'y étais toujours avec Malika; les vieux Arabes, ou les jeunes loubards comme le fils de la patronne, lui parlaient comme à une fille arabe; et la patronne, Mme Robert, ou les vieilles clodos qui venaient se faire offrir un verre, lui parlaient comme à une commerçante du quartier.

Nous nous amusions à nous comparer, nues dans la petite chambre surchauffée avec le radiateur électrique prêté par Jérôme, branché sur la minuterie du couloir. Pour la première fois de ma vie le corps d'une fille ne me dégoûtait pas. Pourtant, Malika n'était pas gouine, et moi non plus.

La grande copine de Malika, la patronne du café, Mme Robert, était une grosse rousse blême, le gras des bras pendant comme des seins, tout flageolant, au-dessus des demis de bière. Elles avaient un sujet favori de conversation : la façon dont leurs hommes les battaient. Antonio fichait des trempes à Malika, qui se défendait à coups de couteau; et le mari de Mme Robert, un bel Algérien dans la quarantaine, avec une Mercedes, des costards de la B.J., lui faisait la caisse en lui flanquant des tartes. M. Robert n'habitait pas avec elle, mais dans une caravane toute neuve qu'il garait, l'été, devant le café, juste devant, pour la faire enrager. L'hiver, il la stationnait sur un terrain à lui, à Saint-Denis, et il attendait d'avoir assez mis de côté pour retourner à Tlemcen avec la caravane et la voiture.

Il prenait jusqu'à l'argent des vieilles clochardes, selon Mme Robert. Elle protégeait un amas de vieilles pochardes, qui pissaient sous leurs robes qu'elles ne lavaient jamais, juste dans la cour de l'immeuble, la nuit, et revenaient s'asseoir au café. Mme Robert les engueulait, leur faisait jeter un seau d'eau. A l'entendre, elle était leur mère; les pauvres créatures, quand elle ne serait plus là, crèveraient la gueule ouverte. Les vendredis et samedis, elles revenaient et sortaient de dessous leurs jupes un billet de dix francs, et s'offraient six calvas à la suite. C'était qu'elles venaient de se faire baiser par un vieil Arabe, quelque part derrière une camionnette, dans la rue.

D'autres fois, leurs amants venaient leur offrir à

boire; je n'aurais jamais cru que les clochardes puissent être aussi des putes; et ces vieux débris puants avaient des scènes d'amour avec des épiciers kabyles en buvant des « baby champ » et en chantant « Cerisiers roses et pommiers blancs » d'une voix éraillée.

Etrange atmosphère pour un café, pas désagréable; Mme Robert racontait à perte de journée ses malheurs avec son mari, qui volait jusqu'aux mandats de la Sécu qu'elle recevait au nom des vieilles clodos. Elle leur gardait leurs papiers, leur courrier, leur fric, et leurs vêtements dans des sacs en plastique. Toutes leurs affaires sentaient la vinasse. Fallait-il pas qu'un homme ait perdu toute moralité, pour prendre l'argent des allocations vieillesse!

Antonio avait voulu coucher avec moi; je voyais le menton de Malika se durcir quand nous descendions ensemble de ma chambre mansarde; il n'était pas tellement beau, il avait insisté. Il ne pouvait jamais parler normalement, il gueulait tout le temps, en italien; il était un militant révolutionnaire dans son pays; je l'avais laissé faire, on était devenus amants en copains, sans fioritures. Mme Robert en avait une frousse bleue, surtout quand il se mettait à jurer en italien, en louchant très fort. Il avait une queue énorme, ce qui m'excitait à peine. Je couchais avec lui par gentillesse, le sexe avait perdu beaucoup de son goût pour moi.

Antonio n'était pas du genre à devenir sentimental, à me coller après. Il riait parce que je fermais les yeux quand sa bite entrait en moi, il ignorait que je me concentrais sur l'image d'Amar; s'il s'était douté, il m'aurait peut-être tuée de le tromper ainsi avec un fantôme, au moment même où il me faisait l'amour. Le lendemain du jour où on a baisé la première fois était un 24 décembre, j'ai lu dans le journal ce matin-là un entrefilet sur un tremblement de terre; il y avait plusieurs morts sur l'île de Kerkenna. Pour ce

Noël, nous sommes allés tous ensemble à un déjeuner de fête chez Jérôme et Patricia; elle m'a offert pour ma chambre des vieux rideaux en dentelle tout déchirés qu'elle avait reteints avec du thé. La fête était pour les enfants, notamment pour Carmen; mais Antonio s'est mis à boire tout le vin et le cognac, et à jeter des insultes à Malika.

Patricia détournait la tête, comme si les jurons italiens d'Antonio sentaient mauvais. Jérôme torchait les gosses qui piaillaient en servant une fricassée de dinde congelée avec de la citrouille. Le conflit de genre entre rez-de-chaussée et premier étage était inévitable. La nuit, j'entendais souvent des bruits affreux de vaisselle cassée, quand Antonio cessait de fumer des joints, les pieds sur le radiateur, pour envoyer une assiette à la tête de Malika; elle n'arrêtait pas de tourner autour de lui en le traitant de sans-couilles, de sale Rital avec un poil dans la main gros comme ça. A ce déjeuner, elle s'est levée pendant qu'on apportait le gâteau pour les enfants, et elle est partie dans la salle de bain où tout le monde a pensé qu'elle pleurait. Elle n'est pas revenue; la salle de bain, une ancienne chambre d'ouvriers qu'ils avaient aménagée, avait une porte qui donnait dans l'escalier.

Après le repas, Patricia a cherché les boucles d'oreilles qu'elle avait achetées le dimanche d'avant au marché de Vanves, et qu'elle avait laissées dans le porte-savon; elles n'y étaient plus. Ils se sont mis à fouiller partout sous les coussins en tissu grec de la grande pièce; Antonio continuait à siroter du cognac en ricanant. Malika est revenue prendre le café, la gêne se coupait au couteau. Toute la société, sauf peut-être Antonio qui était ivre mort, se retenait de penser que Malika était la voleuse. Patricia a fini par lui demander d'une voix étranglée si elle ne lui avait pas emprunté par hasard ses boucles d'oreilles; Malika a renversé le bol en terre cuite qui lui servait de tasse à café, et a explosé. C'était toujours à elle qu'on demandait quand quelque objet avait disparu; elle est redescendue au rez-de-chaussée en faisant claquer ses compensées sur les marches. Antonio s'est réveillé pour marcher droit sur Jérôme qui reculait en agitant les mains; il a sifflé que si sa sale connasse de pétasse de bourgeoise ne la fermait pas, il cassait tout; il en avait par-dessus la tête des petits bourgeois racistes. Puis il est parti à son tour au rez-de-chaussée, en faisant claquer la porte si fort que ça a fait sauter le plâtre que Jérôme venait tout juste de remettre.

En bas, j'ai retrouvé Antonio tenant Malika d'une main à la gorge, et de l'autre une poêle à frire même pas lavée, pour lui marteler le crâne, en exigeant ces boucles d'oreilles. Je les ai séparés, Antonio a tout mis sens dessus dessous dans la pièce, ce qui revenait presque à la ranger; il a trouvé les boucles d'oreilles dans un paquet de Tampax, au-dessus de l'évier dans la cour. Du coup, Malika a pris ses affaires et m'a demandé si elle pouvait s'installer dans ma chambre; elle ne voulait plus jamais parler à Antonio, ni à personne de l'immeuble, sauf moi. Antonio m'a prise à part dans le couloir : je n'avais qu'à m'installer en bas moi-même, ce que j'ai fait. Je n'ai jamais eu peur de lui. La seule fois où il a essayé de me frapper, j'ai sorti mes ciseaux à ongles et j'ai visé le sexe.

Antonio me laissait tout faire. Il sifflotait en lisant Gramsci, pendant que je mettais en ordre les brochures politiques qui traînaient, les casseroles sales, le vélo démonté, les salopettes de Carmen. Quand il était à son journal, je montais chez Malika dire du mal de lui, en fumant le reste de l'herbe. Antonio m'engueulait, parce qu'il disait que j'étais une opprimée, et que je ne faisais rien contre cette oppression. Je me suis habituée à lui; il me baisait bien, et je ne croyais plus à l'amour depuis mon voyage en Tunisie. Il était en exil depuis deux ans; le gouvernement italien lui reprochait d'avoir mitraillé un cardinal communiste; il disait, lui, que c'était faux, avec l'air de quelqu'un qui en serait bien capable.

Antonio m'a proposé de descendre à Milan, avec lui, voir son petit frère, qui lui ressemblait en plus méchant, d'après ses photos. Antonio avait acheté un faux passeport à Barbès, qu'il avait trafiqué lui-même, un œil vissé à une loupe, en utilisant des agrafes qu'il avait récupérées au commissariat du XIVe. Nous avons pris le train à la gare de Lyon, tout à fait comme une petite famille, Antonio tenant les sacs des affaires de Carmen, et moi l'enfant avec un paquet de sandwiches aux merguez que nous avait préparés Mme Robert.

Malika avait glissé au cou de Carmen une petite médaille d'or, la main de fatma au bout d'une chaînette, contre les risques du voyage. En vain : nous n'avons même pas passé Vintimille; les flics sont entrés dans notre compartiment pendant que le train était arrêté en gare. Tous les voyageurs se pressaient dans le couloir et sur le quai pour voir les binettes des gangsters qu'on arrêtait. La police a viré les scouts et le militaire italien qui étaient dans notre compartiment, et ils se sont mis à tout fouiller, en tenant Antonio en respect. Antonio a demandé qu'on laisse descendre l'enfant et sa mère; j'ai pris Carmen par un bras et ses affaires de l'autre : après tout, je n'avais rien à voir là-dedans. Le flic en chef, qui était en civil, a pris le sac de Carmen et l'a renversé; au milieu des petites chaussettes et des petites culottes, il y avait trois pistolets et plusieurs longs morceaux de pâte à modeler entourés de papier kraft; le type en civil a affirmé que c'était du plastic.

Plus tard, j'ai appris que c'était Mme Robert qui avait donné Antonio. Carmen et moi avons été confiées à une assistante sociale; elle nous a fait coucher sur des matelas pneumatiques dans un bureau de la gare. Carmen répétait que les flics avaient des vieux pistolets, et son père des tout neufs. On s'est lavées dans les toilettes de la gare le lendemain matin, et la vraie mère est arrivée par avion récupérer sa fille, sans même me parler, comme si j'avais entraîné Carmen dans un bordel et qu'elle y avait attrapé une vérole. Quant à moi, j'ai dit que j'étais une malade de Sainte-Anne; alors les flics sont devenus plus respectueux. Ils ont téléphoné à l'hôpital, et j'ai obtenu de Philippe qu'il leur ordonne de me mettre dans une ambulance. Est arrivée une DS superconfortable, conduite par deux loulous en blouse blanche, qui m'ont ramenée à Paris en s'arrêtant dans tous les cafés boire un verre. Philippe a dû faire un chèque de trois mille francs au chauffeur quand l'ambulance est arrivée dans la cour de Sainte-Anne.

En montant l'escalier, Philippe m'a avoué que mon analyse était la plus chère qu'il avait jamais faite, enfin la plus chère pour lui. Il se frottait tout de même les mains de m'avoir récupérée; je l'avais insensiblement laissé tomber au cours des deux dernières années. Il voulait reprendre l'analyse illico; je suis remontée dans son bureau où il n'y avait aucune nouvelle poche à tabac, je n'avais pas eu de remplaçante.

Je me suis remise à lui raconter mes rêves, pendant qu'il se mordillait la moustache pleine de débris de tabac, puis les branches de ses nouvelles lunettes en écaille, enfin son stylo. Il avait un appétit féroce pour les objets non mangeables. A Sainte-Anne, je rêvais d'Amar. Une femme qui ressemblait à Malika, mais qui était la mère d'Amar, me poursuivait pour me punir de l'avoir abandonné. Selon l'analyse, j'en rêvais, sans m'en rappeler le jour, depuis trois ans. Philippe n'en croyait pas plus à son existence. Il me parlait de ma mère à moi, qui n'était pour rien du tout dans ces rêves, et il était heureux comme un poisson de vase dans l'eau trouble de mon analyse.

Je ne reconnaissais pas Sainte-Anne. Clémence avait été renvoyée, après qu'on eut découvert qu'elle tuait à la morphine les vieux gâteux du pavillon cinq. Les tilleuls de la cour avaient tous été rasés, et le buste du docteur en redingote, qui a fondé les asiles, était tout nu sur son socle, au milieu du boulingrin. Il ne restait que l'éther, l'odeur d'éther, la bonne odeur d'éther de toujours : je continuais à me faire des cotons le soir, dans mon lit, avec la bouteille piquée à la pharmacie de l'infirmerie; et l'oreiller devenait un coussin de nuages frais et acidulé d'où sortait une musique arabe.

Même l'odeur de l'hôpital n'était plus ce qu'elle avait été; on désinfectait partout avec de la Javel. Une épidémie de méningites foudroyantes avait supprimé les quelques pensionnaires que je connaissais.

Je suis retournée dans mon XIVe arrondissement dès que Philippe m'y a autorisée. La grosse petite fille de Patricia avait pris ma chambre pendant que je n'étais pas là. Jérôme et elle se sont excusés, en s'écriant d'une voix qui sonnait faux que c'était une telle surprise de me revoir. Ils me croyaient peut-être en prison.

L'hiver finissait de faire tomber les feuilles des marronniers sur la pissotière du square Jean-Moulin. Elles bouchaient l'écoulement, et provoquaient un lac de pisse sur le trottoir près de la maison. Patricia m'avait rendu ma chambre; je regardais les géraniums flétris aux fenêtres que personne n'avait songé à rentrer; ils étaient morts gelés.

Jérôme et Patricia m'ont montré des convocations à un comité pour faire libérer Antonio, qu'ils avaient expédiées lors de son arrestation. Personne n'était venu, parce que tout le monde devait de l'argent à

Malika, pour l'herbe. Malika, elle, avait réoccupé le bas, en ouvrant la porte sur laquelle il n'y avait pas de scellés, dans la cour. Elle est montée me dire bonjour, les yeux cernés, l'air d'avoir la fièvre. Elle voulait venger Antonio : il avait été donné par Mme Robert, elle l'avait découvert en voyant l'un des inspecteurs du commissariat de la rue Boyer-Barret passer au café régulièrement.

En Algérie, on lui aurait crevé les yeux, à cette bonne femme. Il fallait faire quelque chose, elle et moi.

Malika me faisait plutôt peur. Elle ne regrettait pas ce salaud d'Antonio, pour sûr; mais elle ne supportait pas les balances. Il fallait que justice soit faite.

En l'absence d'Antonio, Malika s'est mise à faire des soirées au rez-de-chaussée, où elle n'invitait ni Jérôme ni Patricia, qu'elle présentait comme ses locataires, s'ils passaient dans le couloir. En quelques mois, ses soirées sont devenues beaucoup plus chic que les dîners écolos du premier étage. Des files de taxis restaient, tard le soir, à ronronner du compteur devant la petite porte en bois peint; parfois, la rue étonnée découvrait à travers ses volets une limousine noire avec un chauffeur; Malika m'a dit par la suite que c'était très facile d'en louer une pour la journée : à cinq ou six c'est à peine plus cher qu'un taxi, mais ça frime mieux, pour parler le langage de ses nouveaux amis.

Je n'avais pas fait suffisamment attention au changement des gens autour de moi, à Paris. Ils avaient pris un nouveau style, dont les visites chez Malika me donnaient un aperçu. Malika invitait à chaque fois M. Robert, qu'elle appelait par son petit nom, Kateb. Elle l'avait aggloméré à sa bande de fêtards, à la grande rage de Mme Robert; une bande dirigée par une vieille fille espagnole qui avait une tête de statue mexicaine. Elle était la fille d'un peintre célèbre, et la seule de la bande qui avait vraiment de l'argent. Ils se réveillaient à cinq heures de l'après-midi, pour s'habiller. Ils faisaient les salons de prêt-à-porter, les ouvertures de boîtes. Marie-Flor et Hermeline étaient souvent avec eux; Marie-Flor était devenue une étoile du stylisme. Un garçon les accompagnait. Je l'avais vu au journal d'Antonio. Personne n'aurait pu dire s'il était un adolescent vicieux fané avant le temps, ou un vieux célibataire conservé dans la drogue; il portait des lunettes et des costumes à carreaux noirs et blancs; plusieurs costumes, parce qu'il en changeait à chaque visite, qui étaient tous sales comme des peignes à chiens.

Or ce garçon était avec une fille arabe très belle; il était évident qu'il ne baisait pas avec, il devait juste la chevalier-servir, et lui payer les verres. Elle ne faisait pas plus de seize ans, elle avait des grosses lèvres, plus grosses que celles de B.B. à son âge, avec une moue d'enfant gâtée, une queue de cheval avec une épingle à nourrice, un pantalon de skaï noir, et un maquillage très exagéré et très rouge.

Malika me l'a présentée; elle était la petite sœur d'Alissa, sa copine de maison de redressement, à Lyon, dont elle parlait tout le temps. Elle s'appelait Djamillah, et M. Robert la dévorait des yeux, elle devait lui rappeler sa jeunesse à Tlemcen.

Quelques jours après, Alissa est arrivée à son tour; Djamillah n'avait été qu'une tête de pont. Malika et elle ne s'étaient pas revues depuis la maison de correction près de Lyon, où elles s'étaient rencontrées. Elles ont commencé à se raconter les histoires de caves de HLM quand elles étaient jeunes, ou de fauches dans les super-marchés. Et les bagarres dans les terrains vagues, contre les bandes de garçons.

Djamillah et Alissa ne se ressemblaient pas du tout : Alissa était très grande, avec un long nez et les cheveux longs, très belle à sa manière, plus sérieuse. Mais pas aussi sexy. Djamillah, la première semaine qu'elle était à Paris, a posé pour un magazine de mode où travaillait la fille du peintre espagnol, où elle était en collant tigré, un bazooka à la main, en train de viser la caméra.

Les deux autres filles n'étaient pas jalouses; cela m'étonnait, à les fréquenter, ces filles arabes. La grande sœur, et même Malika, avaient l'air de gens qui ont reporté toutes leurs ambitions sur leur enfant. Les succès de Djamillah étaient les leurs.

Leur quartier général se tenait chez Malika. J'y passais mes après-midi. Je les regardais habiller et maquiller Djamillah. Jérôme et Patricia ne saluaient même plus, et M. Robert ne quittait plus ce rez-de-chaussée; il n'aurait jamais imaginé, lui qui avait quitté l'Algérie il y a vingt ans, que des filles arabes puissent être comme des actrices américaines.

Quand je regardais Alissa et Djamillah ensemble, je trouvais qu'elles se ressemblaient pourtant en quelque chose; en quoi, c'était difficile à dire, tellement elles étaient contrastées. Le jour où j'ai vu Alissa se maquiller, par jeu, exactement comme Djamillah, ce qui leur était commun est ressorti : elles avaient toutes les deux les mêmes yeux, ces yeux qui vont du brun velours au noir colère, en passant par le terre de Sienne et le gris Océan, aux longs cils noirs. Des yeux que j'avais déjà vus, à Kerkenna, attentifs à nos disputes sur la plage de galets. Tous les Arabes pourtant n'avaient pas les mêmes yeux : ceux de Malika étaient comme des petites perles noires brillantes, ceux des balayeurs de la rue étaient marron délavé et obscur.

Une lumière pâle venait de la petite cour. La société buvait de la vodka sans glace, dans des gobelets en carton qui avaient déjà servi, assis par terre sur les vieilles nattes contre les couvertures qui pendaient du mur. Il paraît que c'était très sélect : beaucoup de gens essayaient de se faire inviter au rez-de-chaussée. On entendait le bruit d'une musique arabe détraquée, venue d'Alger sur la vieille radio en sourdine.

Quand je leur ai parlé de leurs yeux, Alissa et Djamillah se sont mises à rire; Malika m'a révélé qu'elles n'étaient pas de la même mère, mais qu'elles avaient toutes les deux les yeux de leur père. Elles ont cherché sa photo, entre les tubes de rouge à lèvres et les rimmels ouverts. C'était un homme dans la cinquantaine, en costume, avec une moustache noire. J'avais déjà vu sa tête quelque part, et je leur ai demandé sans réfléchir d'où elles étaient. Lyon? Oui, mais avant? Elles n'étaient pas nées à Lyon? « Non, en Tunisie, dans une île. » Elles ne voulaient pas dire où, j'ai dû insister. Elle s'appelait Kerkenna, je ne pouvais pas connaître.

Elles prononçaient Kerkenna à la française, pas comme là-bas, où l'on crache la première syllabe et fond les deux suivantes en un seul murmure.

Alissa seule y avait vécu, jusqu'à l'âge de six ans. Djamillah était partie bébé. « Notre père est de là-bas », a ajouté négligemment Alissa. J'ai repris mon sang-froid, j'ai dit que j'avais entendu prononcer le nom à propos de tremblements de terre.

Une autre photo montrait la maison de famille, à l'intérieur, devant un figuier que je me rappelais dépassant du toit. Un gros bébé en robe brune se tenait tout droit en fixant l'objectif : Djamillah l'a présenté comme leur frère, enfin demi-frère, qui s'appelait Omar. J'ai failli rectifier, Amar, je me suis tue.

A Kerkenna, j'avais plusieurs fois rencontré des Arabes qui me disaient : « Tu es de Paris? Quel arrondissement? » Et quand j'avais donné le XIIIe (celui de Sainte-Anne), ils exultaient : « Tu connais un tel? Il habite AUSSI le XIIIe. » A l'époque, je les trouvais tellement naïfs que je n'essayais même pas de leur expliquer que le XIIIe est aussi peuplé que Tunis.

Aujourd'hui, je comprenais qu'ils avaient eu raison. Puisque j'avais été à Kerkenna, il était normal que la famille d'Amar vienne à Paris. Fatal, même. Je n'avais jamais imaginé Amar qu'à Kerkenna, sans jamais penser à ses sœurs de Lyon. Car elles étaient cette famille de Lyon, dont j'avais vu les photos trois ans auparavant. Djamillah devait être sur cette photo – elle avait drôlement vite fait de se débarrasser de son voile. Alissa, à l'époque, devait être dans sa maison de correction. Le vieux était bien le père d'Amar; ce qu'elles avaient de commun entre elles, c'était lui.

Je digérais ma surprise. Le gamin renfermé à Kerkenna, qui osait à peine parler français, trop correctement, comme un écolier cérémonieux, était le frère de ces louloutes qui buvaient de la vodka à la bouteille.

Les photos passaient entre les gens, et j'étais coincée entre la cuisinière, la porte du four étant ouverte pour chauffer, et la niche qui donnait sur la boîte à ordures. J'avais tellement de questions à leur poser. Sa famille : ils devaient tous savoir ce qu'il était devenu. Certes, ils avaient vécu des années à des milliers de kilomètres les unes de l'autre. En tout cas, il n'était pas mort dans le tremblement de terre. Elles en parlaient au présent. J'étais paralysée, je ressassais l'idée absurde qu'elles pouvaient avoir entendu parler de moi. J'imaginais Amar, tournant en rond dans les chemins de lave, au bord des falaises à pic, condamné à rester un adolescent infirme par mon intervention.

J'avais peur que mon silence ne se remarque. La femme espagnole s'est mise à parler de sa propre famille. Elle voulait savoir si ce frère habitait Paris. Les deux sœurs ont reconnu qu'elles ne le connaissaient pour ainsi dire pas, puisqu'elles avaient quitté Kerkenna avant sa naissance. Alissa a brièvement ajouté qu'il était devenu aveugle à la suite d'un accident. Le type qui accompagnait Djamillah a dit d'une voix pâteuse qu'il valait mieux être aveugle que manchot; personne n'a songé à leur demander qui s'en occupait, de ce frère aveugle.

Il était resté tout seul, à Kerkenna. La deuxième femme de leur père, qui en était à sa quatrième, était morte depuis mon voyage. La conversation a continué à rouler. L'évocation de son demi-frère aveugle avait attristé Djamillah, qui parlait d'écrire à Kerkenna. Malika a fini par emmener tout le monde au café de Mme Robert; je suis montée pour réfléchir. Si je les avais rencontrées, c'était un avertissement. Je reverrais Amar.

Malika les emmenait se finir chez Mme Robert. Elle ne cherchait pas à lui faire de la publicité, mais à l'écraser mieux. M. Robert s'installait derrière le bar, et offrait la tournée et les suivantes à tout le monde, en dévorant Djamillah du regard. Il sortait les bouteilles de whisky qui ne servaient jamais; les vieilles clochardes n'en commandaient guère. Les vieilles clodos, justement, ont été poussées de côté, pour que l'Espagnole en robe du soir et ses fêtards puissent s'installer, aux trois tables en devanture, en s'émerveillant de trouver un café ouvert à cette heure-là, dans un quartier pareil. Les ouvriers qui passaient dans la rue, au petit matin, regardaient la vitrine illuminée, avec le vieux caoutchouc en pot tout poussiéreux, et les photos d'Alger d'avant l'Indépendance; et ils voyaient ces gens-là, qu'on aurait pris pour des mannequins rétro, dans le décor. Ils regardaient les femmes maquillées en vamps, les cheveux à la garçonne, les tailleurs chics, les smokings de location, et ils renonçaient à entrer pour prendre le premier calva, par timidité, peur de rencontrer ces gens qui ne s'étaient pas encore couchés, et qui avaient sans doute passé la nuit dans des boîtes, à danser. Le chauffeur, en casquette, devant la porte, se débouchait de temps à autre des bouteilles de Jock'mousse que lui apportait M. Robert et qu'il buvait au goulot.

Les ouvriers passaient, et faisaient le signe qu'on a pour les cinglés. Mais M. Robert ne s'inquiétait pas de l'ancienne clientèle de sa femme.

Il s'était mis à s'habiller en blazer, trop petit pour lui, avec une grosse chevalière en or au doigt. Mme Robert servait sans rien dire, allait chercher verres et glaçons, subissait la vengeance de Malika, le chignon de travers, et elle suffoquait, blême et flasque d'indignation.

J'étais la dernière qui acceptait de lui parler. De son temps, gémissait-elle, Djamillah n'aurait été qu'une petite bonniche dans son bel appartement à elle, à Alger; elle aurait juste été utile à laver le sol, en pantalon retroussé jusqu'aux genoux; et lui, un homme qu'elle avait ramassé quasiment dans le ruisseau, après un mariage à Alger en 1951 qui avait fait scandale dans toute la communauté française, se laissait mener comme un benêt par cette créature. La bête retournait à la bête, et l'Arabe qu'il y avait derrière M. Robert revenait à l'Arabe. Elle lui aurait pardonné toutes les putes, elle lui avait toujours tout passé; pas de s'amouracher d'une bougnoule, quand il avait réussi à épouser une Française. Elle avait été l'une des premières à épouser un Maghrébin; elle en redevenait raciste, ma parole, d'autant plus qu'elle avait perdu la clientèle des ouvriers arabes. Il y avait du vrai dans ses plaintes. Même si j'avais le choix, je n'aurais pas épousé Amar.

Mme Robert avait attrapé des cernes qui descendaient jusqu'à son double menton, pendant que son café devenait très connu des snobs. La bande allait dîner aux Halles, avec de l'argent que Djamillah empruntait à M. Robert, qui le prenait dans la caisse. Mme Robert ne cachait même plus les bleus que son mari lui faisait en la battant. Un beau jour, la rue a trouvé le café fermé; Malika m'a appris d'un air indifférent que Mme Robert était à l'hôpital pour un cancer généralisé.

C'était Paris l'hiver, triste et méchant. Les têtes changeaient de coiffures, et de sentiments. Ceux que j'avais connus, faisant des petits boulots, maintenant se prenaient au sérieux et avaient des répondeurs téléphoniques. Malika et les deux sœurs voyaient surtout des gens de la mode, des Japonais défoncés, des folles cuir, et autres monstres. Hermeline à son tour devint un écrivain célèbre, après avoir écrit un livre féministe qui s'appelait *Au plus profond de moi-même*. Jérôme et Patricia avaient trouvé un gros contrat au ministère de l'Equipement, pour former à l'artisanat écologique les cadres recyclés. Ils déménageaient, pour aller vivre dans un château à la campagne que l'Etat leur confiait. Malika et les sœurs ont déménagé aussi; elles n'avaient plus personne à harceler, maintenant que le premier était désert, et Mme Robert mourante.

Djamillah couchait avec un chanteur de rock lyonnais comme elle; ils avaient un duplex dans le Marais. Dans le petit immeuble lépreux, aux volets fermés, sont restées moi, et une vieille femme sourde, au dernier étage, qui n'avait jamais remarqué qu'il y avait de nouveaux locataires. Elle n'était pas sortie dans l'escalier depuis dix ans.

Et moi, pourquoi restais-je là? Progressivement, une fêlure éloignait de moi les gens de mon âge. Cette fêlure avait commencé dans le Sud tunisien. Pendant que les autres travaillaient, réussissaient, mon ressort s'était définitivement brisé dans l'île.

Moi, je restais là, je ne m'étais pas placée à temps, en épousant Léopold, qui était exactement le genre de gens que mes amis préféraient fréquenter maintenant plutôt que moi-même.

Pour la première fois, je suis revenue de moi-même à la maison – je veux dire à Sainte-Anne. Philippe était promu directeur en chef adjoint, il m'a donné une chambre avec fenêtres sur le jardin du directeur, pour moi seule.

Quinze jours après, la maison de la rue de Plaisance a été rasée par les bulldozers.

Philippe n'a pas fait de commentaires quand je lui ai dit que j'avais retrouvé par hasard les sœurs d'Amar. Il ne croyait pas du tout au hasard. Il s'était collé entre-temps avec une psychiatre pour enfants qui avait une dégaine de bas-bleu. Elle aurait fait fuir n'importe quel môme. Il avait presque l'air de s'en excuser, comme s'il avait dû m'en demander la permission. Je suis probablement la personne au monde qui le connaît le mieux. Il était très curieux des sœurs d'Amar; il ne croyait pas à lui, il croyait à elles, puisque je m'engageais à les lui montrer. De plus, il aimait que je continue sur la même obsession, comme un médecin qui se frotte les mains en voyant se développer une belle tumeur, déjà bien connue.

A la fin de l'hiver, j'ai rencontré Malika au PLM; elle m'a donné un carton pour une fête en l'honneur de Djamillah dans une boîte de nuit; j'ai décidé d'emmener Philippe. Je l'ai regretté, quand Djamillah et Alissa m'ont appris, incidemment, au téléphone qu'elles avaient retrouvé leur frère; il était arrivé à Paris le jour même, et elles allaient l'amener à la fête.

Je suis malheureuse, dans les fêtes. Celle-là ressemblait à toutes les autres, en ces années-là : des gens qui faisaient jeunes, qui se croyaient joyeux, et qui avaient tout de l'enterrement.

J'étais venue pour voir Amar, et j'avais peur. J'avais le sentiment de revenir trois ans en arrière. Je cherchais à m'expliquer par quel miracle il arrivait jusqu'à Paris, et dans ce genre d'endroit. La cohue était telle à l'entrée de la boîte, un ancien théâtre, que j'ai pensé qu'il avait bien de la chance, finalement, d'être incapable de voir cet étalement de prétentions vulgaires, devant les guichets.

Des salopettes blanches trop neuves, des gabardines d'après-guerre qui avaient pris des rides dans les vitrines des Halles, des culottes de plastique rouge de bord d'autoroute, des shorts en lamé et des dentelles de nylon. Voilà pour le décor où Amar allait réapparaître, comme un plongeur qui resurgit brutalement à la surface au milieu d'un groupe de hors-bord en folie.

Ils dansaient, en profitant des clignotements de lumière pour prendre des poses dans le noir et faire semblant d'être surpris en plein mouvement par le retour du laser. Pendant que les autres se trémoussaient, Philippe et moi, comme la majorité des invités, allions et venions en fourmis sans fardeau, du premier au rez-de-chaussée. Aux portes en verre qui donnaient sur le boulevard, des huissiers costumés en pages de théâtre crasseux, prenaient des airs importants pour repousser les loubards des cafés alentour.

La boîte, une des plus connues de Paris, était d'un laisser-aller incroyable, pour un endroit où même des ministres venaient sniffer de l'héroïne.

Dans les escaliers mal balayés, entre des plantes vertes qui finissaient de perdre leur récolte de mégots, on marchait sur des corps assommés par le mauvais mousseux du bar. Philippe écartait les cadavres qui glissaient doucement vers la moquette recouverte de boîtes de bière et d'éclats de verre. Quand ils se brûlaient sur une cigarette jetée allumée sous eux, ils sursautaient comme des poissons échoués. Toute la boîte était un énorme cendrier humain qu'un serveur paresseux avait oublié de vider.

Je cherchais partout Malika, ou les deux sœurs; je n'osais pas chercher Amar. Dans la bousculade des pique-assiettes, des fausses stars qui ne devaient plus briller depuis des millénaires, je cherchais Amar en craignant de le rencontrer. Je bousculais des couples de provinciaux aux cheveux brillantinés, des fils de pharmaciens venus, en payant, regarder le beau monde se dévergonder. On est montés au premier étage, l'ancien balcon, où la chaleur concentrait l'odeur de sueur, de pisse. Des duos de hasard se suçaient réciproquement dans les coins une pomme plutôt blette. Mais ils n'étaient pas au balcon, ils, c'est-à-dire elles et lui.

Là-dessus, Philippe a piqué une crise et refusé d'aller plus loin; voilà pourquoi il n'a jamais rencontré Amar. Je l'ai planté là, devant l'escalier à l'entrée, et je suis descendue au sous-sol. C'était une caverne soutenue par des colonnes couvertes de glaces, constellées d'étoiles d'empreintes digitales grasses. Des femmes se replâtraient sur leurs cernes violets, deux fois plus nombreux qu'en réalité.

L'endroit le plus animé, le rein de la fête, battait dans les toilettes. Les plus défoncés s'improvisaient dames-pipi, pour demander des pourboires à des Pierrot alunis, ou à des Monte-Cristo de verroterie. J'ai croisé les toucheurs de pipi qui touchaient les pipis des garçons affalés, en vomissant sur la cuvette. Je suis remontée à l'entrée, Philippe était parti. J'avais dû venir beaucoup trop tôt, elles ne se montreraient pas avant deux heures du matin, certainement. Sur la scène, un travesti en minijupe de chez Rodier agitait un micro sans fil, en imitant un play-back qu'on n'entendait pas. Un lustre en néons bleus montait et descendait au-dessus de nos têtes depuis le plafond peint en noir. J'ai remonté les bars, qui étaient devenus des étals de viande avariée commençant à puer. Les serveurs, grognons et mal rasés, renversaient les seaux à champagne dans les décolletés des invitées. J'ai traversé des groupes de commissaires de police en retraite, des journalistes de gauche, des mannequins qui perdaient leur rembourrage. Ils me marchaient sur les pieds pour voler des bouteilles de faux champagne tiède. Quant à être poli avec une femme! Il y avait belle lurette que la fête était trop réussie, pour que quiconque se préoccupe d'autre chose que de survivre en écrasant les autres.

J'étais tellement énervée que j'étais au bord des larmes. Philippe m'avait prévenue : c'était très mauvais pour moi, ce genre d'atmosphère. Des folles m'avaient offert une ligne de cocaïne, j'avais bu deux whiskies sur mes médicaments. J'étais certainement une des plus lucides : les gens coupaient et recoupaient le mélange des drogues et de l'alcool, jusqu'au moment où le vide de la soirée finissait par prendre la consistance d'une gelée flasque de regards fixes. Je me suis assise par terre dans le couloir, devant le vestiaire, parce qu'il y avait un peu plus d'air. A travers la porte vitrée, la salle était une polenta psychédélique.

J'ai entendu un toc-toc sur la moquette, comme des pièces de monnaie qui tombent. J'ai vu entrer une vieille dame si vieille qu'on aurait juré une momie démaillotée. La mauvaise fée avait un nez crochu, des yeux gris méchants qui m'ont dévisagée quand ils sont passés à ma hauteur, une canne qui tapotait le sol devant elle. Les huissiers s'écartèrent respectueusement devant ce cauchemar. Elle portait une paire d'immenses lunettes-papillon, qui débordaient de chaque côté de sa tête comme des antennes d'insecte; sous sa fourrure, une robe de soie blanche collait à ses tibias maigres, une robe d'été pour fillette, plutôt qu'une robe de soirée pour une grand-mère en hiver.

Elle marchait très précautionneusement, et précédait un homme; j'ai mis plusieurs secondes à reconnaître Amar. Dans ma mémoire, il était un garçon. Il était plus grand, plus maigre, plus clair de teint, plus durci, les cheveux courts, presque plus rien d'arabe;

il ne portait ni lunettes noires, ni canne blanche. Il marchait très droit, trop droit, comme ceux qui montrent qu'ils n'ont pas peur de tomber.

Ils parlaient entre eux, en anglais; Amar avait un costume de flanelle impeccable, et un chat de race qu'il tenait en laisse. Je le regardais marcher, fascinée, et j'ai compris pourquoi la vieille tapotait le sol : Amar tout en parlant s'orientait sur le bruit de la canne. Son bras recherchait celui de cette femme, elle tenait le battant de verre ouvert devant lui, son genou la frôlait à chaque instant. Il tenait de l'autre main la laisse, au bout de laquelle le chat tirait de toutes ses forces pour s'en aller. Un magnifique chat, qui devait venir d'Afrique, couleur sable, à la queue courte, aux yeux allongés d'un trait noir, qui m'a regardée. Il portait sur le front une tache blanche, très visible, qui formait le dessin d'un oiseau, ailes déployées. Le chat restait en arrière, il reniflait le mur mobile d'odeurs infectes, le bloc humain devant lui, avec une grimace de dégoût. Amar donnait des petits coups à la laisse. Oui, sa démarche avait changé : je le voyais encore courant, nerveux comme un chevreau, dans les rochers. Maintenant il avançait à pas lents et souples. Il marchait comme son chat, et il semblait toujours écouter quelque chose, la canne qui le guidait. Il était plus beau qu'à Kerkenna, le cliché développé dont je ne connaissais que l'ébauche. Je distinguais dans le hall les sœurs et Malika qui enlevaient leurs manteaux; malgré la chaleur la vieille dame n'avait pas daigné laisser son vison. Quand Amar ralentit à la hauteur de mon visage, en revenant vers la porte pour les attendre, je l'ai fixé avec l'énergie du désespoir; il était très grand, vu d'en bas; je me suis presque agenouillée. Mon regard allait sûrement déclencher quelque chose, une catastrophe peut-être. Il est passé avant que j'aie eu le temps de retenir mon souffle, il est passé indifférent, concentré sur sa marche, sans que je croise même son regard absent.

J'ai senti une forte colère, un accès de fièvre, contre cette vieille qui doit l'habiller, le respirer tous les jours, cette goule attachée à une proie qui ne peut pas se défendre. Il n'était plus le jeune voleur de Bagdad, on l'aurait pris pour le fils d'un émir du pétrole, passé par Oxford. Je l'avais revu, et rien ne s'était produit, parce que je n'avais même pas osé lui parler; quelqu'un d'autre se l'était approprié, ce que je n'avais jamais envisagé. Quelqu'un d'autre qui lui était devenu complètement indispensable, à travers les yeux de qui il voyait, quelqu'un d'autre qui aurait pu être moi. Trois ans d'attente pour voir ce dos mince, sanglé dans une veste qui semblait moulée sur lui, s'éloigner vers l'entrée de la salle. Je me suis relevée, parce que Malika m'a aperçue; elle qui snobe tout le monde, ce soir, vient me dire bonjour et veut me présenter au groupe qui se reforme, là-bas, au début de la grande salle. Et j'ai toutes les peines du monde à me faire oublier d'elle.

Maintenant, les deux sœurs et Malika entouraient le couple incroyablement choquant qu'ils formaient, l'Américaine et le jeune Arabe. Elles étaient une garde d'amazones autour de lui, Djamillah raidie, un mépris écrasant peint dans sa moue agressive en avant; on ne savait s'il fallait y lire de la peur ou de l'orgueil; elle écartait les curieux, en proue de bateau, avec des gestes décidés, en leur chuchotant deux ou trois mots pour les prévenir qu'Amar était aveugle et qu'ils devaient se pousser. Alissa portait une tunique de cosmonaute argentée, et parlait à Amar en arabe, il ne répondait pas. Il souriait, de ce sourire asymétrique qu'il avait conservé. Malika était la plus vieille des trois, et la plus mal habillée. Mais on voyait sur sa petite tête obstinée qu'elle se moquait bien de sa robe rouge froncée. Elle la portait comme un sac. Elle finissait par se considérer comme une troisième sœur chargée des intérêts des deux autres. Elle, du moins, ne me snobait pas.

Dans cette foule qui était blanche, tiède, entre deux âges, ce groupe formé par quatre Arabes, en comptant le chat, et cette vieille femme qui donnait des ordres à coups de canne, naviguait sans s'écarter de sa route. Un type effondré en blouson de cuir noir suivait à la nage, très loin derrière leur barque; le type qui entretenait Djamillah, le chanteur rock fils de famille de Lyon.

Leur groupe était tellement bizarre qu'une cohorte les suivait à distance. Je m'y suis agrégée sans même m'en rendre compte. Depuis qu'ils étaient entrés, le théâtre était redevenu un théâtre. Comme Amar avançait en fendant la foule, il a provoqué un remous, une vague de retour à un peu de décence, et je voyais l'effet des quelques mots dits par Djamillah sur les visages; les pochards se transformaient en jeunes gens bien élevés. Dans les recoins de la salle, la tapisserie de folles timides et de vieux michetons s'était mise à sourire; et comme le disc-jockey avait eu l'idée de braquer le projecteur de lumière noire sur Amar, il tranchait en avançant, inconscient de l'effet qu'il produisait; les ivrognes se redressaient, se passaient la main devant les yeux pendant que leurs compagnes, qui avaient brusquement cessé leurs cris hystériques, leur expliquaient à l'oreille.

Parce qu'il était aveugle, Amar avait sauvé tous ces gens-là de l'inutilité d'être là; ils tenaient l'événement qu'ils pourraient colporter, l'événement de la soirée.

Protégé par ses sœurs, Amar était libre de rêver au milieu de tout le tumulte. J'ai fermé les yeux pour m'imaginer ce qu'il devait percevoir : une zone de chuchotements, suivie du silence à son approche, chuchotements qu'il avait dû entendre bien des fois, et qui annonçaient autour de lui son infirmité. Mais dans le premier cercle, juste à le toucher, les gens se taisaient, gênés de le trouver si beau; sur son passage, une zone de silence s'établissait, le rond en négatif d'un projecteur sonore, qui aurait dissipé le brouillard des conversations et des rires, accompagnant le cercle de lumière noire. Les glaçons s'arrêtaient de tinter; et la stupéfaction muette courait devant lui comme une tache faite par un nuage à la surface des vagues.

Derrière moi, un vieux monsieur s'inquiétait de savoir si les aveugles avaient le droit d'entrer dans les boîtes de nuit. Je l'enviais : il devait traverser les foules les plus bruyantes entouré d'un rempart de silence.

La gêne faisait une trouée dans le vacarme; pas seulement la gêne à la vue d'un infirme guidé par ce vieil épouvantail de foire. L'obscurité complète, pas plus que le soleil, ne se regarde en face. Ce garçon si beau transportait autour de lui son cocon d'obscurité. Les gens qui le croisaient faisaient semblant de ne pas le regarder, comme pour montrer, au cas où il serait un faux aveugle, qu'ils savaient, eux, se conduire correctement.

Pendant ces trois années, je me sentais coupable; l'accident était survenu par ma faute. Aujourd'hui cela n'avait plus de sens, c'était comme si Amar avait toujours été aveugle. Maintenant, Amar était un bibelot précieux, gigolo de luxe de vieille milliardaire. Les Parisiens le regardaient, et son corps et son visage étaient totalement à découvert, sans lunettes; et pourtant, totalement à l'abri, puisqu'il ne savait plus combien il était beau.

Ce sentiment étreignait tous les fêtards. Les gens qui voyaient étaient laids, et celui qui ne voyait pas était beau. Vraiment beau, pas mignon ou bien habillé, beau au point de créer une brèche dans les têtes endurcies de la salle, de peser un poids trop lourd dans l'espace de la musique, lui qui était vu sans voir. Il crevait l'écran du petit jeu d'ombres et de regards qui était l'ordinaire du lieu. N'importe qui, à subir ainsi cinquante regards à la fois, serait devenu insupportable. Lui, il passait en souriant; il était le spectateur qui n'a pas besoin, n'a pas conscience d'aucun spectateur.

Ni l'ivresse ni la défonce n'étaient assez fortes pour faire oublier que ce garçon était si beau qu'il en faisait pâlir le projecteur, venait d'une autre planète, où il n'y a ni couleurs ni formes.

Dévisager, pour moi, c'est emporter, voler le visage qu'on désire, l'arracher un peu. Sur Amar, j'ai su ce soir-là que chaque regard porté était brutal, aussi violent, aussi sanglant qu'un écorchage qui aurait dépecé, pour les lancer en mille morceaux, en souvenir, à la fête, la peau mate, les cheveux bouclés, et ces yeux, ces yeux que je voyais enfin quand il s'est retourné vers moi, ces yeux cernés de bleu par la lumière noire qui m'ont semblé phosphorescents; des yeux de statue animée, sans chaleur, des yeux-amulettes, posés là comme ornement par un bijoutier amoureux, inutiles et magnifiques, des yeux sans fond qui ne pouvaient se voir.

A peine ont-ils fait le tour de la salle que la vieille dame reprend le chemin de la porte, au milieu d'un geyser d'admiration muette. Ils repassent encore une fois devant moi, comme à la revue, et Malika me fait au passage un petit signe protecteur.

Tout le monde s'installe sur le trottoir en discutant à haute voix, avec cette insensibilité au froid qu'on attrape à suer dans les discos. Je n'entends pas ce qu'ils disent, mais je suis tourmentée par l'idée qu'ils parlent de moi.

Quelqu'un me saisit par le cou, par-derrière; je me retourne, furieuse; c'est Antonio qui a été libéré faute de preuves. Il me hurle dans les oreilles des insultes pour le peuple idiot des boîtes de nuit.

Là-bas, contre le stand d'écailler qui est devant le restaurant éteint, le petit groupe discute, et Amar embrasse longuement ses sœurs. La vieille tape nerveusement de la canne le bord du trottoir, le chat bâille.

Antonio, qui n'a rien vu, remet son casque de moto et donne un coup de pied dans une poubelle. Je ne veux pas rester là, toute seule. Quand Antonio monte sur sa Honda, je grimpe derrière lui; comme un taxi vient de charger la vieille dame et l'infirme, je lui crie : « Suis-les! »

Les deux sœurs et Malika restent au bord du trottoir. Malika se détourne. Un homme en uniforme, accoudé à un scooter jaune, carrossé en camionnette, avec le signe des PTT dessus, s'est joint à elles. En passant devant Malika qui ne veut pas saluer Antonio, je m'aperçois qu'il est aussi arabe. Il discute avec elle et les deux sœurs, comme des gens qui se connaissent.

La tête me tourne, et le vent siffle, je n'ai pas de casque. Antonio prend les virages en faisant frotter son pot d'échappement par terre, dans une gerbe d'étincelles. Nous remontons dans le couloir réservé aux bus, tout le long du boulevard; nous redescendons pile dans la rue Richelieu quand le taxi d'Amar y parvient. Au Louvre, Antonio grille le feu rouge pour monter à la hauteur de la voiture, qui a repris la rue de Rivoli. Juste avant la place de la Concorde, le taxi tourne à droite, tandis qu'Antonio emporté par son élan freine à mort devant le ministère de la Marine. Nous dérapons vers les bassins de la fontaine, et nous versons à l'entrée du métro. Quand je me suis relevée, j'ai vu en face de moi la rue Cambon, et le taxi qui repartait doucement, en dessous de l'enseigne lumineuse d'un hôtel. Antonio traînait la patte, et grognait tout en examinant sa bécane.

Il l'a remise sur les béquilles, a appuyé sur le kick,

et la machine a redémarré en toussant. Il m'a fait signe de remonter, je lui ai crié que je continuais à pied. Il n'entendait rien, à cause du casque; il a démarré doucement en se retournant pour me regarder, et il a disparu au coin de la place, pendant que le jour montait dans la rue de Rivoli derrière moi.

Je suis restée assise sur les marches des grilles des Tuileries, sous le bruit des oiseaux qui s'éveillaient et des Solex isolés qui rentraient. Au bout d'une heure, un petit vieux en casquette est venu de l'intérieur du parc, et a ouvert les grilles, en se mettant derrière les battants qu'il tirait, comme pour échapper à la ruée de la foule qui entrait; mais j'étais la seule cliente. Je me suis assise sur un banc, sur la terrasse; je voyais parfaitement l'hôtel et sa porte.

Le soleil est monté; des employés de bureau pressés allant au travail traversaient en me regardant de côté; des enfants sont arrivés, des touristes qui déjeunaient d'un sandwich sur un banc à côté de moi.

J'étais engourdie, je n'avais pas dormi; je me suis levée d'un coup de la pierre froide quand j'ai vu que la porte de l'hôtel s'ouvrait pour les laisser passer; ils marchaient vers la station de taxis juste en dessous de la terrasse où je me tenais. Un larbin, derrière, portait des valises qui étaient comme des coffres-forts en plastique. Ils avaient tous les deux des manteaux, et le chat sortait sa tête d'un sac de voyage, avec des trous pour respirer, que tenait Amar.

Le larbin a posé les valises, et a demandé quelque chose au premier taxi; puis il a fait monter la vieille et Amar dans le second taxi, a chargé les valises et la voiture a démarré. Je suis descendue en courant, et j'ai demandé au chauffeur du premier taxi s'il était libre. Il a dit que oui, si c'était dans sa direction; il rentrait se coucher, il avait travaillé toute la nuit; et il ne voulait pas aller jusqu'à Orly. Je lui ai dit que je n'allais pas à Orly, mais à Montparnasse; et je lui ai demandé pourquoi il avait parlé d'Orly; il venait juste de refuser une course là-bas. Je ne pouvais plus lui demander d'y aller, alors j'ai changé de taxi à la gare Montparnasse; je suis arrivée à Orly où j'ai parcouru tous les comptoirs d'enregistrement des bagages. Je commençais à croire que je les avais perdus, j'avais les yeux qui se brouillaient, les mains qui tremblaient parce que je n'avais pas dormi; je suis entrée dans un salon d'attente, mais un steward m'a poliment mise dehors en me disant que c'était réservé aux premières classes de la TWA. Au moment où je sortais, j'ai vu le chat par terre, et leurs deux silhouettes, qui me tournaient le dos, au bar. Le steward s'est éloigné; tout ce monde attendait le vol pour New York, annoncé au tableau. La vieille a pris sa canne et est partie en boitillant vers les waters. J'ai crié au steward que j'allais juste dire au revoir à un ami, j'ai traversé la pièce pendant qu'il haussait les épaules; j'ai marché droit sur Amar, la moquette et le haut-parleur étouffaient mon pas. Je me suis mise à son côté, comme si je lui parlais, parce que le steward me regardait; pas un mot ne sortait de ma bouche. J'ai vu qu'il y avait sur le bar, dans une poche en plastique, deux billets d'avion qui étaient posés à côté du verre d'Amar. J'ai pris la pochette pendant qu'une voix d'hôtesse annonçait le vol de New York, et j'ai regardé le premier billet, qui était à un nom de femme américaine, et la destination était San Francisco, aux Etats-Unis. Je suis ressortie par l'autre porte, pendant que le steward marchait vers Amar, peut-être pour lui demander s'il me connaissait. Dans le hall, j'ai eu un éblouissement; je n'avais rien mangé depuis la veille. Je me suis accrochée à un téléphone, et j'ai appelé Philippe pour qu'il vienne me sauver.

Je ne suis pas restée vingt-quatre heures à Sainte-Anne, parce que j'ai fait une tentative de suicide le jour de mon anniversaire en avalant la moitié de la pharmacie. Je me suis réveillée, Philippe pleurait au pied du lit et me demandait si je n'étais pas heureuse avec lui à Sainte-Anne; je l'ai consolé, ce n'était pas la peine d'avoir fait toutes ces études pour en arriver là. Il m'a demandé en se mouchant ce qui pouvait me faire plaisir, et j'ai répondu du tac au tac que je voulais aller en Amérique. Philippe s'est étranglé et a soupiré si je ne voulais pas plutôt passer une semaine à Ibiza, par exemple. Quelques jours après, il est entré avec un gros bouquet de fleurs sèches; avec le bouquet, il y avait un billet de charter pour New York; sur quoi je l'ai embrassé, et il m'a avoué en rougissant que si je n'y voyais pas d'inconvénient, nous irions ensemble jusqu'à New York, parce qu'il en profiterait pour aller à un congrès à Vancouver sur les maladies psychologiques dans le Grand Nord. Vancouver, était-ce loin de San Francisco? A l'échelle de l'Amérique, pas trop. J'ai déclaré que je voulais visiter San Francisco. Philippe a envoyé sa pédiatre à la campagne, chez un ami à lui qui tient une clinique dans le Cher. Nous avons pris ensemble à Roissy un charter pakistanais, où les hôtesses étaient en sari; même les chiottes sentaient le curry. A New York, je n'ai vu que le hall des passagers en transit; les pancartes étaient écrites en anglais, en drôles de petits caractères noirs sur fond jaune; les flics avaient la même casquette et matraque qu'à la télé. Nous ne sommes pas sortis de l'aéroport, j'ai trouvé tout de suite un vol pour San Francisco, et j'ai proposé à Philippe que, quitte à faire, il vienne d'abord là-bas avec moi. Il a répondu qu'il n'était pas question de me laisser seule dans cette ville. Nous avons débarqué à San Francisco. Je n'avais jamais mis les pieds en Amérique. Philippe a télégraphié à son congrès qu'il arriverait un peu plus tard, en se demandant d'un air angoissé s'ils accepteraient tout de même de rembourser nos billets, qu'il avait obtenus gratis en annonçant une conférence sur mon cas.

En traversant les collines de la ville, j'ai eu l'impression d'avoir mangé un champignon magique. Philippe et moi, nous avions rapetissé; on aurait pu en caser quinze comme nous dans le taxi. Les Américains parlaient en mangeant du chewing-gum, ou faisaient comme si. Les immeubles dans les rues n'avaient que trois ou quatre étages, aussi décevants qu'en Europe, et peints de toutes les couleurs comme des gros jouets. Nous sommes enfin arrivés, à force d'exiger « center », à une place entourée de gratte-ciel bizarres, tellement bien faits qu'à première vue, j'ai cru qu'ils n'étaient pas plus grands que nos immeubles; en comptant les fenêtres, j'ai compris l'échelle. Derrière, un gigantesque pont en fer à arcades, comme celui d'un métro aérien, mais multiplié par cent, s'élançait dans la baie, perdue dans le brouillard. J'ai réclamé un hôtel par là; le taxi nous a laissés dans une petite rue au pied des immeubles, où tout le monde était chinois, même les enseignes des magasins. C'était un petit hôtel pas cher pour les Jaunes; il coûtait tout de même aussi cher qu'une journée de Sécu à Sainte-Anne. Une fois dans la chambre, j'ai eu un retour d'angoisse. J'ai refusé de sortir, et Philippe m'apportait, les premiers jours, des hamburgers dans des boîtes de plastique en forme de fusée, des sauces dans des sachets, du soja dans des cartons, et du café clair dans des gobelets fermés. J'avais l'impression de ne pas avoir encore quitté l'avion.

Je réfléchissais en regardant une télé en couleurs détraquée; il y avait un million de chaînes, je ne savais jamais si j'étais retombée sur la même. Je n'avais pas pensé que San Francisco était si grand, je croyais que c'était juste un village de hippies, avec une plage, et que je n'aurais qu'à faire les hôtels systématiquement. J'ai regardé à « hôtel », dans l'annuaire; je ne savais même pas lesquels étaient chics, et la liste courait sur trois pages.

A force de regarder la publicité à la télé, je suis sortie pour voir si l'Amérique était pareille en réalité, et c'était pareil. Je mangeais dans les restaurants chinois, en repoussant des jeunes karatékas qui voulaient me pincer les seins en m'appelant « Frenchie ». J'avais pourtant très mauvaise mine, et j'avais la fièvre, une fièvre que j'avais dû attraper dans les sous-sols humides du XIVe arrondissement. Philippe essayait de m'emmener à la plage nudiste; je restais tout habillée, pour ne pas montrer ma peau blanche; il ne faisait pas encore assez chaud. Philippe était toujours en costume pied-de-poule, avec sa pipe et sa moustache; il s'asseyait au milieu des nageurs bronzés, à poil, dans le sable, après avoir retroussé ses pantalons. Il voulait repartir pour Vancouver. Je me suis alitée pour l'en dissuader. Je ne voulais pas qu'il se doute que j'étais ici pour Amar, seulement pour lui; dès qu'il sortait, je me pendais au téléphone pour demander aux hôtels s'ils avaient un client à son nom.

Rien de ce que j'avalais, je ne l'assimilais. Je chiais toute cette nourriture de carton et de pâtée, sans la digérer, encore dans son emballage, ou presque.

La semaine suivante, le congrès de Vancouver était fini.

Pour prendre de l'exercice, j'ai acheté un plan de la ville, je l'ai divisé en quartiers carrés et je me suis mise à les explorer l'un après l'autre; enfin, je m'y serais mise, mais je n'ai jamais dépassé le premier, entre une autoroute appelée la rue du Marché, la ville chinoise et la mer. Philippe avait loué une Volkswagen à notre taille. Nous restions dedans, quand il pleuvait, coincés, entre les grosses bagnoles aux vitres fermées, à respirer l'odeur de leur essence; elle ne sent pas du tout comme la nôtre, plus sauvage; ils doivent consommer du pétrole brut, comme le champagne. Nous allions au port, et je restais à l'abri des hangars en béton à regarder la jetée, les grands numéros noirs des quais dans des carrés blancs, à compter les bateaux et à regarder leurs équipages. Philippe allait tous les jours à trente kilomètres de la ville, de l'autre côté d'un pont, dans une vallée qui s'appelait Marine County et où il y avait un centre zen. Il avait rencontré un maître zen qui parlait allemand comme lui, qui était enfin à sa hauteur. Philippe m'y a emmenée une fois; je me suis ennuyée poliment sous des grands cèdres, au fond de la vallée, dans un paysage déjà presque d'Orient : des baraques de bois clair aux stores blancs, et les arbres géants au-dessus desquels je m'attendais à voir sortir des monstres préhistoriques ou des soucoupes volantes.

Philippe essayait sur moi toutes les médecines, et je gobais des boulettes homéopathiques préparées par les moines zen. Elles me donnaient des nausées; j'imaginais son gourou en train d'y mettre de son sperme; comme je ne me calmais pas, il m'a emmenée à des consultations d'un groupe de bioénergie, dans une petite villa; enfin, petite pour eux, au sommet d'une colline appelée Pacific Heights. De la véranda, je découvrais le panorama, avec le grand pont rouge, là-bas, sur la mer, qu'ils appellent, je me demande pourquoi, Golden Gate : ils confondent le rouge et le doré, ou bien ils étaient en train de le repeindre. On passait par ce pont pour aller chez les zen; de la voiture je n'avais rien vu, parce que les rambardes sont, chez les Américains, plus hautes que moi. Je fis la connaissance des trams en bois, avec des conducteurs noirs qui appuient de tout leur corps sur le grand levier ferraillant, et le câble qui frotte sous les pieds, invisible.

La villa était sur la hauteur, parce qu'il paraît qu'on y perçoit mieux les rayons d'énergie. Le traitement ne m'a rien fait du tout; je suis restée amorphe et fiévreuse, je me laissais traîner par Philippe en dévisageant les passants un à un.

Il aurait préféré n'importe quelle réaction à cette apathie; que je baise avec des Américains, par exemple. Il s'était mis à parler de ma « guérison », un mot qu'il n'employait jamais avant, comme pour m'annoncer qu'un jour il faudrait que je vive sans lui. Pour me faire peur, pour que je réagisse : aujourd'hui comme hier il me tient la main, pendant que j'achève ce récit, dans l'avion du retour; il sait que ce manuscrit sera pour lui et il attend avec impatience.

La rencontre avec Amar fut le paroxysme de la crise. Car je les ai retrouvés, et je l'ai aussitôt reperdu.

J'étais retournée plusieurs fois à Marine County avec Philippe; il y passait ses journées dans le kimono rouge qu'il s'est acheté. Après avoir pris mon bol de campagne, je me faisais ramener par un jeune moine zen irlandais. En arrivant au grand pont, nous avons passé une grosse limousine bleue, au parking de péage; le chauffeur lisait un journal. J'ai fait arrêter le bouddhiste, et je lui ai dit que je rentrais à pied. Il a eu l'air étonné : c'était à plusieurs miles; j'ai répondu dans mon mauvais anglais que j'avais besoin de marcher.

Le soleil était frais et vif, et je sentais le rouge de la fièvre sur mes joues. Quand les lambeaux de brume se dissipaient, les vagues se brisaient sur les piles qui suspendaient le pont; elles moussaient en une écume blanche, délicate, aussi inoffensive que du sucre glacé, silencieusement, en bas, très loin. A gauche, il y avait un îlot sombre, la prison d'Alcatraz, que m'avait montrée l'Irlandais. A droite, rien. Le Pacifique jusqu'au Japon.

Devant moi, deux formes marchaient en luttant contre le vent, des silhouettes dont j'ai aussitôt reconnu les dos. J'ai accéléré le pas, j'étais loin derrière eux jusqu'au premier pylône. Le chat rampait entre eux, la tête dressée contre le vent, pendant que j'avançais par-derrière; il s'est retourné pour me regarder de ses yeux bleu délavé.

Je me suis abritée derrière le tablier de ciment. J'ai levé la tête, j'ai eu le vertige à voir l'immense toile d'araignée qui balançait, mollement, dans le vent, au-dessus de moi. De ma place, je voyais la moitié du pont, jusqu'au sommet formé par la pente de l'arc en fer. J'ai attendu qu'ils repartent. Puis je me suis avancée à découvert; de temps à autre, une voiture silencieuse aux vitres vertes passait comme un ouragan, et je m'écartais peureusement jusqu'au bord du gouffre. Dessous moi, une sirène de bateau hurlait comme une vache perdue dans le brouillard, qui flottait par nappes, sur la baie.

La ligne droite du pont brillait sous le soleil, bombée vers le centre. J'ai vu, presque au ralenti, les deux silhouettes arriver au sommet, et disparaître à moitié, les jambes coupées, de l'autre côté.

J'ai couru pour les rejoindre; quand je suis arrivée à leur niveau, elle m'a jeté un regard dur, où j'ai cru qu'elle me remettait : peu probable, elle ne m'avait qu'entrevue, un soir, à Paris. Je n'ai pas eu le temps d'y penser. Le chat s'est mis à miauler, le vent soufflait si fort que je n'avais rien entendu venir; tout d'un coup, j'ai cru qu'un train était monté sur le pont, qui vibrait, vibrait, comme s'il allait se détacher. Je les ai dépassés.

J'ai vu la main de la vieille quitter le bras d'Amar, et elle s'est avancée comme pour me demander quelque chose. A ce moment précis, le tourbillon est arrivé, et une grande ombre m'a couverte. Un mur s'était dressé en une seconde à ma droite. J'ai vu le chat courant entre les roues du camion, et l'éclair du soleil entre le camion et sa remorque, qui faisait un vide qui aspirait.

J'ai entendu un bruit d'os qui craquaient et de

vêtements qui se déchiraient, juste à ma droite. Un paquet est passé au-dessus de ma tête, a rebondi sur les filins qui soutiennent le pont, comme sur une raquette géante. Il a passé la rambarde, et est tombé dans le silence, en dessous.

La fin du camion est arrivée, le soleil est revenu, et je me suis retrouvée sur le bord du trottoir à contempler un énorme poulet qui clignait de l'œil en tendant la cuisse sur un barbecue, peint à l'arrière du camion avec marqué dessous : « Kentucky Fried Chicken ».

Au milieu de la route, il y avait maintenant un petit tas chiffonné avec des taches brunâtres que je ne voulais pas regarder. Amar était resté au même endroit, les mains légèrement tendues en avant, cherchant le chat qui s'était échappé.

Je me suis retournée pour aller au secours d'Amar. J'ai vu à la première pile la grosse voiture bleue qui arrivait doucement, puis qui accélérait. J'ai frissonné, et j'ai marché tout droit jusqu'à la seconde pile, pour m'écarter des restes. J'ai regardé la limousine s'arrêter à hauteur d'Amar, près des débris. Une autre bagnole arrivait dans l'autre sens, une bagnole de flics, qui roulait lentement. Une bagnole de ronde, sans doute. Ils se sont tous arrêtés autour du sac, de la canne, qui avaient roulé sur la chaussée. Et l'un d'entre eux a ramassé une perruque blonde qui flottait dans le vent.

Personne ne s'intéressait à moi. Je me suis calmée en me raisonnant, je ne savais même pas pourquoi j'avais couru. Il fallait retourner, parler à Amar, le rassurer, remplacer la vieille, le supplier de me pardonner le passé.

J'étais prête à affirmer aux flics que j'étais sa sœur, sa femme, son infirmière. La mort de la vieille était ma chance; j'ai voulu repartir vite vers la voiture de flics; quelque chose s'est agrippé à ma robe, quelque chose qui essayait de mordre et de griffer avec l'énergie du désespoir. C'était le chat, qui devait être une chatte, pour être aussi méchante. Elle ne miaulait pas, ne perdait pas ses forces à faire du bruit. Elle voulait me blesser, me séparer d'Amar. Je l'ai prise à bras-le-corps, complètement affolée; elle se débattait, se tortillait comme un ver armé de lames de rasoir. Je l'ai lâchée par-dessus bord, je veux dire par-dessus la rambarde, et elle est partie rejoindre sa maîtresse. Je me suis penchée; on ne distinguait rien à la surface, cent mètres plus bas, sauf des petites rides, qui devaient être des vagues hautes comme des immeubles.

Là-bas, près de l'accident, les flics avaient eu le temps d'embarquer Amar et de prendre des photos. La voiture de police s'est mise en travers du pont, la limousine est partie. Je courais contre le vent pour les rejoindre. La voiture de police a démarré lentement; j'ai agité les bras, j'ai crié. Le vent emportait tout. Elle est partie sans bruit, hors de ma portée. Au centre du pont, j'étais hors d'haleine. Je me suis appuyée au balcon pour le panorama. Dans l'angle, il y avait une lunette pour les touristes. J'ai fait tomber toutes mes pièces avant de trouver dix cents, et j'ai braqué la lunette sur la voiture de police qui s'éloignait. Elle entrait dans l'ombre de la montagne, je ne pouvais même plus lire le numéro. J'ai baissé les bras, et la lunette a bougé, et s'est fixée sur le bas de la pile suivante, dans le sens du vent. Je voyais la base de béton sur laquelle s'écrasaient des lames furieuses et silencieuses. Le long du mécano peint en rouge qui formait l'armature de la pile, au centre du cercle de la lunette, une petite forme souple et brune sautait de poutrelle en poutrelle, en montant vers la lumière.

Un monde transparent

Je suis monté dans le car Greyhound, et j'ai entendu le silence s'établir autour de moi. Comme je tâtonnais le bord des dossiers de fauteuil de l'allée centrale, entre les valises posées par terre qui auraient aussi bien fait trébucher un clairvoyant, des mains qui se voulaient charitables me poussaient vers l'arrière; j'ai abouti au fond, du côté des toilettes.

Les passagers s'installaient pour le voyage aussi sérieusement que s'ils partaient en avion. J'entendais des recommandations, des couvertures dépliées, des thermos qui s'agitaient.

J'avais pris à l'institution l'habitude de me passer de guide. Les chemins, là-bas, étaient balisés, et je les connaissais par cœur. Tout le temps que j'ai voyagé, j'ai dû repousser ces mains charitables, ces bras qui vous prennent de force pour vous conduire à votre place, vous faire descendre. Entre Santa Barbara et le Mexique, j'ai subi un ancien pasteur, une assistante sociale célibataire, et deux membres de l'Armée du Salut. Ils m'ont imposé leur odeur sure, leur pépiement stupide, leur aide inutile. Je ne vois pas pourquoi je serais contraint à la fréquentation des professionnels de la charité.

Dans le car, je n'étais pas trop désorienté. Mais dehors? L'absence de Mrs. Halloween me faisait sentir le besoin d'une présence qui me permette de me repérer instinctivement, face au mystère des signaux que les voyants échangent pour eux seuls. Une minorité de passagers, dans les voyages, gardent avec moi une manière d'agir naturelle : celle formée des très vieilles dames, et des garçons de mon âge. Les unes et les autres sont moins tenaillés par la peur d'être aveugle, sans doute : ils acceptent la cécité comme une chose proche, ou trop lointaine. Je découvrais toute une population d'amoureux refoulés, d'éducateurs timides, de travailleurs sociaux courant les routes des Etats-Unis à la recherche de jeunes en péril. J'avais toutes les peines du monde à m'en dépêtrer. Dès la première question, le pasteur en retraite s'est étonné de ce que je pouvais voyager seul. Pour échapper à ses condoléances, je descendais à chaque arrêt du car faire quelques pas sur le bord de l'autoroute chauffée par le soleil.

J'avais oublié que la musique bruissait partout, sans arrêt, en Amérique. Disco sourdine du poste du car, annonces chantées des haut-parleurs des supermarchés, voyageurs baladant encore d'autres sources musicales autour de moi. Tant de refrains se mêlaient, accompagnant ma fugue.

Pour me débarrasser du pasteur, j'ai entamé une conversation avec un garçon nommé Allan. Le car était arrêté à une station-service, au début de l'après-midi, pas loin de San Diego. J'avais étudié la région sur la carte en relief de l'institution, où l'autoroute était un profond sillon entre les points figurant les villes. Allan venait de la côte Est, il avait été étudiant; depuis deux ans, il ne voulait plus que se consacrer à sa seule passion : le surf.

Il courait de plage en plage avec seulement un sac à dos, qui contenait sa tente, et deux planches de surf attachées l'une contre l'autre, deux précautions valent mieux qu'une, qu'il faisait arrimer sur les toits des cars. Chaque année, il accomplissait le tour du continent, en suivant la vague idéale, qui se produit par certaines conjonctions de marée et de latitude. Sa parole était brève, rauque. Il buvait des Cocas avec moi, quand le car faisait le plein.

Allan descendait à Tijuana, à la frontière. Moi, qui avais d'abord décidé de continuer au Mexique, j'ai renoncé en sentant la presse de gens dans l'autocar mexicain, à la gare routière. Allan m'a proposé de venir dormir avec lui sur la plage dans sa tente. Il avait fumé une de ces cigarettes de marijuana avec laquelle il empestait l'air autour de moi, mais je l'ai suivi.

Il avait trois ans de plus que moi; par indifférence aux critères sexuels des voyants, parce qu'on m'avait habitué à considérer comme normal l'échange de mon corps contre un service, parce qu'aussi faire l'amour était mon meilleur moyen de toucher quelqu'un jusqu'à le « voir », j'ai fait avec Allan ce que je faisais avec Enrico.

Nous n'en avons jamais parlé ensemble, et Allan aurait de bonne foi juré que c'était faux, si on lui avait fait la remarque qu'il couchait avec un autre garçon. Il avait la peau craquelée par le soleil, une cicatrice à la jambe, la marque d'une planche qui l'avait heurté. Le matelas pneumatique sentait le caoutchouc, Allan avait les cheveux raidis par le sel.

Lui n'avait aucun complexe avec un non-voyant. Il n'y avait de place, dans ses préoccupations, que pour une certaine vague qui gonfle et qui pousse un corps accroché à un morceau de bois.

Les imbéciles ont toujours été étonnés, quand ils apprenaient que j'aimais faire du sport. Ces âmes charitables supposaient les non-voyants désincarnés, harpes mystiques sans muscles ni peau. A l'institution, au moins, le sport était recommandé; depuis que j'avais fait de la kinésithérapie, le mouvement du corps était devenu pour moi un plaisir que je pouvais prévoir et calculer. Allan était complètement étranger à un sentiment de pitié à mon égard, il me voyait seulement comme un physique, un corps en mouvement.

Nous avons vécu en maillot de bain, sur cette plage, des mois au soleil, jusqu'à la fin de l'été indien; Allan me regardait me raser de mémoire, en sifflant d'admiration.

Après avoir exploré la plage, pendant qu'Allan jouait sur sa planche, je me suis remis à nager, sans aucune peine. J'étais débarrassé, même de cette angoisse que j'avais, enfant, devant la ligne d'horizon qui remue. Nous avons eu la visite des gardes-côtes, qui ont demandé nos papiers. Allan a affirmé qu'il était guide d'aveugle, et ils n'ont rien osé dire. A la fin août, je lui ai demandé de m'apprendre le surf.

Allan voulait bien; sa seule inquiétude tenait à ce que son assurance ne me couvrait pas; il a fallu que je lui promette de ne pas « me retourner contre lui », c'était son expression, plutôt comique étant donné nos rapports, en cas d'accident.

Il s'amusait déjà à s'imaginer pilotant un aveugle sur la mer. Nous avons commencé par répéter sur la deuxième planche, posée en équilibre sur un matelas de sable. Je n'étais pas à l'aise sur terre, et c'est allé beaucoup mieux dès que j'ai essayé dans l'eau, d'abord dans une petite crique tranquille.

J'ai commencé à savoir le geste par lequel on s'arrache à la pesanteur marine, pour se mettre debout comme une voile qu'on hisse. Il mettait ses mains autour de ma taille, il me montrait le mouvement de torsion. Je n'avais aucun problème d'équilibre, contrairement à beaucoup des pensionnaires de l'institution. Je me suis aperçu en discutant avec Allan que je construisais bien les verticales, en partant de bases tout à fait différentes des siennes. Je ne faisais pas, comme lui, une visée mentale pour construire un point en haut et un point en bas.

J'étais plus directement conscient de mon poids : je peux marcher droit sans repères, s'il n'y a pas d'obstacles. Je construis des axes, des droites, à partir de moi-même, sans l'intermédiaire d'un repérage visuel. Je comprends mieux les mouvements que les tableaux immobiles de la perspective clairvoyante; les mouvements du surf, combinaison de la houle, du vent et du mouvement oblique de la planche, je n'avais pas besoin de me les imaginer, je les ressentais directement. Comme les cimes des palmiers, s'agitant en gémissant dans le vent, étaient ondulations avant d'être formes.

J'aime la plage, les sons y parviennent simples et clairs, le moindre obstacle s'y entend aisément. La toile de la tente buvait le bruit de la mer, l'assourdissait sans l'éteindre. Le bruit de la mer, le plus beau des spectacles, pour moi, le seul qui me donne à tout instant la sûreté d'une direction, l'assurance d'un horizon sonore.

Ce matin-là, le vent s'était levé, nous avons nagé en poussant les planches, jusqu'au moment où j'ai reçu une énorme gifle d'eau qui m'a renversé; la planche, attachée à ma jambe, est revenue sur moi, j'ai entendu la voix d'Allen qui criait un ordre. Je savais que j'avais quelques instants pour nager jusqu'à la zone de calme, juste au-delà de la vague suivante, que j'entendais déjà gonfler devant moi. Il fallait passer, avant qu'elle ne commence à déferler. J'ai plongé en expédiant ma planche d'une main en avant, et j'ai senti la morsure du sel sur mes paupières. J'ai ouvert les yeux, et le froid sur la cornée m'a fait croire un instant que je voyais, tant ce froid était vert. Quand je suis revenu à la surface, j'ai entendu le clapot de ma planche juste devant moi.

La détonation sourde de la vague courait de gauche à droite, le long de la plage, indéfiniment. Ici, l'eau était presque calme, avec une longue houle douce. Allan me guidait par des cris brefs, qu'il devait remplacer plus tard par une petite sirène automatique. Nous nous sommes retournés vers la terre, et il a commencé un décompte à voix haute, en surveillant la montagne d'eau qui grossissait derrière nous, soulevant l'arrière de ma planche. Je sentais la force de la marée grouiller autour de mon corps à moitié plongé dans les mille petits courants qui formaient contrefort à la vague.

Au zéro, pendant que la poitrine de la mer se gonflait sous moi comme pour un immense soupir, je suis monté sur la planche d'un seul coup de reins. La voix d'Allan poussait maintenant un hurlement ininterrompu de triomphe. Derrière moi sur la droite, un souffle froid s'était levé, tandis que j'étendais les bras en oscillant sur les jambes. Le vent galopait vers moi, mais je m'éloignais presque à la même vitesse, emporté par la vague qui commençait à s'éroder, au sommet, en embruns qui m'emplissaient la bouche. Au-dessus de moi, un pétillement, puis un craquement de poutre qui cède, puis un roulement de tonnerre. La vague déferlait autour de moi, au-dessus de moi, en moi; mes mains, à droite et à gauche, pouvaient érafler les parois du tunnel d'eau que je dévalais, presque parallèlement à la plage, jusqu'au moment où je roulai moi-même dans un dernier effondrement mêlé de sable, tout près du bord.

Quand nous sommes remontés sur la plage en traînant nos planches, avec des grands rires, nous avons entendu des voix qui appelaient. En m'approchant, j'ai entendu tout un groupe qui discutait autour de notre tente; et Allan expliquait que j'étais aveugle.

On m'a applaudi quand je suis arrivé en traînant la planche. Je n'avais qu'un désir, y retourner immédiatement. Selon Allan, nous en avions assez fait pour aujourd'hui : nous avions pris des risques, sur cette mer forte. J'avais subi mes premiers applaudissements. Environné de ces démonstrations assourdissantes, j'avais caché mon visage dans ma serviette pour m'essuyer. Un vieux qui sentait le cigare froid m'a mis la main sur l'épaule, en déclarant qu'il voulait faire ma connaissance; je lui ai dit que c'était déjà fait. Nous sommes montés dans sa voiture, et il nous a emmenés déjeuner dans un restaurant mexicain, tout en skaï et air conditionné, où j'ai mangé deux douzaines de gambas grillés. Notre hôte buvait bourbon sur bourbon, dans un grand verre sans glace, en projetant des petits morceaux de paella autour de lui. Il s'intéressait beaucoup à moi : si j'étais majeur, si j'avais des parents ou un tuteur. Au début du repas, Allan et moi étions méfiants; au dessert, au lieu de raconter la version selon laquelle Allan était mon accompagnateur, j'ai avoué que j'étais tout seul; le bonhomme en avait plutôt l'air satisfait. La bouche pleine de riz, il a présenté sa famille : des gens du spectacle, son grand-père était un élève de Barnum. Lui, il dirigeait à présent le parc d'attractions nautiques, à Marineland, près de Los Angeles. Il a suggéré à Allan de venir travailler pour lui, mais Allan avait prévu de partir pour l'Australie aux grandes marées, et il n'aurait pas manqué cette conjonction pour tout l'or du monde. Olaf, c'était le nom du bonhomme, s'est retourné vers moi et il m'a demandé d'un ton indifférent si je faisais du surf depuis longtemps. Je lui ai répondu qu'il m'avait vu débuter. Il a eu un petit soupir, et il m'a demandé de noter son adresse, et de revenir le voir quand il serait de retour à L.A., dans quatre mois. Nous sommes allés à la tente, et j'ai enregistré ses coordonnées sur ma cassette; je n'avais jamais noté d'adresse, sauf celle de mes sœurs, à Paris.

Trois mois après, trois mois de surf, j'ai dû ajouter celle du correspondant d'Allan à Sydney; c'était décidé, il partait dans quelques jours. Il n'avait jamais été très expansif; il est devenu silencieux pendant ces quelques jours, à feuilleter pensivement des revues de surf. Et nous sommes remontés vers le nord, de plage en plage.

La Californie se divisait pour moi par la musique et la qualité de l'air. Les radios des bus, ou des voitures qui nous prenaient en stop, auraient suffi pour me dire où j'étais : vers le nord, l'air frais parfumé de pins, le folk et rock de San Francisco. De Tijuana à San Diego, les disques de musique espagnole, et les synthétiseurs du disco à L.A., et la poussière du Sud, comme chez moi.

Nous sommes restés les derniers jours de beau temps sur une plage, au sud extrême de L.A. Une série de baraques bordait la plage, des cafés, des dancings en tôle ondulée, où les ouvriers chicanos sautillaient toute la nuit, et buvaient de la bière en me racontant leur pays.

L'un d'entre eux s'appelait Chino. Les autres disaient qu'il avait les yeux bridés comme un Chinois; il venait de la vallée de Sacramento. Il était très vieux, et marchait pieds nus dans des sandales faites d'un morceau de pneu, qu'il m'a fait toucher. Avant de travailler dans la vallée, Chino était d'un Etat du Mexique situé juste derrière la frontière, le Chihuahua.

Chino récoltait les fruits dans les grandes exploitations et, quand la saison était finie, il partait sur la frontière faire des affaires, un quelconque trafic de contrebande. Chino m'a apporté une bière, le premier soir où nous étions sur la plage, Allan et moi. J'aimais bien que quelqu'un ait l'idée de m'offrir à boire; je n'ai pas grand goût pour l'alcool. Cependant, je trouve humiliante l'habitude voyante de me considérer comme un mineur interdit de boissons fortes. Quand je demandais moi-même à boire, je n'osais pas demander de l'alcool; je me limitais au Coca. Chino ne pensait pas, comme les autres, que le fait de ne pas voir les bulles aurait pu m'empêcher d'aimer la bière.

Je continuais les leçons de surf avec Allan, et j'étais devenu capable d'exécuter les mêmes parcours que lui. Nous faisions des concours à qui resterait le plus longtemps debout, en poussant un hurlement d'avertissement au moment de tomber, au milieu d'une explosion d'écume.

Je me laissais aller aux génies de la mer, qui me portaient en moutonnant autour de moi; l'immobilité qui précède l'effort, le moment du guet, n'avait rien de cette paralysie qu'est l'immobilité, à terre. Le doux balancement des vagues rappelait mon corps en suspension au sentiment de soi-même, sans aucun effort.

Ces moments d'attente étaient longs. Allan choisissait sa vague avec soin, suivant la bonne volonté qu'il lisait dans le gonflement des eaux, au dos de la houle. Je songeais en flottant mollement que, bientôt, plus personne ne me crierait l'avertissement : « Go! » Je ne pourrais jamais, par mes seuls sens, savoir le moment exact où il fallait imposer à la vague le mors de mon corps debout. Aussi, le départ d'Allan signifiait la fin d'un jeu avec le vent, la mer et les étoiles; nous surfions parfois la nuit, où j'étais meilleur que lui, sur les vagues presque apaisées, après une journée de tempête.

Chino avait pris l'habitude de venir me tenir compagnie le soir, quand Allan descendait en stop en ville se chercher une fille. Chino n'était pas son vrai nom; il était d'une tribu de l'autre côté de la frontière. Je comprenais mal son espagnol dit d'une voix cassée. Il dessinait des figures dans le sable avec son bâton. J'entendais le crissement du bout ferré, qui m'exaspérait, et je lui ai dit d'arrêter. Il s'est gratté la tête, et puis il a recommencé à dessiner et il a voulu que je mette la main sur ses dessins; je ne sentais presque rien, ils étaient en creux, le sable s'éboulait sous mes doigts, informe. Il s'est mis à genoux sur la plage, et il a fabriqué un nouveau dessin pendant un long moment. J'étais énervé, je le trouvais stupide. Il s'est relevé, et il m'a demandé de toucher de nouveau. Cette fois, les lignes étaient claires : il les avait faites en relief, avec du sable durci par l'eau. J'ai levé la tête vers lui, mais il m'a pris la main et m'a fait continuer la ligne. Au bout, elle revenait sur elle-même, pour repartir vers l'avant en une longue courbe, après un incompréhensible gribouillis à l'extrémité. Vers l'avant, je trouvais une longue ligne dentelée comme un éperon.

« Pesce spada », a-t-il confirmé, en espagnol. Il a continué à dessiner, et mes doigts erraient dans ces vallées, ces monticules, ces petites dunes irrégulières, et il y avait des formes fugaces, des visages, des arbres, des navires qui sombraient. Chino était aux anges; il s'est mis à me raconter comment il vivait autrefois, en postillonnant et en crachant par terre. Il se tapait sur les cuisses en faisant un bruit de bois sec; tout était desséché par l'âge et le soleil, en lui, même l'odeur, une odeur d'herbe brûlée, de poussière et de vent. Il faisait une noria interminable de bières en boîte, qui faisaient un petit pschitt quand on tirait sur le couvercle pour l'ouvrir. Depuis ma sortie de l'institution, je n'avais que très peu bu. Je me méfie de l'alcool qui me fait perdre l'équilibre et les distances.

Je l'interrogeais sur le Mexique, où j'avais décidé de continuer mon voyage, en l'imaginant comme une Tunisie parlant l'espagnol. Chino ne connaissait que sa montagne, où des Indiens, en pagne blanc, couraient à travers les torrents, poussant du pied une balle de chiffons. A l'entendre ils jouaient et chassaient tout le temps; la pierraille que leur ont laissée les Mexicains n'est pas cultivable. Les Mexicains qui n'étaient pas des « Indios » étaient d'énormes bonshommes montés sur des chevaux à leur taille, qui portaient une bandoulière de cartouches.

J'étais complètement fou de vouloir aller là-bas. On mourait de soif dans des vallées désertes, avec leurs maigres épis de maïs courbés sous le soleil, et des rochers géants au sommet desquels les coureurs se faisaient de grands signes. De temps à autre, le voyageur rencontrait un enclos de cactus avec des chèvres et des femmes, une église de pierres sèches à moitié écroulée. Les jésuites avaient regroupé toute la population des montagnes autour de leur mission, et ses deux petits-enfants avaient été enlevés à Chino pour être placés dans leur école. Il était descendu, comme beaucoup d'hommes, bien des années avant la dernière guerre, par le désert du Nouveau-Mexique, et ils s'étaient entassés dans les bidonvilles où les vieilles bagnoles servent de cages à poules, autour de Santa Fe. Il errait de Tijuana à Los Angeles, quand il ne travaillait pas dans la vallée de Sacramento. Il allait du *down town* pouilleux de L.A. à la frontière, la contemplant avec nostalgie, en sachant qu'il ne pourrait pas la traverser : si l'immigration ne pouvait plus les refouler, elle pouvait les empêcher de revenir.

Un bruit de pas dans le sable : Allan est arrivé, nous avons invité Chino à manger avec nous le chili en boîte, et les saucisses sous plastique, qu'on grillait sur une lampe à pétrole. Il est parti se laver et mettre son chapeau, comme pour une invitation en ville. Il était très content d'être avec nous, il racontait que les Blancs de la vallée de Sacramento étaient tellement racistes qu'ils n'auraient pas serré la main à un chicano. J'ai compris comme Allan faisait jeune, blanc, riche, et bien nourri, à la façon dont Chino lui parlait, presque respectueusement. Il était plus à l'aise avec moi; j'étais surpris de constater qu'il me prenait aussi pour un Blanc, un Européen, et que notre égalité venait de ce que j'étais aveugle.

Le lendemain, Allan est parti acheter son billet de bateau pour l'Australie. Chino est arrivé dès le début de l'après-midi, et il s'est assis après m'avoir salué sans rien dire de plus.

Il a posé un petit sac en plastique sur le sable, à côté de moi, et puis il s'est reculé. J'ai tâté, je sentais des petites bosses dures; j'ai ouvert le sac, s'en sont échappés des sortes de boutons de toutes les tailles, en bois sec. Chino m'en a offert un, et a entrepris lui-même d'en mâchonner. J'ai mordu, cela rappelait la réglisse, en non sucré et très amer, ou encore les écorces que ma mère me faisait mâcher pour avoir les dents blanches.

Chino affirmait que dans sa tribu, les aveugles étaient entourés d'un respect superstitieux, qu'on les croyait capables de lire l'avenir. Nous étions assis devant la tente, le soleil chauffait doucement; il s'est mis à réciter une mélopée interminable, en espagnol mélangé de mots indiens, en continuant à mâcher des boutons et à m'en offrir. Après le premier goût, l'amertume devenait supportable. La salive, par contraste avec l'amertume qui me hérissait les papilles de la langue, paraissait sucrée.

Je me suis tourné vers Chino pour lui dire qu'il criait, son débit était devenu beaucoup plus rapide, et on devait l'entendre depuis les baraquements.

J'ai tourné la tête pour le faire taire; à ce moment, j'ai senti l'avertissement qu'il se passait quelque chose. J'avais à peine bougé, et pourtant j'avais l'impression d'avoir accompli un immense périple. Je ne savais plus si Chino était devant ou derrière moi, pourtant j'entendais sa voix, mais elle m'entourait comme une nappe. Il s'est tu, s'est approché de moi et a mis la main sur mon genou. Etait-ce à droite, était-ce à gauche? Le monde entier tournait comme une essoreuse. Chino parlait, je ne comprenais plus rien à ce qu'il me disait. J'ai articulé d'une voix rauque qu'il parlait trop fort, et il a ri et m'a répondu en chuchotant, un chuchotement tellement amplifié qu'il devait résonner sur toute la plage.

Il ne criait pas; mes oreilles étaient devenues trop sensibles : le bruit de la machine à cigarettes, assez loin, devant les baraques, me parvint alors avec une netteté effarante. Ma tête penchait en avant pour suivre la chute de la pièce, et j'ai eu une petite convulsion quand la machine a craché le paquet sonore. La succion du goudron de l'autoroute sur les pneus, le teuf-teuf d'une barque, les rires des baigneurs me perçaient les oreilles. Chino a commencé à dire l'histoire d'un dieu de sa tribu, qui s'appelait Peyote ou Coyote, un nom de personnage de dessin animé. Il était un tout petit dieu, et il poussait dans les endroits complètement désertiques du haut plateau mexicain.

Il voulait savoir si j'étais catholique. Ma propre tribu, ai-je répondu, admirait un dieu qui venait du désert, mais tombé dans une pierre noire, à l'origine. L'idée d'un dieu qui était une pierre l'amusait beaucoup; moi celle d'un dieu qui devait ressembler, d'après sa description, à une sorte de cactus minuscule d'appartement. Nous en avons ri tous les deux aux éclats. C'était bien un cactus. Le plus petit de sa famille. Au printemps, ils allaient tous en procession, en chantant et en dansant, cueillir les cactus et les enfermer dans des cages de paille de maïs qu'ils posaient sur un petit autel, au-dessus de la cheminée, dans leurs cabanes. Le petit dieu se desséchait lentement dans l'ombre, salué chaque soir par la famille, se ratatinant tranquillement sur son piédestal, dans la cage qui l'empêchait de s'envoler. Au début de l'automne, on ouvrait la cage; les tambours battaient, et le sol tremblait sous les pieds nus. Chino imitait la danse en m'envoyant gicler du sable. D'habitude, les femmes écrasaient, malaxaient, mettaient en poudre le dieu, et le mélangeaient à du maïs grillé écrasé dans l'eau, et sucré. Chacun buvait le mélange, une nuit par lune, celle de la pleine lune, comme c'était le cas ce soir, pendant tout l'hiver.

Ainsi, une journée entière s'était écoulée depuis qu'il me parlait; il devait faire nuit maintenant, ou cette nuit blanche que je ne connaissais plus. Je sentais la marée, la grande marée, monter sur la plage, aussi nettement que si j'avais nagé dedans, porté par elle. J'ai prononcé à haute voix le mot « drugs », et un étau de sueur froide a étreint mes tempes; je perdais pied en me débattant dans l'océan qui m'environnait de toutes parts.

Je me suis étendu sur le sol, tâchant de courir follement à l'intérieur de moi-même après la conscience de moi; de rattraper le centre de mes impressions volatiles, qui s'enfuyaient devant moi en tourbillon.

Cette impression d'être partout à la fois me faisait peur. Partout où un son, même infime, un craquement de branche, un insecte sur le sable, partout où un mouvement minuscule corrodait l'ordre des choses. Je ne voyais pas l'envers du monde, comme le croyait Chino; j'en entendais le moindre détail monstrueusement agrandi.

J'ai tenté désespérément d'expliquer à Chino ce qui se passait; je me suis retrouvé parlant en italien. J'ai repris en espagnol, Chino m'a caressé le front en me demandant comment je voyais les objets. Je lui ai répondu avec impatience, toujours la même question, que je ne les « voyais » évidemment pas dans son sens, que je les repérais, sentais, observais, comme il voudrait.

L'intérieur de mon moi continuait à transfuser lentement au-dehors, au rythme mêlé de mon cœur et des vagues. J'étais désespéré. A la différence des clairvoyants comme Chino, la drogue me supprimait comme sujet; je m'engloutissais dans la matière. Le repérage à l'oreille, tentai-je de lui dire, est une boussole bien plus délicate que l'œil. Je n'avais pas de point de vue où m'accrocher, moi; finalement je me suis mis à lui demander de me conduire chez un médecin.

Chino a protesté, quand j'ai prononcé le mot drogue; il s'est tu quand il a vu que je pleurais. Les larmes ont coulé sur moi, me surprenant et me rafraîchissant. Je souriais à travers l'eau qui me mouillait la face. En pleurant pour la seconde et dernière fois, j'étais totalement détendu, quelque chose avait fondu, la peur d'être abandonné ou de disparaître. Au même moment, les odeurs sont revenues très intenses : une cigarette que Chino avait allumée, le brûlé des pop-corns sur la plage, une senteur de caoutchouc qui accompagne des pneus qui crissent au loin. Chino m'a demandé encore une fois comment je « voyais »; tout d'un coup j'ai vu, et j'ai dit : « Je ne suis pas dans le noir, c'est simplement le monde qui est transparent. »

Il me semblait que j'avais découvert une vérité essentielle. Je sentais la ligne des vagues, la courbe molle de la plage, l'éclair d'un pare-brise sur le parking à gauche. Je ne les voyais pas comme avant mon accident. La drogue avait dû court-circuiter quelque chose en moi. Etait-ce bien cela qu'on appelait « voir »? J'hésitais, je cherchais à comparer. Il n'y avait pas d'ombres. Je voyais des choses transparentes, sans couleurs et sans ombres, et pourtant je les voyais.

Je fouillais désespérément mes souvenirs. Ces objets existaient, je pouvais les décrire, et pourtant je n'avais pas besoin de tourner la tête pour les voir, et ils étaient transparents. Je ne voyais pas, je croyais voir. Rien n'avait changé; une fiction, que mon esprit s'était fabriqué sous l'effet de la drogue, m'avait trompé.

J'ai senti une amertume au fond de la gorge,

l'amertume d'une déception atroce. Je me suis penché pour vomir, et je me suis senti si faible que j'ai accepté de me laisser aller. Chino avait allumé du feu, et préparait du thé. Des enfants jouaient au frisbee, là-bas sur la plage. J'étais le disque de plastique sifflant dans l'air, le cri qui soulève une poitrine, les talons nus qui s'enfoncent dans le sable. Je tentais de me souvenir de ce qui m'avait inquiété, à l'idée d'être drogué. Je n'avais pas tellement peur d'un accident, il suffisait de rester assis sur cette plage, que de perdre le contrôle de mon visage, d'oublier qui j'étais. Pour moi, la conscience de ma propre face est factice. Je peux oublier de me modeler, de l'intérieur, un visage à l'usage des voyants. Depuis des heures, je ne contrôlais plus mon visage dans la mesure où je ne savais où s'arrêtait mon moi. Une scission paisible se produisit. Deux voix, en moi, discutaient pour savoir si cette jambe était moi ou non.

Mon expérience actuelle était-elle plus valable que l'autre? Ou n'était-ce que la même simplement mise à nu? J'avais sans doute toujours vu un monde transparent, dans lequel je pouvais fondre comme du sucre. Mes prétendus souvenirs visuels de Kerkenna n'étaient qu'une illusion rétrospective : je n'avais jamais vu, rien de visible n'avait jamais existé.

J'avais adopté, depuis tant d'années, une attitude de méfiance envers le monde des voyants dont je m'éloignais; pourtant j'avais toujours admis qu'il existait, ce monde réel, quelque part, de quelque manière, dans une couche de réalité que je ne pouvais pas observer. Je mettais aujourd'hui en doute cette convention, ce contrat que j'étais seul à signer.

Chino commença à chanter; sa mélopée accompagnait le mouvement de ses mains. Il grattait le dos d'une bête accroupie entre nous. Les voix du large s'enflèrent et m'envahirent. Ma peau s'étendit à la surface de toutes les choses, et je pensai que le monde du voir n'était qu'une propagande. Par lui seul, le fait d'admettre un monde voyant me rendait non-voyant. Je me suis pris d'un ricanement interminable.

Chino a manifesté sa satisfaction en me tapant dans le dos. Il avait été inquiet un moment, mais à présent tout allait bien. Je roulais voluptueusement sur le sable, j'observais les respirations minuscules des larves crachotant des bulles. Le départ d'Allan allait me laisser solitaire, Chino le savait.

Il a parlé des chiens, en me demandant pourquoi je n'avais pas de chien comme il avait vu à tant d'aveugles, comme guide et compagnon. Les chiens me rappelaient trop les mendiants aveugles de mon enfance; je ne les aimais pas : ces caniches, ces labradors, ces bergers allemands au poil rude, qu'on voulait nous imposer à l'institution, et qui étaient de vrais gendarmes; ils marchaient au pas, vous l'imposaient, s'arrêtaient au garde-à-vous au coin des rues; et je m'étais levé pour imiter le chien d'aveugle, et Chino riait à son tour. Et les chiens étaient tellement bêtes, ils ne servaient qu'à refaire toujours les mêmes trajets, ils refusaient les explorations.

Quand j'ai imité le chien, j'ai entendu un miaulement de protestation. Je me suis rassis. La bête s'est mise à ronronner, sous mes doigts, s'étirant, en bâillant, dans la légèreté humide de la nuit. Chino avait évoqué un chat, ou l'avait créé, j'étais incapable de dire depuis quand il était auprès de moi; il était apparu progressivement, comme un brouillard qui se condense, entre lui et moi.

Je n'avais caressé qu'un seul chat dans ma vie, qui était une chatte. J'ai cherché machinalement la queue coupée que portait Zita. Et je l'ai reconnue, pendant qu'elle se frottait contre moi, de l'air ravi de l'animal qui a longtemps attendu un signe de reconnaissance. J'ai demandé à Chino, d'une voix enrouée, si cette chatte avait bien une tache blanche sur le front, au milieu de la fourrure couleur de terre. Une tache qui ressemblait à un insecte volant les ailes déployées.

Zita revenue, c'était un peu de Mrs. Halloween qui ressuscitait. Par quel miracle était-elle arrivée jusqu'à moi, à mille miles du Golden Gate? Le poil autrefois court et soyeux tout collé, la queue en moignon dressé, maigre à faire peur, Zita m'était rendue.

L'effet du cactus continuait, et le sol a vacillé sous mes pas, quand Zita a grimpé d'un bond sur mes épaules. Je tendais les mains pour m'orienter, chez moi signe d'un grand désarroi : en général, je refrène ce geste. Zita a miaulé au-dessus de mes oreilles, et je me suis accroupi pour lui permettre de descendre. Mais au lieu de s'écarter, elle s'est frottée à ma jambe, comme le jour de notre rencontre à Rome. Je ne pouvais pas marcher, j'étais paralysé, tous repérages confondus. Zita s'est à nouveau frottée contre moi, comme pour m'indiquer la route à suivre. Elle s'est mise à marcher tout en continuant à se frotter contre ma jambe. Je lui ai emboîté le pas, elle faisait autrefois ce manège quand Mrs. Halloween me laissait la promener.

Zita m'a retrouvé, exultai-je.

Nous nous sommes roulés ensemble dans le sable; elle m'a léché, dans un grand élan d'affection. Je venais de recevoir le dernier cadeau de Mrs. Halloween. Nous avons marché côte à côte, elle tournait autour de moi sans s'éloigner. J'avais trouvé un nouveau guide. La chatte venait remplacer sa maîtresse.

Nous sommes allés ensemble vers les baraques qui faisaient encore, dans la nuit, une rumeur de fête foraine espagnole; et Chino continuait à se saouler, tout en se félicitant, comme s'il avait organisé cette rencontre depuis le début.

Nous ne devions plus nous quitter, Zita et moi.

Chino me présentait à ses amis, dans une des

baraques. Il faisait chaud sous la tôle ondulée qui avait gardé le rayonnement du soleil; les chicanos complètement ivres se sont mis à danser en tapant sur des boîtes de conserves. Brutalement, il y eut un cri terrible, dehors, puis toute une série de couinements, et enfin un coup net qui a tout arrêté. J'avais l'impression que le toit en tôle avait dû nous tomber sur la tête. Chino m'a pris la main, et l'a trempée dans une substance gluante et chaude, je me suis sucé les doigts, c'était vaguement salé, poisseux : du sang.

Allan est revenu au milieu du sacrifice du cochon et m'a pris par la main pour m'emmener, tandis que je tirais Zita que les entrailles ouvertes de l'animal excitaient.

Je me suis endormi sous la tente contre Zita, en grognant des injures contre Allan. Au début, Zita était la tête posée entre ses pattes, comme un sphinx, et je sentais ses moustaches contre ma joue. Je me suis demandé si j'étais endormi, car cette substance que Chino m'avait fait mâcher était excitante, certainement. J'ai joué à fermer les yeux, sans être bien sûr si je les fermais réellement, je ne pouvais me passer la main sur la figure, pour ne pas la réveiller.

Dans l'obscurité de la tente, endormi ou non, je poursuivais la pureté de ma sensation : cet écran blanc qu'était l'absence de vision, je l'avais admis, à tort, comme l'obscur.

Sans transition, j'ai entendu le bruit des oiseaux du matin, dans les tamaris, autour de la tente. Zita avait changé de position, les pattes sur le flanc, agitées de soubresauts, faisant la chasse à une souris de rêve. Les mouvements de son corps, de ses yeux, que je sentis sous ses paupières fermées, m'avaient éveillé. Le bruit des oiseaux s'est fait plus fort; l'écran blanc est devenu grisâtre, et le monde transparent s'est irisé; j'ai vu sur le sable blanc, par l'ouverture de la tente, un pigeon, violet dans le soleil levant, j'ai vu des couleurs, et j'ai poussé un cri de surprise qui m'a réveillé.

Depuis bien longtemps, je ne rêvais plus en couleur; et j'avais l'impression que la présence de Zita avait servi de catalyseur. Je me suis rendormi en écoutant la profonde respiration d'Allan. Le rêve a repris. J'ai entendu à nouveau les hurlements du cochon de la veille. Au lieu de s'arrêter net, sur un coup de hache, ils ont continué de plus en plus fort, et se sont arrêtés progressivement en ralentissant devant notre tente. Ce n'était pas l'âme du cochon, de retour des enfers : de grosses voix américaines discutaient maintenant avec Allan, sorti encore enveloppé de son sac de couchage.

Ce bruit était une sirène de flics. Ils nous ont emmenés au bureau à plusieurs miles, sans même nous laisser le temps de replier notre tente. Le shérif était très ennuyé; il ne savait que faire de moi, il n'avait rien qui lui permettait de me retenir en attendant qu'un juge décide de me replacer en institution. Allan a déclaré que son père était avocat; le shérif m'a demandé de quoi je vivais. Il espérait pouvoir m'inculper de mendicité sur le territoire du comté. Mais j'étais majeur, j'avais une carte de séjour en règle, et plus de deux cents dollars sur moi. Il a essayé de m'expliquer que je n'irais pas loin, puis s'est ravisé, m'a fait signer une décharge de responsabilité, et nous a libérés, après avoir menacé de faire piquer Zita ou de la donner à la fourrière.

Nous sommes revenus, en stop, récupérer la tente, et nous nous sommes installés pour les quelques jours qui restaient avant son départ, lui, Zita et moi, dans une maison en bois abandonnée, à Venice. La chatte l'avait découverte, et nous y avait conduits par une clôture effondrée, sur le bord de la plage. Nous courions sur la promenade, Zita et moi; il suffisait qu'elle me frôle pour m'avertir d'un obstacle; nous zigzaguions entre les patineurs à roulettes, qui portent des gros haut-parleurs à disco sur l'épaule et s'entrecroisaient leurs boucles sur le béton, grattées comme une glissade de guitare, autour de nous.

Allan était mélancolique, il ne mangeait plus de céréales, il boudait la gym, sur le terre-plein devant la mer. Il ne pouvait me confier à personne, ni m'abandonner sans argent dans cette ville.

La veille de son départ, Allan m'a emmené à Marineland, un grand parc d'attractions nautiques sur la côte, au sud de L.A. Nous avons retrouvé le bonhomme de la plage; dès notre arrivée, j'ai demandé de l'argent à Olaf, c'était son nom, pour payer le taxi qui nous avait amenés. Il a tendu l'argent à Allan, et m'a dit que je commençais l'entraînement dès cet après-midi; je pouvais transporter mes affaires dans une des petites maisons qu'il laissait à son personnel, dans le parc, entre les lacs artificiels pleins d'ibis, de marabouts et de flamants roses.

Olaf nous a fait visiter son bassin d'exhibitions.

Allan a plongé une dernière fois avec moi, et nous avons poussé nos planches jusqu'au bout de ce qui semblait être une très grande piscine terminée par une sorte d'écluse. Il y a eu un appel de sirène, et j'ai entendu le grondement de la cataracte d'eau qu'on lâchait dans l'écluse. La vague artificielle avait plusieurs mètres de haut, et le jeu consistait à la surfer tout au long, en plongeant à temps pour éviter le fracas des eaux contre le mur en béton qui fermait le bassin.

Allan me criait les distances, je n'étais pas sûr de pouvoir les mémoriser. Olaf annonça qu'il ferait placer une ligne d'avertisseurs sonores flottants à la surface, pour me signaler la limite où je devais quitter la planche.

Le même soir où j'ai emménagé à Marineland, Allan m'a emmené à West Hollywood; c'était, paraît-il, la nuit. Je ne m'en serais pas douté; l'animation était grande, et la dame qui nous a déposés en stop m'a dit de faire attention parce que ça n'était pas un quartier qui m'était recommandé. J'aurais bien aimé savoir quel quartier de L.A. était recommandé. Nous nous sommes assis au coin d'une avenue qui s'appelait Highlands et de Santa Monica Boulevard, devant une station-service qui parfumait le carrefour de l'odeur du gas-oil. Zita est montée sur le distributeur automatique de journaux auquel je m'appuyais. Allan m'avait laissé un moment, et m'avait donné rendez-vous, pour revenir, à un coffee-shop qui s'appelait le French Market, un peu plus bas, à un quart d'heure de marche, tout droit, sur Santa Monica. Jamais je ne me suis senti aussi seul : il partait le lendemain. J'ai serré Zita contre moi, elle se débattait en miaulant. Je ne comprenais pas pourquoi Allan avait insisté pour me faire attendre à ce carrefour. J'étais au milieu d'un désert, « in the middle of nowhere », et j'étais au centre d'une des plus grandes métropoles du monde. Les passants étaient principalement des hommes, à ce que je pouvais juger de leurs pas et de leurs rares éclats de voix; rien d'étonnant, il n'y a jamais de femmes à pied, tard le soir, dans les rues de ces villes.

Quelques voitures sont passées en ralentissant devant mon distributeur à journaux. Plus tard, j'ai entendu des gens décrire West Hollywood comme un « ghetto », le mot ne me semblait pas vraiment approprié : le quartier Angelino n'a vraiment rien de commun avec le Mellah de Kerkenna.

Je me suis un peu déplacé; aussitôt une voiture a fait demi-tour, sur le carrefour, et est montée à moi. La voiture a ouvert sa fenêtre, ils ne devaient même pas me voir, Zita avait toujours tendance à m'entraîner dans des coins peu éclairés. J'allais apprendre à repérer les réverbères, à m'installer sous leur supposée lumière. La fille au volant a entamé une conversation :

« Hello, je suis déjà passée tout à l'heure, je ne vous voyais pas. » La voix était jeune, et je sentais l'odeur du cuir de la voiture par la fenêtre.

Les fois suivantes, j'ai marché, au jugé, vers le ronronnement du moteur, pour me placer devant les phares.

Une affiche clapotait, à demi déchirée, contre un poteau télégraphique. Je ne savais comment lui dire. Elle a pris mon air buté pour de l'habitude. Elle s'est penchée pour ouvrir la portière droite, je suis monté, en tenant Zita sur mes genoux; alors seulement, elle a réalisé que quelque chose clochait. Je n'étais pas seulement un garçon à vendre.

« Je suis aveugle. » Je ne pouvais tout de même pas porter une pancarte. Elle est restée silencieuse quelques instants, et je suis presque sûr qu'elle ne m'a jamais cru; elle était ma première cliente ramassée dans la rue.

Je suis souvent revenu à ce coin de Highlands Avenue. Un peu plus loin, je pouvais me reposer dans le cimetière d'Hollywood; une série de parkings entouraient les tombes, et une île avec un petit pont celle de Rudolph Valentino. Il paraît que je lui ressemblais, au moins dans *Le Fils du Cheikh;* c'est ce que m'a affirmé un vieux comédien qui était mon deuxième client. Quand Allan est parti, je savais pourquoi il m'avait amené à West Hollywood.

Allan était donc parti.

Le matin, je continuais mon entraînement avec Olaf, qui me logeait et me nourrissait, si je voulais dîner au self-service du parc, où les garçons m'annonçaient les plats à haute voix, en les mêlant de commentaires peu flatteurs pour le cuisinier. Ma vie était très organisée : je montais, tous les jours, vers le milieu de l'après-midi, à West Hollywood, et je ne revenais parfois qu'au petit matin; je devais tout de même plonger dans l'eau froide et recommencer la course folle contre l'écume. Olaf ne me donnait pas un sou, tant que je n'étais pas devenu une attraction rentable. Il était très dur en affaires, et considérait que, si je me proclamais indépendant, je n'avais qu'à me débrouiller.

J'ai couché avec des secrétaires et des barmen, des ingénieurs et des vieilles actrices, et même un étudiant de l'Université de Californie qui voulait m'emmener aux réunions d'un syndicat de gigolos. Ils attendaient d'un aveugle plus que le service d'amour : une émotion transcendantale qui se payait très cher, celle de franchir un tabou.

La vie de prostituée est dangereuse. Sans Zita, je n'aurais jamais pu considérer la rue comme mon territoire; nous formions un couple efficace; souvent, elle choisissait les clients pour moi, ou leur manifestait préventivement de l'hostilité. Les chats égyptiens ne sont pas des créatures de salon, et Zita pouvait devenir un fauve si un autre garçon prétendait s'installer à mon carrefour.

Les longues heures d'attente sur les avenues de Los Angeles ont servi de dressage réciproque, à Zita et à moi, d'école de la rue. Les trottoirs, les déclivités des allées de garage semblaient avoir été inventés pour tromper les aveugles; Zita n'a aucune mémoire; elle est parfaite pour éviter un obstacle, mais incapable de faire deux fois le même itinéraire.

Il fallait que je mémorise nombre d'adresses. Si je me chargeais des plans, de la mémoire, du quadrillage des rues, il me fallait perfectionner le dressage instinctif que Mrs. Halloween avait pratiqué sur la chatte. Elle obéit aujourd'hui à plusieurs dizaines de commandements ou d'interrogations différentes; oh!

jamais immédiatement et machinalement mais de bonne grâce, librement. « Car », avec le r roulé longtemps, signifie que je voulais savoir s'il y a une voiture en vue. « Stop », « go », « back », et quantité d'autres mots ont pris une signification pour elle.

Je ne sais pas quand Zita a vraiment découvert que j'étais aveugle. Très tard, je crois, à la fin de son apprentissage, qui a duré tout le temps que j'ai vécu à Los Angeles, près d'un an. L.A. fut ma première ville de libre marcheur. La première ville où la fausseté des stéréotypes qui aliénaient ma liberté m'est apparue. J'aime L.A., les grands carrés des villas forment un système aisé de coordonnées, et l'automobile y est reine. Plus tard, en découvrant d'autres cités, en Amérique et en Europe, je n'ai plus voulu vivre que dans les villes; l'idée que je formais, par simples sensations, dans l'ivresse de ma liberté toute neuve, des blocs interminables de L.A., devait, plus tard, s'opposer aux rues étroites et serrées du vacarme européen, que je n'avais éprouvées que deux jours dans toute ma vie.

Je préfère les villes, et je préfère les nuits. La campagne, pour moi, n'est que le désert où nul signe ne m'est sensible. La ville fourmille de repères, de ronflements de moteurs, de sonneries de cinémas, de crieurs de journaux, de chocs de bouteilles et de froissements de papier, et d'odeurs, surtout, de tant d'odeurs que nous humions avec délices, Zita et moi : odeurs de nourritures, de fruits, de bière, de médicaments devant les drugstores, odeur de parfum et de fleurs du cimetière d'Hollywood, odeur de goudron, de plâtre et de peinture entourant les murs des studios. Elle me servait de vue rapprochée; les repérages de direction, je les réservais : je comptais les arbres, ou les réverbères, tout en marchant; je mémorisais un chantier ouvert dans la chaussée qui sentait l'acétylène, et que Zita me faisait contourner; j'enregistrais la pente des avenues.

Je connaissais grossièrement le plan général qu'Allan m'avait gravé avec la pointe de son couteau au dos d'une carte postale, en indiquant les noms des grands villages, Beverly Hills, Santa Monica, Venice, West Hollywood. Même en voiture, je ne me perdais plus.

Comme je sortais surtout la nuit, le stop n'était pas toujours chose facile. En remontant Santa Monica Boulevard, je prenais chaque jour conscience combien la ville était immense, succession de trottoirs larges comme des autoroutes et d'avenues larges comme des pistes d'aviation. Les bungalows de bois, blottis dans les arbres tropicaux, succédaient aux drive-in, et tous les bruits et les odeurs, que nul immeuble n'arrêtait, me parvenaient intacts, précis, sans réverbération. Pour le stop, je n'avais qu'à utiliser mon infirmité : je rachetai encore une fois des lunettes noires. Je me postais au bord de la route, les bras en avant, avec Zita perchée sur mon épaule. Les voitures s'arrêtaient aussitôt; certains conducteurs, en me voyant remettre mes lunettes dans ma poche, en concluaient que j'étais un imposteur. Je devais leur expliquer que je n'avais pas besoin de lunettes noires pour ne pas voir.

Nous sommes devenus un seul être à six pattes, à cette époque, Zita et moi. Elle reniflait les clients, les repas, les voitures avant de m'y laisser monter. La chatte est une part de moi, encore aujourd'hui, elle relit par-dessus mon épaule ses premiers exploits. Je lui avais adapté un petit harnais très léger de fils de nylon, et très souple, qui la laissait presque libre; elle n'avait jamais que quelques heures par jour à me guider. Quand elle a suffisamment appris, le harnais même est devenu inutile, et je l'ai rendu à Olaf, qui s'en servait pour le dressage des bébés otaries. La voix, les frottements de queue, les gestes sur ou contre moi, suffisaient à me dire tout ce que j'avais besoin de savoir. Je ressentais l'avantage de disposer d'un guide de luxe : Zita est un animal qu'on ne refuse nulle part. Elle entrait dans tous les bars, courait entre les verres, me suivait sur tous les lits. Elle devait être assez belle, ou devait paraître assez chère, pour être acceptée partout où la vue d'une canne d'aveugle, ou d'un chien-guide, aurait été source d'une gêne terrifiante.

Zita n'a d'ailleurs pas besoin d'excuses pour être là, partout, comme chez elle. Elle est suffisamment souple et belle pour s'imposer sans faire tomber sur moi la chape lourde de la pitié.

Les gens avec lesquels j'ai couché, pendant les premières semaines, étaient stupéfaits de m'entendre leur demander de l'argent. Je le faisais toujours avant d'entrer dans la voiture, pour ne pas perdre mon carrefour. Ils n'osaient pas discuter mon prix. Quelques-uns ont essayé de me rouler, mais il est facile de demander à être payé sur la monnaie d'un billet, au restaurant, ou dans un bar. Mes clients se baladaient avec des cent dollars dans leur poche, comme si c'étaient des piécettes.

Rien que la première semaine, j'ai mis de côté trois cents dollars, et plus, jusqu'à neuf cents, les semaines suivantes. Je n'avais jamais eu autant d'argent; Mrs. Halloween m'offrait tout, ne me donnait jamais que le minimum d'argent de poche. Les cadeaux de ses amis, briquets, ou chèques, qu'elle encaissait pour moi, me faisaient une petite cagnotte; mais avec les angelinos, les dollars pleuvaient en liasse, si nombreux que j'ai ralenti le rythme. Je n'en dépensais qu'une partie; le reste, je l'entassais sous un recoin du toit de faux chaume, dans la maisonnette du parc, un coin que je pouvais atteindre en me haussant sur la pointe des pieds.

Je n'avais aucune idée de ce que je pouvais faire de ce magot; j'avais beau dépenser beaucoup d'argent en taxis, commander les plats les plus chers dans les meilleurs restaurants, sans même y toucher, tellement j'étais fatigué, tard dans la nuit, cet argent grossissait, planqué au-dessus de ma tête. Je pensais que l'argent me serait utile un jour ou l'autre; et j'éprouvais une excitation incroyable à le gagner aussi facilement, après tout ce qu'on nous avait raconté à l'institution sur la difficulté de trouver à gagner sa vie, pour un infirme.

Au fond, j'étais redevenu le mendiant que nous avions toujours été, nous autres aveugles. Je n'avais pas le sentiment de me vendre; je n'ai pas de sentiment de propriété bien défini sur mon corps. Je crois qu'il faut être voyant pour y tenir, pour compter ses doigts, pour regarder dans un miroir cette figure à soi, qu'on ne peut voir directement; pour moi le miroir n'est qu'un instrument à se fabriquer un visage en se répétant : « Tout cela est à moi. » Il faut connaître les lois de la perspective pour être vraiment un « moi » : je n'ai pas de point de vue constant sur mon corps; souvent j'en oublie des parties, dispersées entre les sensations locales.

Je m'interrogeais sur ce qu'aurait éprouvé Mrs. Halloween, à me voir transformé en un de ces prostitués de la rue que nous avions observés à la villa Borghèse. Les clients : il ne s'agissait pas d'un prince laotien en exil ou de la femme d'un gouverneur général mais de gens de tous les jours; et désormais, je prenais l'initiative de les aborder.

Un voyant vit dans la foule : la multiplicité des corps et des visages lui est à tout instant présente. A L.A., ville déserte, j'ai connu la foule; je ne peux identifier la personne humaine qu'après l'avoir touchée, étreinte entièrement, et j'en étreignais deux, trois, dix, par jour.

Je ne dis pas que je n'ai couché qu'avec des gens qui me plaisaient : plus important, en couchant avec eux, j'ai su comment ils me déplaisaient, ou comment ils étaient laids. Et les laids m'intéressaient plus que les clients qui se supposaient manifestement beaux, et qui regrettaient à haute voix que je ne puisse les voir.

La disponibilité amoureuse, ou la facilité à faire l'amour aux gens, n'est pas une béquille à mon infirmité. Le sexe est un chemin dans ma supposée obscurité. En parlant de laideur, j'ai pu laisser croire qu'il s'agissait de la même notion que celle dont usent les voyants. Je me fais une idée de la laideur; mais elle n'a rien de commun avec les canons des peintres, des sculpteurs, des photographes, elle est arbitraire, et j'ai dû l'inventer à mesure des corps; nulle loi, nul critère ne définit la beauté invisible.

J'ai appris le monde rapide des chassés-croisés, entre les auto-stoppeurs en short qui ne réussissaient pas à faire figurants de cinéma, les vieilles folles qui promettaient des rôles parce qu'elles étaient chargées des maquillages dans une production de film, les kids des lycées portant chemise à écusson brodé en relief au nom de leur école, traînant devant le French Market jusqu'à ce qu'une auto les emmène pour deux heures et cinquante dollars.

Je n'ai jamais ramené personne à Marineland; je ne voulais pas trahir la confiance d'Olaf. Retrouver la petite savane et ses marigots artificiels était un vrai repos. Je ne dormais jamais plus de cinq à six heures, entre l'entraînement et les sorties de nuit. Le soleil du matin, plus l'alcool et la fatigue, faisaient un mélange exaltant, en plongeant dans la vaste piscine d'eau de mer.

J'ai commencé à rayonner à partir du carrefour, en marchant avec la chatte; de nombreux clients habitaient dans les blocs situés au sud de Santa Monica Boulevard; ils m'y menaient en voiture, je pouvais compter les tournants, et retourner à pied au carrefour avant la fin de la nuit faire un deuxième client. Les plus aimables me ramenaient à ce carrefour, et ils trouvaient tous naturelle cette espèce de course de relais, où une main remplaçait l'autre pour guider ma montée dans une autre voiture.

Pour moi, la civilisation des automobiles est parfaite; j'aime beaucoup les villes carrées aux rues numérotées que les Européens détestent. Mais je préfère à tout, dans les villes, les quartiers de plaisir et de nuit. Je ne pourrais plus me perdre à West Hollywood, pas plus que dans le Village à New York, ou Pigalle à Paris, sans doute. On ne se perd jamais dans un quartier de nuit. Les quartiers de nuit, les quartiers où les gens traînent pour leur plaisir ou pour l'argent, sont ceux qui m'acceptent le mieux, paradoxal aveugle. Les musiques des bars, les corps, font un réseau si facile à suivre; personne ne s'y étonne d'une extravagance de plus, comme paraissait ma cécité. Dans les quartiers de plaisir, ma géographie complètement intuitive est efficace; les promeneurs ne sont jamais pressés, et ravis de vous renseigner, sans vous croire perdu parce que vous errez à trois heures du matin. La pitié officielle s'arrête aux portes de ces ghettos. Je ne peux pas dire que j'y passais inaperçu; en un mois, il y eut plusieurs centaines de personnes qui avaient acquis le droit de me dire bonjour. Du moins cette popularité m'épargnait-elle le souci de m'annoncer comme non-voyant, ou de porter mes lunettes noires; la rumeur me précédait.

Je connaissais des dizaines de gens par leur prénom, leur peau, et leur numéro de téléphone; et je vivais seul; autrement, je n'aurais pas supporté toutes ces voix, après l'amour, des voix d'hommes, autant que de femmes : la plupart des hommes américains rêvent de sucer un aveugle. Ils avaient l'air de considérer cet acte comme un sacrilège osé. Les bars maintenant m'acceptaient avec Zita, alors qu'au début ils avaient objecté les sacro-saintes assurances. Mais j'étais devenu une petite personnalité. La vie était pressée, rapide, à L.A. Pour m'en évader, j'allais au cinéma, je ne connaissais rien de plus hypnotique que le son d'un film et les respirations d'une salle à moitié déserte. Et, un jour, je me suis remis à danser.

Je ne connaissais de danse que celle du zikr, le cercle battant des pieds et des mains en répétant le nom d'Allah; ou encore celle destinée à chasser les mauvais esprits, la djinn aux sabots de cheval.

Depuis Kerkenna, j'aurais bien eu l'occasion de danser : le seul obstacle dressé entre la piste et moi tenait aux réactions des voyants; obstacle fantomatique, imaginaire. Une continuité s'est faite, entre les exercices sur la planche, le matin, le bruit de la mer au-delà de l'écluse, et le mugissement des haut-parleurs dans la grande discothèque où j'allais à présent, avec Zita sur l'épaule.

J'ai glissé sur la piste. J'ai senti que les gens faisaient un cercle autour de moi, mais je n'ai pas arrêté. Je suppose que ce que j'accomplissais était totalement différent des mouvements que les autres danseurs exécutaient autour de moi. J'imitais les danseurs de mon enfance, des Noirs avec des pantalons bouffants, qui dansaient accroupis sur leurs chevilles au son du tambour, en faisant tournoyer au-dessus de leur chéchia une longue tresse de laine noire terminée par un gros nœud. Le rythme disco était plutôt plus lent que celui de Kerkenna.

En quelques minutes, j'ai tout oublié, de ce qui était autour de moi; même Zita, qui reculait en grondant devant cette forme de possession. L'air moite était devenu le ciel clair de la Tunisie; j'ai enlevé mes baskets pour retrouver la sensation de la poussière sur le sol; et si cette poussière-là était faite de cendres de tabac et de débris de verre, peu importait; elle était la poussière de l'aire de danse de

Kerkenna, la poussière venue du désert au-dessus de la mer en gros nuages de sirocco.

Mon corps, mes jambes, mes reins étaient enfin désenvoûtés; pendant ces quatre années, je n'avais pas fait un geste qui n'avait été calculée pour les voyants. A toutes les reprises, que marquaient les vieux Noirs en accélérant le rythme de leurs bâtons courbes sur les tambours jusqu'à la limite de la confusion, je fléchissais sur les genoux, les bras écartés en avant, et je tournais sur moi-même, comme je leur avais vu faire.

La musique a changé, ils ont passé des percussions africaines, puis des sambas, sans doute pour moi; mais je n'avais conscience de rien. Les plages de disques se fondaient l'une dans l'autre.

Je me suis arraché à la piste brutalement, comme on sort de l'eau. La place de Kerkenna a disparu, j'étais en sueur, c'était la nuit; au lieu des feux autour desquels s'ensevelissaient dans leurs bournous les danseurs épuisés, j'entendais les conversations du bar. Une main me tendait un gobelet de Coca-Cola, que j'ai à moitié renversé. J'ai récupéré Zita sur mon épaule, je lui ai gratté la tête en lui murmurant à l'oreille que nous sortions; elle est redescendue, et a commencé à se faufiler entre les danseurs en m'indiquant le chemin.

Le type qui m'avait tendu le Coca m'avait suivi, et je l'entendais souffler derrière moi. Il devait être gros et vieux, d'après les réactions autour de lui; mais il avait l'air décidé et il repoussait les jeunes hommes aux peaux trop nettes et aux muscles de gymnastique qui encombraient la piste.

Il m'a rejoint dehors, devant l'entrée, sous la marquise, où je me calmais en écoutant le rythme qui inondait la nuit. Selon lui, nous nous étions déjà vus quelque part; il m'a serré la main, nous n'avions pas dû être présentés formellement jusque-là.

Il avait une voix antipathique, poussive, plaintive, trop aiguë.

Il produisait un petit bruit chiffonné, continuel, qui était dû à sa manie de s'essuyer les mains avec son mouchoir, en déplorant la chaleur excessive. Il m'a demandé si je savais que j'avais dansé devant un miroir toute la soirée; lui, il savait sûrement que j'étais aveugle.

Miroir, narcissisme, a continué la voix poussive. Beaucoup de ceux chez qui j'étais allé avaient même besoin d'un miroir pour faire l'amour. J'explorais d'une main la surface glacée contre ma paume, et de l'autre le corps reflété; le mystère restait entier.

Il m'a demandé si c'était bien moi qu'il avait vu plusieurs fois, au coin de Highlands Avenue, quand il faisait le plein à la station-service. Je n'étais pas dans mes heures de travail, alors je lui ai répondu plutôt sèchement.

Il ne s'est pas découragé, et m'a invité à venir manger un morceau avec lui, dans le grand restaurant mexicain de Melrose. Des couples sortant de discos dévoraient des tacos au milieu des hurlements des serveuses dont les robes à froufrous folkloriques me balayaient la figure. Je donnai mon enchilada à finir à Zita, sous la table; elle aimait les nourritures corsées.

D'autres garçons sont arrivés à la table, je me suis senti rassuré. Je commençais à me demander si je n'avais pas affaire à un fou. Ils parlaient tous d'affaires, et l'appelaient seulement Fatsy, le Gros, avec familiarité, et pourtant aussi une nuance de peur dans la voix. Un d'entre eux était un de mes collègues du Boulevard. Il s'est mis à traiter à voix basse, avec Fatsy. De temps à autre il se récriait : cent dollars, c'était une plaisanterie. Ils ont fini par s'accorder.

J'ai demandé son métier à Fatsy. Il m'a dit qu'il était une sorte d'avocat. Il a regretté qu'un garçon doué comme moi se gaspille ainsi que le faisais, avec le premier ou la première venue; il avait l'air tout à fait au courant de mon petit trafic. Je ne savais pas ma valeur, et je commettais un gâchis en montant dans n'importe quelle voiture. Il me proposait d'entrer en affaires avec lui : tout ce que j'aurais à faire serait de rester près du téléphone de la librairie ouverte toute la nuit sur Santa Monica, à l'entrée de West Hollywood; l'horaire serait celui où j'occupais habituellement le carrefour. Le patron était son ami, il l'avait sauvé plusieurs fois de la prison pour des affaires de pornographie.

Affaire conclue. Désormais les voitures venaient me chercher à la librairie, ou bien même une grosse Cadillac noire à chauffeur, que Fatsy louait pour les grandes occasions, m'emmenait à Beverly Hills, ou dans les banlieues résidentielles d'Orange County. La limousine triomphait l'après-midi, et bon nombre de bonnes femmes alcooliques au bourbon étaient parmi les nouveaux clients. Les hommes, tous jeunes, à croire que les vieux avaient pour la plupart quitté Los Angeles, payaient mieux encore que les femmes. Je devais laisser la moitié à Fatsy; il est vrai que je ne payais plus de taxi, économie non négligeable à L.A.

Je surfais la vague le matin, et je surfais les corps le soir. En glissant de client en client, j'emmêlais les physiques, les voix; et je parlais à un client du jour en le confondant avec la femme de la veille qui m'avait inondé d'indiscrétions sur son mari.

Les gens qui choisissent de coucher avec un aveugle sont ceux qui ont peur d'être vus, ou ceux qui regrettent de ne pas l'être. Les doux, les timides, je les rassurais; j'étais en dehors du dur monde de la représentation physique, qui est le monde de la réussite. Tous les narcissiques, Fatsy avait raison, trouvaient un grand malheur, moins à ce que je sois aveugle qu'à ce que je ne puisse m'admirer moi-même. Ceux-là auraient voulu me voir voir; ils étaient les plus pénibles.

Dans mon pays, un homme a plusieurs femmes naturellement. Un garçon est d'autant plus estimé qu'il couche avec plus de filles, de femmes, ou même d'hommes. L'argent ne me gâchait pas ce plaisir, vite épuisé.

Malgré toutes ces expériences, je ne saurais jamais vraiment comment les voyants font l'amour entre eux. Percevoir visuellement l'amant doit amener à plus de suite dans les représentations; il ne pourrait arriver à un voyant, ce qui m'arrivait souvent, d'oublier complètement la présence de l'autre à mes côtés, et de sursauter de surprise en entendant à nouveau sa voix tout près de moi, quand il ou elle allume la première cigarette après l'amour. Un moment, j'ai essayé de fixer leur souvenir en leur demandant de se décrire. Une femme m'a répondu : « Les yeux roses, les cheveux verts. » Elle avait bien raison : comment aurais-je pu vérifier?

J'ai appris quelles terreurs gisent au fond du désir des voyants, en les écoutant parler pendant l'amour. Moi, je fais l'amour les dents serrées, sans un mot ni un gémissement. Eux tous exécutaient une cacophonie de soupirs, de supplications, d'encouragements, d'extases et de vagissements, comme s'ils avaient voulu compenser le fait que je ne les voyais pas en redoublant de présence sonore.

Je les entendais fermer les rideaux, tourner le commutateur électrique. Je sentais sous mes doigts leurs paupières fermées pendant qu'ils et elles jouissaient ou prétendaient le faire. Ils vivaient dans la frayeur de voir ou d'être vus. Moi, dans l'innocence.

Avec moi, disaient-ils, ils n'avaient plus peur de rien, plus honte de rien, même du ridicule.

J'ai vite appris à éviter les masochistes, les hystériques et les maniaques. J'ai eu affaire à une exhibitionniste, dont j'ai découvert après coup qu'elle ouvrait grande sa porte-fenêtre et sa porte, pendant que nous faisions l'amour, pour que ses voisins puissent profiter du spectacle que nous donnions.

Vint le jour où, des mois après, la fatigue cumulée de l'entraînement et de mon travail me fit perdre le contact avec ces corps qui se multipliaient.

Jusque-là, en dépit des confusions, je me rattachais à une odeur, une voix, un lieu. J'ai fait plusieurs fois l'amour avec la même personne sans la reconnaître, et j'ai senti que j'atteignais une limite, celle-là même que le peyotl m'avait fait éprouver; ma dissolution, mon éclatement entre les mains des autres.

Dans l'intensité de la décharge du sexe, je percevais maintenant d'étranges méprises. La couleur d'une chevelure, la remarque que mon interlocuteur n'avait pas prononcée à haute voix mais pensée, m'apparaissaient si clairement que je les énonçais, en étonnant mes clients. Conséquence de la fatigue? Fatsy n'en tenait pas compte, et m'annonçait en se frottant les mains avec son mouchoir qu'il avait une longue liste d'attente. Il m'avait apporté une revue, et je la tournais entre mes doigts sans savoir qu'en faire, quand il m'a dit qu'il y avait ma photo, juste en première page. J'étais sur ma planche, en couverture d'une revue de mode, sur papier glacé. Sous la photo, que Fatsy avait donnée sans me consulter, un petit texte présentait mon futur spectacle nautique à Marineland; le magazine m'appelait le « surfeur aveugle » gros comme la main, écrit en travers sur toute la page.

Je ne savais pas comment ils l'avaient appris. Olaf ne m'avait même pas prévenu. J'étais vraiment consommable à merci, entièrement jouet de ces gens trop grands, trop riches, trop sûrs d'eux; ils utilisaient ma cécité, un avantage supplémentaire pour vendre le produit.

Les appels de téléphone et la limousine ne chômèrent plus. Les gens de Beverly Hills voulaient tous coucher avec le jeune Arabe aveugle dont on avait vu la photo. J'étais convié à des parties dans les jolis petits bungalows pleins de plantes vertes. Je devenais public, « popular », comme disait Fatsy. Populaire dans le vrai sens du terme, puisque chacun pouvait prétendre accéder à mon intimité la plus dérobée.

Dans tous les bars et les restaurants, des dizaines de regards nous suivaient, Zita et moi, avec des chuchotements. Il m'était égal de me savoir épié, d'être considéré comme une curiosité, un objet sexuel, un garçon à vendre, ce que vous voudrez. D'abord, je ne les voyais pas, leurs regards; et il y avait une magie à passer par tant de mains, qui débordait le sexe étroit de leur pornographie visuelle. A Kerkenna, où il y avait quelques prostituées, les plus vieilles et les plus noires célébraient la nuit le culte d'Hawa, celle que les Européens nommenl Eve, Madame l'Amour, comme on l'appelait par périphrase, pour ne pas l'attirer en prononçant son nom. Elle régnait aussi à Los Angeles. Elle avait dû m'enlever à mon insu de mon île, pour me livrer à la folic dc cc pays.

Mes prix augmentaient.

C'était une forme de popularité très rentable; chaque regard posé sur moi est un dollar de plus, collé sur ma peau, par la main d'un client anonyme. Ils ne se lassaient pas de me regarder; une fois qu'ils m'avaient acheté, ils admiraient en moi le reflet de leur propre richesse, qui pouvait payer le bijou le plus insolite : moi, venu de si loin pour leur plaisir, venu de l'au-delà du visible pour leur faire l'amour.

Fatsy me présentait lui-même les clients particulièrement importants. Je l'appelais tous les jours, à cinq heures, pour savoir mon programme; et, ce jour-là, il m'a dit que je ne retournerais pas à Marineland de deux jours, si j'étais d'accord; il devenait de plus en plus acquis d'avance que j'étais d'accord. Pour gagner mille dollars, j'emportais une brosse à dents et une chemise propre.

En conduisant, en personne, la limousine, Fatsy me décrivait le client. J'allais chez une célébrité scientifique de la côte, et au-delà. Au-delà, pour Fatsy, résumait tout ce qui n'habitait pas l'Etat béni de Californie. Nous avons longé la mer, longtemps, en remontant vers San Francisco; le soleil était couchant à ma gauche. Nous avons fait plusieurs centaines de miles, et Fatsy a viré à droite, vers les montagnes. Sa conversation, mâchonnée, trahissait son trac, lui qui fournissait les stars et les hommes politiques, et avait même serré la main à la mère du Président, lors d'un gala du parti démocrate dont il s'occupait. Larry Home était de l'étoffe des prix Nobel; Fatsy a répété cette phrase, qu'il avait dû lire dans le journal, d'un air satisfait.

L'étoffe en question était bien gardée. A une dizaine de miles de la mer, les conducteurs devaient laisser leur voiture sur un grand parking. Des petits wagonnets, qui devaient être à air comprimé, émettant un souffle constant, transportaient les visiteurs. Pas de route, à l'intérieur de la Vallée, seulement des chemins de terre pour piétons, et ces petits aéroglisseurs passant au-dessus des lacs et des pelouses.

Nous sommes arrivés à un poste de garde, qui était bien la dernière chose que je me serais attendu à trouver au bout de la route en terre que nous suivions. Les gardes échangeaient des renseignements dans un talkie-walkie et nous ont laissés passer après confirmation de l'hôte.

Pendant que le wagonnet se garait, Fatsy a affirmé qu'il avait été étudiant quelque temps avec Larry; il ne désirait pas le lui rappeler, puisqu'il avait l'air de ne pas s'en souvenir. Je croyais rencontrer un vieux monsieur sentant le formol, je découvrais qu'il devait avoir l'âge de Fatsy.

L'endroit où Larry Home habitait semblait un grand parc, cerné par l'écho lointain des montagnes dans l'air du soir. L'ombre était déjà froide sous les grands arbres, et l'air était beaucoup plus pur, descendant des contreforts des Rocheuses, que dans la cuvette de L.A. Fatsy ne m'avait donné aucune indication de direction : l'endroit s'appelait Neurone Valley et était terrain militaire top secret. Rien que des laboratoires, des gens qui étaient des chercheurs dans les questions du cerveau. Une dizaine d'entre eux, aux voix décidées, étaient assemblés dans le salon de Larry, quand nous sommes entrés.

Aucun enfant ne troublait ce calme par ses cris, à Neurone Valley. Les couples qui y habitaient allaient au sauna, se baignaient dans le lac artificiel ou dans la mer, au bout de la vallée. Ils avaient une disco sur place, vivaient pour la plupart avec des filles qu'ils échangeaient; personne ne voulait d'enfants, ils auraient dérangé le travail. Les filles, sauf celles qui étaient des scientifiques elles-mêmes, restaient l'après-midi sur les terrasses des bungalows, à bronzer en regardant les émissions des quatre chaînes spéciales de la vallée.

Larry et ses amis n'arrêtaient pas de travailler; ils se levaient tous les matins à huit heures, se bourrant d'amphétamines pour trouver avant d'avoir trente ans le brevet qui les ferait vivre royalement toute leur vie. Larry en était déjà bourré, de brevets; il avait une voix brune, sèche, pas désagréable, terriblement précise; il m'a dit qu'il avait inventé une nouvelle matière plastique pour la chirurgie du cerveau. Fatsy affirmait qu'il était atteint d'une grave maladie, et je l'avais pensé atteint du cancer ou quelque chose de ce genre. Il n'en parlait pas, il avait l'air en pleine forme, et il pouvait bien avoir la peau bleue sans que je m'en soucie. Il a fait partir ses invités, et puis

Fatsy, qu'il n'avait pas du tout eu l'air de reconnaître; il lui a donné un chèque qui devait être énorme, si j'en juge à la façon dont Fatsy l'a plié pour le mettre dans son portefeuille. Fatsy était carrément obséquieux, et l'autre avait une voix autoritaire, et gênée, peut-être pour moi. Il lui a offert de prendre un whisky sur un tel ton que Fatsy s'est éclipsé aussitôt en me chuchotant qu'il me téléphonerait dès que je serais revenu.

Larry parlait d'une manière plutôt abrupte, même quand il essayait d'être gentil avec moi. Il avait toujours l'air de penser à une conversation poursuivie avec lui-même, et d'avoir à faire un effort pour se rappeler que c'était lui qui m'avait fait venir, et non moi qui étais tombé chez lui d'un hélicoptère. Il m'a demandé ce que je voulais pour dîner, et a commencé à composer le menu sur un clavier, comme celui d'une petite machine à écrire, qu'il m'a fait toucher. C'était un terminal de computer. Il tapait un mot, attendait la réponse, tapait autre chose. Cela a duré cinq minutes pendant lesquelles il m'a demandé à quelle heure je voulais me réveiller, à quelle température je voulais ma douche, à quelle heure, quelle sorte de thé pour le lendemain matin, comment la viande, cuite ou saignante, et bien d'autres détails encore. Il tapait mes réponses, au fur et à mesure; il m'a expliqué qu'il avait programmé les douze prochaines heures, depuis l'apéritif, qui est juste apparu avec un claquement dans le monte-charge, jusqu'à la porte et le téléphone, qui sonneraient occupés jusque-là. Il avait même confectionné un programme pour la musique, et un pour la télé, qu'il regardait à peine et sans le son, uniquement pour contrôler en permanence, dans un coin de l'écran, les courbes d'une expérience qui était en train de se dérouler toute seule dans son labo, à l'autre bout de la vallée. Le sous-sol de la vallée, à l'entendre, n'était que câbles d'ordinateurs, aussi gros et aussi nombreux que les conduites de gaz et d'eau dans une ville.

Nous nous sommes assis pour dîner sur le grand canapé gonflé d'eau. Il faisait toute la conversation, posait toutes les questions, pendant que le passe-plat montait les plateaux. Il donnait l'impression de s'être enfin rappelé pourquoi il m'avait fait venir. Il voulait tout savoir, d'où je venais, comment j'étais devenu aveugle, qu'est-ce qui m'avait donné l'idée de transformer ma cécité en prostitution. Je n'avais jamais accepté ce mot, avant Larry. Il avait l'air de croire que Fatsy m'avait éborgné exprès, ou ma mère, comme on fait aux enfants chez moi, pour les transformer en mendiants qui rapportent.

Il m'a fait raconter toute l'institution, et j'aurais juré qu'il la connaissait comme moi. Je lui ai demandé s'il y avait été, mais il a éludé la question en disant que toutes ces institutions se ressemblent.

La chatte s'était installée sur les genoux de Larry et se laissait caresser; elle ne le faisait jamais avec personne.

Larry s'est levé, m'a entraîné dans la pièce à côté, et je me suis rendu compte qu'il était chauve. Il avait l'air d'attendre ma découverte avec un petit ricanement, en penchant son crâne poli et bosselé vers moi. Ensuite il m'a offert un nouveau cocktail, que j'ai refusé, deux pilules de T.T.1, qu'il a pris tout seul; il prenait des masses de drogues, et des quantités de vitamines pour combattre l'effet des drogues. Il prétendait que cela lui faisait du bien, de sentir cette circulation chimique en dedans de lui. Il ne dormait que quatre heures par jour, se bourrant des médicaments inventés par ses amis, qu'il était toujours le premier à vouloir essayer. Aussi, à peine l'avais-je niqué qu'il s'est endormi. Le seul point notable c'est qu'il a essayé plusieurs fois de passer sa main devant mes yeux à mon insu, mais je m'en suis toujours aperçu. Mes cils sentent la chaleur d'une main à distance. Et je fermais les paupières; il en était contrarié, parce qu'il voulait observer la phosphorescence au fond de mon regard.

Evidemment, ses pilules l'avaient un peu détraqué. Mais il réussissait dans sa spécialité, il était riche. Il s'est réveillé au petit matin, et il est sorti de la chambre, en me laissant seul, sans rien me dire. J'ai entendu le bruit des œufs qui cuisaient dans la poêle; je me suis levé, et j'ai été à la salle de bain en tâtonnant sur les murs : ils étaient bâtis en un plastique mou, comme le sol, qui étouffe totalement les sons. J'étais complètement perdu. J'ai trouvé le lavabo, et j'ai commencé à me laver les dents en réfléchissant qu'hier soir aussi, il m'avait laissé faire, sans bouger lui-même, la découverte de son bungalow. Mon indépendance avait l'air de l'intéresser.

Le jet de la douche avait été programmé la veille, alternativement glacé et brûlant. J'avais laissé mes habits dans la chambre; j'ai mis un vieux pull et un jean qui séchaient près de la baignoire. Quand je suis ressorti, après avoir tourné dans le couloir et avoir ouvert ce que je pensais être la porte de la chambre, j'ai senti l'air frais. J'étais dehors, et je ne trouvais pas le bouton de la porte d'où je sortais. J'ai fait le tour de la maison pour revenir à la porte principale. Des arroseurs automatiques étaient déjà en marche dans le soleil levant. J'ai sonné à la porte sous l'auvent, j'ai entendu la voix de Larry qui répondait sur un message enregistré qu'il n'était pas là. J'ai sonné de nouveau, et de nouveau, jusqu'à ce que Larry en chair et en os interrompe Larry enregistré, qui répétait pour la dixième fois sa formule. Il a ouvert violemment la porte en me hurlant en pleine figure : « Puisque je vous dis que je ne suis pas là ! » J'étais stupéfait, il pouvait le lire sur mon visage. Il était à moins d'un mètre, et il ne me reconnaissait pas.

Pourtant, il n'était pas aveugle, lui ! J'étais vexé.

D'ordinaire, c'est moi qui oublie aussitôt les gens avec qui je fais l'amour. Sa voix est devenue plus gentille, et j'ai senti qu'il passait encore la main devant mes yeux. J'ai détourné la tête, il a ri, et il m'a entraîné à l'intérieur. Zita a poussé un miaulement furieux en me sautant sur les genoux, et Larry s'est excusé sur sa maladie. Il était prosopagnosique. Je lui ai fait épeler le mot, et je l'ai reconnu. Voilà pourquoi il connaissait les institutions. Les prosopagnosiques sont des sortes d'amnésiques, j'en avais entendu parler par des camarades d'institution. Une maladie terrible : ils ne reconnaissent plus les visages. Larry ne pouvait même pas identifier celui de sa femme, de laquelle il avait divorcé pour cette excellente raison qu'il n'était jamais sûr que ce soit toujours la même. Elle l'avait quitté, lassée de porter en permanence une seule couleur de vêtement, le jaune canari, pour lui éviter de se méprendre. Il ne parlait à ses enfants qu'au téléphone; il reconnaissait parfaitement les voix, et à la vue, il les aurait pris les uns pour les autres. Il lui était désagréable de toujours s'adresser à des inconnus qui avaient la voix de ses proches; il avait décidé de rompre avec sa famille, et de n'avoir aucune liaison régulière. Les gigolos, il ne couchait avec eux qu'une seule fois. Les gens avec qui il travaillait, il ne les regardait jamais; ils portaient tous la même blouse jaune canari, avec leur nom brodé au revers. Quant à ses collègues, ils prenaient soin d'arborer chacun un signe vestimentaire bien à eux, pour qu'il puisse les identifier.

Au demeurant, Larry avait une excellente vue, et me le prouva en me décrivant longuement mon visage.

Je m'absorbai dans mes pensées. Il avait l'intention de me renvoyer, après usage; j'en faisais autant avec mes clients; j'étais choqué qu'il fût en position de prendre l'initiative. Mon avantage disparaissait, qui les faisait me regretter : il m'oublierait aussitôt.

Je l'ai déploré un instant : je nous trouvais une communauté de situation.

Sa maladie n'était qu'un détail pour lui, qui lui simplifiait plutôt la vie, réduite au sexe et au travail. Il s'intéressait vraiment à moi, il avait lu l'article du magazine où il y avait ma photo. Il voulait savoir d'où me venait mon sens de l'équilibre; et il me posait des questions pièges; j'avais l'impression de jouer au chat et à la souris avec lui depuis la veille, comme s'il avait été persuadé que, moi aussi, je lui cachais quelque chose.

Pendant les deux jours que j'ai passés chez lui, il n'a pas perdu une minute. Il m'a proposé, comme un cadeau, de me faire un examen complet; il avait l'air tellement content, quand j'ai dit oui, que j'ai commencé à soupçonner qu'il m'avait plutôt fait venir pour mon infirmité que pour le sexe.

Quand il m'avait rencontré, il était convaincu que j'étais un faux aveugle et que l'article était une combine de Fatsy pour faire monter les prix. Il m'a demandé si j'avais gardé mon dossier; je lui ai dit la vérité, que je ne l'avais jamais lu; il a gardé un silence significatif.

Son enfance de mal-voyant avait poussé Larry à devenir étudiant en neurophysique. Il s'intéressait à tout ce qui avait rapport à la vision; en doutant de ma cécité, il n'était pas franchement offensant; il s'en amusait, comme d'une bonne blague à froid. Il admettait que j'avais des problèmes de vision; mais comment lui démontrer que j'étais aveugle? J'en devenais enragé. Il prétendait m'avoir observé, et que je ne me heurtais à rien dans son salon, dont les murs étaient en bonne brique bien sonore. Il m'a fait décrire le gros vase à fleurs de son entrée, que je n'avais jamais touché; je me plaçais en face. Je le sentais rond, un peu plus large en bas, avec un long cou. Je savais la forme grossière d'un objet par le son qu'il réfléchissait, directement, ou sur le mur derrière; je sentais les obstacles par une prémonition, quelque part sous le front, entre les tempes. Il me fallait me tourner vers un objet pour en deviner la forme. Il m'écoutait volontiers, et je me rendais compte que je m'enferrais; il était tellement plus simple de supposer que je voyais, fût-ce un peu.

Au soir du premier jour, je l'avais convaincu qu'il n'avait pas affaire à un imposteur. A présent, je réclamais les examens. Il avait changé d'avis : j'étais aveugle par « hystérie », terme qui ne désignait pas seulement les femmes qui poussent des cris aigus, mais tous les actes qu'on fait sans les vouloir, en les voulant.

Il avait bien calculé son coup avec Fatsy pour avoir le temps, deux journées, pour élucider le mystère du « surfeur aveugle ». Il m'a emmené dans sa jeep, jusqu'à un autre bungalow, une ferme : des poules se sont envolées à notre arrivée, et un homme était en train de nourrir des canards, en tout cas des êtres vivants qui faisaient le bruit des canards, et avaient peut-être des corps de lapins.

Nous sommes entrés dans le bungalow; l'homme qui nourrissait les bêtes était aussi une étoffe de prix Nobel. La pièce était remplie d'un bric-à-brac, dans lequel je me cognais, des livres, des instruments agricoles, des téléviseurs. Il m'a fait asseoir dans un fauteuil de dentiste, réformé de l'Ouest; ils se sont mis à s'activer, en maniant un casque surmonté d'électrodes qu'ils m'ont fait toucher. Dans un premier temps, ils ont regardé la fracture du crâne à la radio : aucune lésion n'était visible sur le cerveau. Je ne savais pas ce que c'était qu'un électro-encéphalogramme, je n'en avais pas subi à l'hôpital. Ils m'ont fait une petite piqûre, puis se sont disputés entre eux pendant que je planais dans un demi-sommeil agréable, me félicitant de ne pas avoir emmené Zita qui aurait détesté ces petites décharges électriques. L'homme n'arrivait pas à régler l'appareil, jurait qu'il s'en était servi la semaine précédente. Enfin, ils ont dû trouver ce qu'ils cherchaient; ils se sont tus en observant un écran. Je ne pouvais deviner ce qu'ils en tiraient.

Larry a fini par se relever et a triomphé discrètement. L'autre frappait l'écran avec son index. Il soutenait qu'il existait des aveugles réels qui montraient des rythmes normaux. Ils ont consulté un gros livre, des fiches, l'ordinateur; j'écoutais les petits oiseaux voleter dans les branches des pommiers autour de la maison, derrière les planches de la paroi. Ils m'ont fait un examen du fond de l'œil au laser, et je croyais sentir une petite brûlure se promener sur ma rétine. Je savais depuis longtemps que tous mes réflexes de l'œil étaient ceux d'un voyant; ma pupille se rétractait à la lumière.

Tous les nerfs qui commandent le mouvement de l'œil peuvent être intacts, quand l'œil lui-même ne voit pas, qu'un autre nerf rend « voyant ». Larry pouvait me brancher un projecteur en pleine figure, la contraction de mes yeux ne venait que de la chaleur et du réflexe. Il m'avait classé dans la catégorie des aveugles par volonté de ne pas voir, en me faisant remarquer que je connaissais bien, à l'institution, des aveugles qui étaient convaincus d'être voyants. La maladie était symétrique. Il ne pouvait croire à ma cécité parce qu'il ne pouvait pas la voir lui-même, ai-je répliqué.

Il a réfléchi et a reconnu de bonne grâce que je ne pourrais jamais lui prouver que j'étais bien aveugle. La limite entre voyant et non-voyant était au-delà, ou en deçà, de la Science. Il avait connu un cas analogue au mien, où un traumatisme avait causé un abcès au cerveau, qui s'était par la suite résorbé sans traces. Le garçon avait été réellement aveugle pendant quinze jours, et l'était resté par habitude. Dans mon cas, la prostitution, peut-être, me maintenaitelle aveugle. Je me croyais encore aveugle, mais je ne l'étais plus.

Certes, j'avais eu un choc, la cicatrice était là; il arrivait souvent qu'une blessure brièvement aveuglante devienne cause d'une cécité totale, par suite psychologique. Il avait même connu le cas d'un garçon qui était devenu aveugle au cours de sa nuit de noces. Selon Larry, j'étais aveugle pour ne pas voir les gens avec qui je couchais; il le comprenait parfaitement bien, étant donné que le spectacle ne devait pas toujours être ragoûtant.

Comment empêcher un homme intelligent de raisonner à l'envers? Je savais que je couchais avec n'importe qui parce que j'étais aveugle, et non l'inverse.

Pourtant, mon « rythme alpha occipital » était normal. Larry claquait des doigts, énervé par ma résistance. Ils se sont remis à se disputer, pendant que je buvais un café à la flotte dans une sorte de verre gradué pour les expériences. J'ai entendu le copain de Larry trafiquant quelque chose à la cuisine. Il est revenu près de moi, et j'ai senti l'odeur de fumier et de fumée de ses vêtements. Je ne savais ce qu'il fabriquait au-dessus de ma tête, et j'ai dû me retenir d'avancer la main. Il y a eu un grand silence, et puis Larry s'est approché de moi en me présentant ses excuses. Il avait été incrédule à tort : j'étais strictement aveugle. J'ai voulu savoir quelle était cette expérience décisive. Ils m'ont tendu un tout petit couteau de cuisine, suspendu par le milieu à une ficelle fine; en le balançant, la pointe venait en avant. Ils l'avaient fait devant mes yeux; l'objet était suffisamment petit pour que je ne le sente pas, cas où je fermais les yeux par réflexe. Je n'avais pas cillé : je n'avais pas de « clignement à la menace ». Cette expérience était plus sûre que toutes les machines, si simple, qu'ils ne l'avaient tentée que par sécurité, sûrs d'obtenir le résultat inverse.

Larry avait l'air un peu déçu; moi, j'étais soulagé. Il avait fini par me mettre le doute en tête.

Il était déçu, mais définitivement convaincu. Un objet suffisamment petit et froid est invisible pour moi. Et on ne triche pas avec le clignement à la menace, ce réflexe du cerveau central plus ancien que les plus anciens mammifères, d'après Larry. Un réflexe automatique où l'œil se préserve lui-même. Un réflexe de survie que nulle volonté ne peut suspendre.

Larry m'a ramené chez lui, dans la jeep; je lui ai confié que j'avais cru voir, une seule fois, depuis l'accident. Sans doute, après la coupure du nerf, le reste du cerveau qui crée la vision devait être intact, et pouvoir marcher en quelque sorte en circuit fermé, surtout excité par la drogue. Traduction vulgaire : je me faisais une idée, enfin, du cerveau. Gamin, je pensais seulement que l'intérieur de la tête était empli d'une gélatine blanche, du sperme concentré, qui coulait par la moelle épinière et le sexe.

Les explications de Larry ont été la première revanche de mon esprit. Personne ne s'était jamais donné la peine de me former une idée de ce qui m'était arrivé. Larry n'était pas comme les médecins, il acceptait de discuter sans bâiller ou me tapoter les joues. Il ne se rendait pas volontairement incompréhensible. Mes études n'avaient pas été très poussées; Larry pensait que chacun devient un savant quand il s'agit de sa propre chair, de ce qui fait la couleur de sa vie; Larry a été le premier à flatter ma vocation d'autodidacte, à me dévoiler un peu de savoir. Le prostitué de Santa Monica Boulevard discutait du cerveau avec un Maître de la Science.

Le cerveau : à Kerkenna, comme à Rome, les médecins m'en avaient bien parlé, sans réaliser que je n'en avais jamais vu de représentations; à l'école de

Kerkenna, le seul matériel pour l'enseignement était une carte du monde offerte par Tunis Air. Mrs. Halloween était bien incapable de me donner la moindre culture scientifique, et ses guérisseurs restaient prudemment indéchiffrables. Je savais que j'avais eu un coup derrière la tête, que ça « avait abîmé le cerveau », selon les termes les plus ordinaires.

Plus tard, je m'étais fait envoyer le dossier de l'hôpital romain à Santa Barbara, et la directrice m'avait lu quelques extraits, en butant sur le mot « cécité corticale ». Je ne savais rien de ce terme barbare qui avait l'air de se rapporter à l'épluchage d'un fruit. Je n'avais jamais suivi de cours de sciences naturelles qui aille plus loin que la plante. Larry était la première personne qui me permettait de me faire une idée d'une chose si importante pour moi. Comme les gamins de l'institution, j'aurais cru qu'on voyait devant. Et l'introduction d'un petit bout de fer dans ma nuque ne m'avait, d'abord, pas du tout donné l'idée que j'étais aveugle. En écoutant les explications hachées de Larry, je déplaçais le siège de la vision à l'arrière de la tête. La zone où j'étais atteint était numérotée 17, juste de part et d'autre d'une raie centrale qui divise l'arrière du cerveau. L'aire voisine, la 18, s'appelait l'aire de Brodman; Larry, tout jeune, y avait été atteint. Il en parlait sans émotion, sinon celle d'envier ce Brodman-là, qui était peut-être déjà mort et avait son nom inscrit dans son cerveau à lui, Larry, comme une rue qui porte le nom du général que vous auriez aimé être, dans la ville où vous habitez.

Dans toutes ces zones, autour de la mienne, se faisait le travail de reconnaissance des objets, des lettres et des mots. Le plus important n'est pas de voir, mais de savoir ce que l'on voit. Et tous ces centres devaient être intacts chez moi.

Nous sommes rentrés dîner au bungalow; Zita ne voulait plus quitter la chambre, et elle s'était installée au milieu du lit en plastique gonflé d'eau qu'elle menaçait de crever avec ses griffes, en jouant avec Larry. Pour éviter une inondation, il lui a donné une pilule de somnifère, qu'elle a acceptée sans méfiance; en deux jours, ce qui venait de la main de Larry lui était devenu familier, elle qui n'avait accepté de nourriture que de moi. La pilule n'était pas qu'un somnifère. Elle agissait sur une petite boule de nerfs, près du cerveau. Quand la chatte s'est mise à rêver, au lieu d'esquisser les gestes, elle s'est levée et elle s'est mise à chasser exactement comme si elle était éveillée; elle m'échappait, comme si elle ne me sentait pas, ni mes mains, ni ne m'entendait. Elle chassait une souris imaginaire qui n'existait que dans son rêve; ensuite elle s'est mise à miauler d'une voix rauque pour appeler un chat; je lui donnais des coups de pied mais elle ne réagissait pas.

Toutes ses impressions venaient de l'intérieur. J'avais peur des effets du produit, un médicament qui faisait agir des rêves aussi violents. Larry m'assura que les rêves n'en devenaient pas plus violents; le produit était inoffensif. Cette petite boule de nerfs sert normalement à couper les commandements que le cerveau donne aux muscles, quand on dort, afin de maintenir le corps en repos. Elle n'avait pas pu faire son travail, à cause de la pilule.

Quand nous sommes au bord d'un précipice, ou qu'une bête féroce nous saute à la gorge, en rêve, nous restons immobiles dans notre lit. Ce petit tas de nerfs coupe radicalement le courant qui va aux membres. Le cerveau fonctionne tout seul, comme je l'avais pressenti, en circuit fermé.

Larry se tournait vers moi avec un rire engageant, comme s'il m'offrait un cocktail nouveau. Il n'avait aucune espèce de morale sur les drogues; moi, si.

Selon Larry, je disposais là du seul moyen, pour moi, de savoir ce que je rêvais; et même de savoir si je voyais en rêvant. On aurait ainsi prouvé que ma fonction visuelle était juste déconnectée, mais intacte.

Autant l'idée d'être vu éveillé m'indifférait, autant je répugnais à être vu rêvant. Pourquoi? Je n'aurais pu le savoir qu'en me voyant moi-même rêvant. Larry l'avait fait comme tous ses collègues de la vallée; il s'était filmé avec une caméra automatique. Mais à moi, il me faudrait toujours un intermédiaire, quelqu'un pour raconter.

Sous l'effet de la drogue de Larry, les rêveurs ne parlaient pas plus que dans la vie normale. Il fallait interpréter leurs gestes, leurs mimiques, le film muet de leurs aventures, de leurs désirs rêvés.

Larry s'en affirmait capable. Il était l'intermédiaire idéal : il ne savait rien de moi; au bout d'une soirée, je me suis laissé tenter. Je l'ai laissé me regarder rêver, cette nuit-là. C'était le seul moyen de me connaître moi-même.

En me réveillant, je l'ai interrogé anxieusement.

Est-ce que j'avais vu? Est-ce que j'avais l'air de quelqu'un qui voit? Comment lire sur un visage s'il voit? Mes yeux, pendant le sommeil, s'étaient mis à bouger, non pas paresseusement, comme quand j'étais éveillé et que je suivais, par habitude ou réflexe, les sons que j'entendais. Non, mes yeux, grands ouverts, voyaient manifestement, rien pourtant de ce qu'il y avait en face, la figure de Larry, mais un tableau intérieur, qu'ils balayaient incessamment.

J'avais fait quantité de gestes, dont Larry n'avait pas perçu le sens, et qui se rapportaient évidemment à ma vie avec Mrs. Halloween, point sur lequel je n'ai pas éprouvé le besoin d'être explicite avec lui. Je m'étais aussi accroupi à plusieurs reprises, puis agenouillé, les bras sur le sol; Larry ne reconnaissait pas le geste de la prière. Je l'avais fait plusieurs fois, dix fois, vingt fois, ce qui voulait dire que mon rêve comprenait des journées et des journées passées là-bas, à Kerkenna.

Ma posture de prière intriguait Larry. Je lui en donnai la clef. En rêvant, je m'étais toujours tourné, au cours de l'expérience, dans la même direction, en faisant ce geste de la prière. Il avait tenté de me désorienter, m'avait fait pivoter sur moi-même, avait changé le lit de place. Aucune impression extérieure ne pouvait me parvenir pour m'indiquer cette direction. Je lui ai traduit le début de ce vers de la deuxième sourate qu'on me faisait réciter, enfant :

« Nous t'avons vu tourner incertain ton visage de tous les côtés du ciel. Nous voulons que tu te tournes désormais vers une région où tu te complairas... En quelque lieu que vous soyez, tournez-vous vers cette plage. »

A propos de plage, nous sommes allés nous baigner au bout de la Vallée, sur la grande plage où le personnel venait se distraire.

Nous avons continué à discuter, étendus au soleil, en mangeant des hamburgers. Ce que racontait Larry me passionnait, je comprenais sans avoir besoin de dessin. Il revint à la prière. Il avait constaté, avec sa boussole, que je me tournais obstinément vers l'Orient, l'Orient réel du soleil levant, pour prier, même en rêve. Il est vrai qu'à Kerkenna, je me tournais aussi à l'Orient : la direction de La Mecque n'avait pas changé pour moi, en Amérique.

Je ne priais plus depuis des années. N'empêche, je n'avais pas perdu l'intuition de la bonne direction. Larry ne comprenait pas comment l'esprit pouvait se complaire dans une direction plutôt que dans une autre. Au plus, il aurait admis une préférence de lieu, pas d'orientation. Et comment cette orientation survivait-elle au rêve, franchissant la barrière du réel?

Déjà un fossé se creusait entre Larry et moi. Il voyait l'esprit comme une vue parfaite à trois cent soixante degrés; il ne comprenait pas comment l'esprit pouvait se tourner vers quelque chose, sans avoir de face à tourner. Je le faisais tous les jours, avec des sons et des odeurs.

Et je savais qu'une certaine région du ciel, celle qu'on peut sentir, foyer naissant au creux des paumes, quand on se tourne vers le soleil levant, les mains ouvertes, plaisait à mon esprit, comme à mon corps. Attrait plus sensible sur une plage, à Kerkenna, comme si l'écho du muezzin avait vogué sur l'eau d'une mer à l'autre, par-dessus l'Afrique. Ici, les plages regardaient à l'ouest.

L'esprit de Larry, instinctivement, se tournait au couchant, parce que le rêve, l'aventure, la richesse sont à l'Ouest pour eux comme elles sont à l'Orient chez moi et en Europe.

Son Orient était à l'ouest : pour me suivre, il fallait survoler les Rocheuses, les plaines dc Middle West, la fumée dc New York, l'Atlantique, l'Europe et l'Arabie. Alors que par le Pacifique...

Larry voulait m'emmener à Hawaii, pour recommencer l'expérience, et constater ce que je ferais, en étant plus proche de La Mecque par l'ouest que par l'est. Il faisait couler du sable d'une main dans l'autre, en parlant.

Dans le cerveau, tout était rangé dans un ordre complètement différent de celui du réel, l'Orient n'était pas plus à l'est dans ma tête que le jaune n'y était jaune. Pourtant, je pouvais le jurer, je sentais bien l'Orient, le seul, le réel, il était fait de safran et de jasmin, de chaleur et de poussière, et je plissais les yeux, spontanément; seul souvenir gestuel de l'éblouissante lumière de Kerkenna.

Que voyais-je en rêve? Je crois que Larry m'aurait volontiers découpé deux petits orifices dans la nuque pour l'épier, si cela avait été possible. J'étais le seul qui aurait peut-être pu interpréter les mouvements de mon propre visage pendant le rêve, et le seul à ne pas le pouvoir. Larry bâtissait des hypothèses à haute voix; il faudrait mettre au point un magnétophone plastique, un masque souple posé sur moi et qui aurait pu reproduire à volonté mes gestes enregistrés, en volume tactile et vraie surface. J'ai trouvé l'idée excellente, je ne comprends pas comment on peut se satisfaire d'une projection, quand la vie est en relief.

Le lendemain, j'ai été raccompagné par une voiture officielle à Marineland, où Olaf a bien accepté que j'aie passé deux jours à faire des examens du moment que ça ne lui coûtait rien; on sait que les examens médicaux sont une distraction d'aveugle. Je suis retourné ensuite à West Hollywood avec Zita. J'étais décidé à draguer n'importe qui pour oublier Larry; je lui trouvais trop d'emprise sur moi. Il m'avait vu rêver : mon indépendance en souffrait.

J'ai continué à donner des rendez-vous aux clients de Fatsy; c'était une habitude commode; on me baladait, ou m'invitait, et on me payait. A quelques-uns, après avoir un peu bu, je racontais ma découverte du cerveau; ils étaient ravis d'être tombés sur un jeune homme si cultivé; un éleveur de dindons m'a donné de l'argent pour que j'aille m'inscrire à l'Université. Je n'aurais pas été le seul; je connaissais au moins deux autres garçons, sur Santa Monica Boulevard, qui payaient leurs études par des passes.

Fatsy insistait pour que je téléphone à Larry; il ne comprenait pas mes réticences. Il s'était converti à l'astrologie, et voulait me faire participer à des séances d'évocation. J'ai refusé, encore que ce fût bien payé; je n'ai pas de goût pour les messes noires. Je prends ces choses plus au sérieux que les Occidentaux. Fatsy a tiré mon thème, et il a découvert que je retrouverais la vue grâce à un magicien riche et puissant, qui ne pouvait être que Larry. L'oracle était téléguidé; je n'ai pas cherché à revoir Larry. Il m'a retrouvé de lui-même. Pour le fuir, j'avais changé de tenue plusieurs fois, me souvenant de sa maladie. La chatte, qui m'aurait fait reconnaître, restait à la maison.

La jeep s'est arrêtée, un soir, devant moi. Je l'ai tout de suite reconnu. Acceptant le destin, je suis monté sans un mot. Larry m'a dit plus tard que, depuis deux semaines, il embarquait tous les jeunes à cheveux noirs bouclés, pour écouter leur voix et leur examiner les yeux dans l'obscurité de sa voiture. Il s'était retrouvé avec des dizaines de Portoricains, Mexicains, Philippins, parfaitement voyants. J'aurais pu lui échapper longtemps, en « faisant le voyant », comme nous disions à l'institution.

Il a ouvert un nouveau flacon de « poudre d'ange » en mon honneur qu'il reniflait à la petite cuillère. Nous avons passé quelques semaines ensemble, nous sortions le soir dans la discothèque que Larry préférait, et restions coucher chez Fatsy qui nous prêtait son appartement à Malibu. Larry était vraiment célèbre : dans tous les lieux publics, les gens voulaient lui parler, même dans les boîtes de nuit. Je ne me rends pas très bien compte de ces choses-là; je ne lis pas les journaux, je ne vois pas les photos. Je constatais que mes prix montaient encore; je refusais du monde, en commençant par les plus jeunes qui prétendaient être belles ou beaux. Je commençais à éprouver dans ma chair ce que signifie vivre dans la capitale du cinéma, pour un aveugle : quelle chance m'était donnée de pouvoir rester la tête froide, au milieu du plus grand spectacle permanent du monde, au cœur de la plus riche fabrique d'images!

Tous mes interlocuteurs, dans les bars, travaillaient pour le cinéma; ils juraient qu'on aurait pu faire une fortune sur mon visage, en me scrutant, comme s'ils avaient pris les mesures d'une propriété pour la faire bâtir, quand ils l'auraient achetée.

Larry essayait de danser avec moi; il était très maladroit, du moins pour moi. Je dansais pour moi seul; il n'y a que moi qui puisse être mon partenaire.

Quand nous étions fatigués, nous allions nous asseoir, et Larry me faisait la conversation en criant, par-dessus la tête des gens et la musique, des phrases que j'attrapais au vol.

Le public pensait Larry très orgueilleux; il ne reconnaissait personne. Ils n'auraient pu croire à sa maladie, même s'ils l'avaient connue. Ils ne croyaient pas, eux, que le visage, leur visage, puisse n'être qu'une construction dans le cerveau d'autrui. Ils pensent qu'ils sont leur visage, unique, matériel, bien à eux, une variante de la face de Dieu. Je n'ai plus de visage, et personne n'en a pour moi.

Un visage est un paysage; un paysage n'existe pas hors du belvédère d'où on le contemple. Un visage, pour moi, est plutôt une main, la forme d'un corps, d'un genou. Simple comparaison : je sais bien qu'un genou n'est pas un visage. Les jeunes gens, à L.A., étaient terrifiés à l'idée de n'avoir plus de visage. Ils ne pouvaient pas croire qu'on peut vivre sans.

Larry commettait sans le vouloir les pires affronts à l'égard de notables, de vedettes, qui étaient obligés de s'annoncer pour qu'il les identifie. Tous avaient un peu peur de lui, et ils s'adressaient de préférence à moi, pendant que Larry caressait Zita en leur tournant le dos. Moi, j'écoute tout le monde; un sourire suffit pour répondre.

Je n'avais jamais observé, ni avec Mrs. Halloween ni à l'institution, de relations aussi dures. Seules comptaient la richesse, la célébrité, ou la jeunesse et la beauté, rarement les deux ensemble. Et moi, j'essayais dans ce bal infernal d'échanger une beauté qui m'était inutile.

La musique, au moins, et le mouvement, dans ces endroits, étaient incroyablement présents. Pour ne pas me heurter aux tabourets du bar et aux clients, je dansais tout le temps; j'avais fait de la danse le meilleur moyen de garder mon équilibre. Larry m'a raconté qu'un philosophe français a écrit qu'il n'y a pas de perception sans mouvement. En dansant, je multipliais sans le vouloir les contacts, les échanges de chaleur, sans parler des odeurs, qui n'étaient pas toujours des plus agréables. Quand je posais trop longtemps l'index sur des caractères braille, je ne sentais plus les points. Un visage n'est peut-être rien d'autre que cela : le rêve d'une figure immobile, celle des photos d'identité, presque imperceptible.

J'ai toujours aimé, à la folie, le mouvement. Je ne m'étais jamais bien imaginé Mrs. Halloween au repos, et je n'aurais pas aimé voir son cadavre. Larry, lui, étouffait s'il n'avait pas fait une ou deux centaines de miles dans sa journée. Moi, je ne perçois que le mouvement de mon corps, et je n'ai de sentiment de mon corps qu'en bougeant. Les vieillards, à l'institution, se balançaient sur eux-mêmes, agonie amortie, se rappelant ainsi à une existence vaguement rythmée, en dissolution dans un monde assoupi. Ce vice de « rocking », nous habituait très tôt à notre retraite de mutilés. Ce balancement n'est que le compromis entre notre mouvement, et la peur du regard des voyants. Que le même mot anglais signifie ce mouvement lent des aveugles, et la danse que diffusait le juke-box de Kerkenna, je l'avais découvert ici. Notre balancement n'est qu'une danse entravée.

En dansant, l'univers me paraissait le ballet tactile des mouvements d'une armée d'ailes d'insectes, ou de ces oiseaux-fleurs que Mrs. Halloween m'avait fait connaître, et qui restaient presque immobiles en battant follement des ailes. Une piste de danse n'est pas un monde de regards, mais de tactilités effleurées, de cils vibratiles en frôlements.

Les sensations s'enchevêtraient; tous les sens avaient leur centre, disait Larry, mais chaque centre était aussi une image de ce qui se passait dans un autre, dont l'écho lui parvenait plus ou moins assourdi.

Larry m'avait conseillé de comparer la sensation à la tonalité qu'on entend, au téléphone, sur les longues distances. Elle s'affaiblit et change de rythme à mesure des relais. Les odeurs nous parvenaient d'un district voisin, aussitôt après la première tonalité, très proches; seul fil qui conduisait de notre nez à notre cerveau. Sentir, en effet, était le mot qui m'avait toujours donné la plus forte impression de présence.

Je peux résister à une musique, pas à une odeur. Je n'ai aucune honte des bruits; j'ai presque peur des odeurs, qui sont souvent des preuves de l'impureté. J'emploie toujours le mot « sentir » pour « voir », y compris pour dire « toucher »... Au début était le sentir, affirmait Larry, au début de l'Evolution. Qu'était-ce que l'Evolution?

Nous avons passé un autre week-end à Neurone Valley. Larry m'a fait toucher des vrais cerveaux, de veau, de porc, de chimpanzé. Ce dernier était encore tiède, et si fragile qu'en appuyant un peu le pouce, j'aurais pu détacher un morceau de l'éponge humide qui collait aux doigts. Dans cette purée tremblotante, des milliards de petits centres se consacraient à interpréter le monde.

Larry était émerveillé de mes progrès. Un voyant ne peut se représenter la vision sans s'y inclure lui-même comme spectateur. Moi, je ne cherchais pas le « petit homme » installé derrière la vitre de mes yeux, ou dans ma tête. Mon cerveau : méduse flottant à l'intérieur de ma tête, il n'était qu'un relais, un capteur, un élément du monde relié à ce monde sensible par de multiples échanges, intrications, mosaïque de tensions, qu'aucun centre général ne résumait. Comme une plante, le cerveau était capable de reconstituer des morceaux manquants, pour assurer la survie du corps.

Dans les replis enfouis, les molles cavités laiteuses, à coups de répétitions, d'échanges de signaux, une présence se formait qui se croyait elle-même simple; une sensation, une vision, une odeur, somme toujours en cours de modification de petites actions chimiques, se prenait pour le centre du monde.

Larry était content de moi. Je reconstruisais la science voyante sans la connaître, comme le doigt reconnaît à deux points un caractère braille qui peut en comprendre jusqu'à six, ou l'œil une vision du monde trouée pourtant en son centre, d'après Larry, par cette « tache aveugle » que tous les voyants portent inconsciemment.

L'abstraction, qui causait aux étudiants voyants d'affreux maux de tête, m'est facile. Penser, sans tenter de voir ou de se représenter l'espace, sans avoir besoin de contempler un plan, le temps, sans se figurer un sablier qui coule : je ne suis empêtré d'aucun des symboles, d'aucune des comparaisons.

Les meilleurs des topologues, savants qui étudient l'espace, étaient aveugles, disait Larry. Mon espace est en relief parce qu'il n'est que palpation des surfaces, des formes mêmes.

L'été californien s'assoupissait autour de la Vallée. Le centre était désert, à part les gardes qui jouaient aux cartes en buvant de la bière. Cet été-là, je suis devenu l'homme qui réfléchit, à défaut d'être l'homme qui voit. L'idolâtrie me répugne. J'ai touché des sculptures d'un artiste aveugle du siècle dernier, appelé Vidal, à l'institution. Un taureau, un cheval en plein effort. Les animaux couraient sur place, se cabraient, pour attraper le souvenir visuel, le forcer à réapparaître. Ce malheureux avait passé sa vie à exercer un langage qu'il ne pouvait plus comprendre.

Pendant cette époque où je vivais avec Larry, mon existence consciente se modifiait. J'avais l'impression grisante, en étudiant ma cécité dans l'abstraction, de demeurer présent des deux côtés de la sensation; celle d'observer et celle d'être observé. Ainsi, quand je touche l'une de mes mains avec l'autre, elles sont toutes deux à la fois sujet et objet de sensation.

Au début, les leçons de Larry étaient uniquement retenues de mémoire; je n'écrivais pas à cette époque, je ne disposais d'aucun recul pour construire une idée d'ensemble. Larry affirmait que c'était mieux ainsi : il parlait avec moi, parce que les paradoxes me paraissaient évidents; je n'avais l'esprit souillé d'aucune autre comparaison visuelle.

Mais au bout de quelques semaines, mes notions s'embrouillaient, je me perdais à nouveau; la mémoire a des limites.

Larry fit construire à grands frais, spécialement pour moi, un appareil, dont il n'existait que deux modèles. Il garda l'un et m'offrit l'autre; je l'utilise encore aujourd'hui, pour composer ce texte.

L'objet est à peine plus gros qu'un paquet de cigarettes, en plastique rouge très voyant, pour éviter de le perdre, si solide que même les griffes de Zita ne l'éraflent pas. Sur le long côté, six touches correspondent aux six points du braille : comme dans la machine à écrire, pour frapper chaque lettre, j'enfonce en même temps un certain nombre de touches.

Pour lire, une fenêtre, où apparaissent une à une

les lignes de braille, contient le texte juste frappé; je ne l'utilise guère. Au-dessus, une autre fenêtre donne la traduction en caractères visuels. Le texte est stocké ligne à ligne sur une petite mémoire, qui tient en une bobine de minicassette, plus petite qu'aucune de celles des magnétophones habituels. Cent lignes équivalent à une seconde de déroulement : une cassette pleine valait des dizaines de volumes de braille.

De ce jour, je me mis à écrire couramment le braille; car je ne pus jamais le lire bien. Ma vieille prévention me restait contre cet épellement laborieux. En quinze jours je tapais plus vite que les meilleures dactylos, et sans le moindre bruit. Larry avait branché directement la digicassette sur un ordinateur, il évitait ainsi tout passage par un langage humain et économisait de l'énergie. Il me dictait des suites de chiffres, et bavardait dans les temps morts des expériences.

Concevoir la relativité du temps, la courbure de l'espace, le contrôle des computers, fut pour moi plus facile que de former la moindre idée de perspective.

Je me sentais l'importance d'un homme qui délivre des centaines de messages à la seconde, des messages que je ne comprenais presque pas, avalés par la machine dans le temps d'un soupir. Elle répondait à mes questions par le moyen de la fenêtre, délivrant ligne à ligne des séries de chiffres que j'annonçais à haute voix, quand Larry avait les mains et les yeux occupés.

Larry finissait en ma présence une série d'expériences sur les grenouilles. La chaleur énervait les petites bêtes, les mouches entraient dans le labo. J'étais un bon assistant, selon Larry, dépourvu de toute sensiblerie. Manipuler un œil sanguinolent ne me faisait pas plus d'effet que de tripoter un bout de foie de veau.

Je donnais les grenouilles, après les expériences, à

Zita, qui s'amusait et puis les mangeait; et on entendait un petit craquement de mâchoire dans un coin du labo, et c'était fini.

Ces batraciens ont les nerfs qui repoussent, comme on le dit de la queue des lézards. Le nerf optique est facile à couper, en soulevant délicatement le globe avec un petit scalpel. Je pouvais m'exercer, des centaines de sujets habitaient la cave transformée en annexe du labo.

Larry sortait l'œil, le remettait à l'envers, le bas en haut et le haut en bas, dans la cavité. J'ajoutais un bandage. Pour d'autres, Larry échangeait l'œil droit et le gauche, ou bien même, à la fois les échangeait et les retournait. Plus tard, j'ai enlevé le bandage : Larry a commencé à présenter des mouches en plastique au bout d'un fil transparent devant les bêtes. J'entendais les grenouilles sauter pour l'attraper; toutes celles que nous avions opérées voyaient le monde à l'envers : les unes essayaient de se retourner pour attraper leur proie en l'air, derrière elles. Les autres la cherchaient par terre, quand elle était en l'air.

Chaque soir, en dépit de la douche programmée à la vanille, nous sentions le poisson.

La démonstration de Larry était faite : le bas, le haut, la gauche, la droite sont des conventions du cerveau voyant, non une image du monde. Il n'y a personne derrière nos nerfs pour redresser l'erreur : car l'œil n'est pas une vitre, et notre haut n'est que le haut de notre rétine. Nous ne sommes qu'échos, reprises, impressions mêlées, matière du monde, multiplicité décentrée, cacophonie de fourmillements électriques, de minuscules tempêtes chimiques.

Après les grenouilles, nous avons travaillé quelque temps sur des chimpanzés. Il a fallu sacrifier trois animaux pour parvenir à l'expérience. En injectant des substances colorantes dans l'œil du chimpanzé, puis en découpant de fines tranches de son cerveau congelé, on obtenait des plaques que je photo-sensibilisais et développais. Larry y lisait la traduction du dernier spectacle contemplé par les singes : une barre de néon, fixée sur un axe, et qui changeait de position pour chacun d'entre eux. Selon qu'elle était horizontale ou verticale, le cerveau mobilisait différentes cellules, formant un dessin arbitraire comme la lettre d'un alphabet inconnu, différent chaque fois.

Larry ne m'avait jamais empêché de retourner à West Hollywood; mes stations à la librairie avaient été moins fréquentes pendant l'été, qui faisait de la ville un bol de poussière au gaz carbonique. A l'automne, j'avais assez disséqué de bêtes; la passion de Larry arrivait à une frontière : on ne pouvait disséquer le cerveau vivant, encore moins le cerveau humain. Je suis plus souvent resté à L.A. et à Marineland, où je n'avais pu m'entraîner que la nuit pendant toute la saison touristique, tant les touristes avaient envahi le jardin zoologique.

Les affaires reprenaient, et je me suis installé dans l'appartement prêté par Fatsy. Larry venait m'y rejoindre quand je n'avais pas de client. Un matin d'octobre, avant même que la montre-réveil de Larry ne sonne, on a enfoncé la porte. Ils ont passé des menottes à un Larry en kimono; j'ai compris au bruit sec que c'étaient des flics. J'ai levé les poignets ironiquement; ils n'ont pas osé me passer le bracelet de fer. Ils m'ont jeté mes vêtements, et Zita. Il a fallu ouvrir les menottes de Larry pour qu'il s'habille pendant qu'un flic l'informait en lisant à toute vitesse un papier, qu'il avait cassé la loi sur la protection des mineurs. Je ne comprenais pas; je n'étais pas mineur par l'âge. Dans son bureau, le juge m'a rappelé que son collègue de San Francisco m'avait placé en institution. J'étais mineur prolongé sous la protection de l'Etat de Californie, et qui me touchait volait la propriété de l'Etat, en somme. Nous avions été suivis par un détective à la solde de la femme de Larry, ce qui n'était pas un exploit, nous sortions beaucoup, et l'article dans le magazine avait fait le reste. Le juge m'a demandé quelles étaient mes ressources depuis mon départ de l'institution; j'ai déclaré que je travaillais pour Marineland, et Olaf a confirmé, heureusement, en fabriquant des bulletins de paie, pour des sommes que j'aurais bien aimé toucher. Il avait besoin de moi; le juge m'a libéré. Il attendait les documents de l'autre juge pour tenir son tribunal, et décider s'il me renvoyait à l'institution. Olaf se portait garant de moi, affirmant qu'il me ferait suivre des cours par correspondance; et la femme du juge avait déjà des billets gratuits pour la première de mon spectacle, le 17 octobre. J'ai à peine eu le temps de me raser en sortant du commissariat où j'avais couché; le soir même je devais faire le numéro, que je n'avais pas répété depuis trois jours, pour la première fois, en public.

Les vannes se sont ouvertes. La vague m'a emporté. La nuit de l'été indien en Californie est douce, et l'eau était presque tiède d'avoir séjourné dans l'écluse, pendant la journée. Mon corps a retrouvé tout seul la torsion qui fait jaillir hors du tumulte liquide, et j'ai plongé au dernier moment pour éviter d'être fracassé sur le quai, pendant que j'entendais, au-dessus de moi, le mugissement de l'eau qui s'abattait sur le béton, les hurlements des spectateurs ravis reculant en débandade devant la trombe d'eau qui les éclaboussait par rafales.

Les nuits suivants, Olaf a ajouté un projecteur qui me suivait, il aurait installé un feu d'artifice sur la planche, s'il avait pu. Suivi par le projecteur sur l'eau phosphorescente, je dépassais régulièrement les buzzers de plusieurs secondes, pour créer un suspense au spectacle; il valait dix dollars l'entrée.

Certains soirs, j'ai fait dix, vingt vagues, porté par les applaudissements de la foule assemblée dans le noir, balayé d'embruns. Le spectacle connaissait un tel succès que l'issue de mon procès ne ferait plus de doute : j'étais devenu une attraction permanente du parc.

J'ai interrogé Fatsy sur ce qu'était devenu Larry; le sujet ne l'intéressait plus; Larry ne serait plus client pour un bout de temps. Il m'a demandé quand je reviendrais travailler, après avoir confirmé que les journaux avaient annoncé la disparition du professeur Home; il avait pris la fuite à l'étranger avant son jugement, dès sa sortie sous caution. On disait que c'était une histoire politique; les élections au poste de sénateur allaient avoir lieu, et Fatsy s'activait dans le cadre d'un club démocrate.

Ces histoires politiques me dépassaient. J'étais réellement trop fatigué pour quoi que ce soit d'autre que mon numéro.

Le surfeur aveugle était une attraction annoncée par tous les dépliants touristiques, le surfeur aveugle et ses dauphins. Olaf avait constaté que les visiteurs désertaient les autres attractions qui se produisaient, ici et là dans le parc, toutes les heures, notamment le bassin des dauphins. Il les avait adjoints à mon numéro; les pauvres bêtes sans spectateurs étaient si tristes qu'elles risquaient de mourir de mélancolie, à force de pointer leur nez pour rien vers le bord de leur bassin abandonné. Pour communiquer avec elles, il fallait utiliser un sifflet inaudible à l'oreille humaine, un sifflet à ultrasons en argent que je portais à une chaîne sur la poitrine. Certaines intonations signifiaient l'impatience, d'autres l'amusement, ou l'annonce de l'envie de s'ébattre. Le langage des dauphins ne dit pas de mots, mais des désirs.

Les deux dauphins s'étaient apprivoisés autour de ma planche. Ils étaient dressés par un petit vieux sympathique, qui m'a appris à jouer avec eux. Leurs corps lisses étaient expressifs, ils donnaient des coups de tête sur le nez pour inviter à jouer; ils adoraient me donner des tapes amicales de la queue quand je nageais vers la planche. Ils glissaient lentement entre mes jambes, et ils aimaient le corps d'un homme parce qu'ils avaient toujours vécu avec des hommes.

Là-dessus, les ennuis ont commencé. La Ligue des droits des animaux a protesté, et réclamé l'interdiction du spectacle, parce qu'il est interdit de faire travailler les animaux de nuit. En attendant un second jugement, le spectacle est remonté au coucher du soleil. Les pires rumeurs circulaient à mon propos. Olaf m'a demandé d'aller à la télévision pour montrer qu'il ne me séquestrait pas et ne me maltraitait pas.

Je ne savais pas très bien ce qu'était la télévision, que j'entendais sans arrêt depuis que j'étais en Amérique. A Kerkenna, la première télévision avait été allumée juste un an avant mon accident; elle ne diffusait aucune image, bien qu'elle fût au poste d'honneur du café, parce qu'il n'y avait pas encore de relais pour le Sud tunisien. La télévision pour moi restait une radio qui marcherait très fort, et vers laquelle les gens se tournaient pour l'écouter.

La télévision a annoncé que je passerais dans une émission, « Good morning America », à neuf heures du matin. J'étais mal réveillé; je ne saisissais pas pourquoi je devais rester assis dans ce canapé, je ne savais pas où se tenait la caméra. A peine les micros marchaient-ils, les autres invités, en face de moi, ont commencé à m'agonir d'injures; je déshonorais la cause des handicapés, j'étais le symbole de l'exploitation commerciale des aveugles. L'un était un paralytique, et je comprends qu'il était furieux de voir mes photos. L'autre représentait une Ligue des aveugles, et se heurtait sans arrêt dans la table basse qui était devant lui. Je lui ai demandé pourquoi il se sentait déshonoré par un spectacle qu'il ne voyait pas.

Pendant le débat, je pensais aux spectateurs. Les gens qui nous voyaient nous croyaient-ils chez eux? Ou bien n'étions-nous qu'un tableau animé, dans la cuisine, au-dessus du four? Je n'arrivais pas à leur parler, comme le présentateur m'y invitait à satiété. Quelqu'un que je ne peux entendre n'existe pas pour moi.

Sur la fin de l'automne, la Ligue des aveugles a fait un piquet devant les guichets du parc. Par prudence, et aussi parce que j'étais fatigué par la planche, j'ai complètement arrêté de chercher des clients le soir, à West Hollywood.

Je n'ai plus quitté mon pavillon en bambou, sur le bord de l'étang miniature où se posaient les flamants roses. Début novembre, en plein spectacle, les deux dauphins ont accompli avec moi un jeu particulièrement violent; et le vieux pensait qu'ils exécutaient leur parade d'amour : ils ne pouvaient pas savoir, a-t-il ajouté en s'excusant, si j'étais un mâle ou une femelle. Depuis que je jouais avec eux, Zita avait manifesté une jalousie violente; et le soir suivant, quand j'ai sauté sur ma planche, elle a bondi depuis le quai jusqu'à moi, au-dessus de la vague, et s'est postée en grondant sur le bord. Il était trop tard pour reculer, j'ai pris la vague comme j'ai pu; la chatte, au lieu d'être pétrifiée de terreur, s'était mise à courir entre mes jambes, en menaçant les dauphins avec des miaulements de fureur.

Au moment critique, j'ai senti le coup de queue qu'a volontairement décoché l'un des dauphins, au lieu de plonger sous la planche pour réapparaître de l'autre côté, comme il était de règle. Je suis tombé, dans un temps qui m'a paru terriblement long, roulé par la vague vers le quai, au milieu de la clameur des spectateurs qui ne reculent pas assez vite pour que je n'aie pas l'impression de choir au milieu d'eux. Et puis ils ont tous fait silence.

La clinique de Marineland était un endroit de contes de fées. J'ai voulu parler à mon voisin; il répondait seulement par des grognements; l'infirmière lui a apporté un plat entier de poissons vivants qui donnaient des claques sur l'assiette. C'était un vieux phoque obèse qui soufflait toute la journée et souffrait de rhumatismes. Il était juste de l'autre côté de la cloison basse; en face un employé gémissait sur son bras cassé par un requin. Zita avait fait la connaissance d'un lynx grippé, dans la paillote à côté. L'incident était sans gravité : j'avais une côte fêlée et une cicatrice sur la joue; je l'acceptais avec une indifférence qui étonnait l'infirmière. La clinique consistait en dix pavillons de nains entourés de roseaux et de crocodiles en plâtre; j'ai dormi une longue convalescence. On m'apportait mes repas sur un petit chariot.

Et puis quelqu'un a frappé à la porte et est entré sans façons. C'était la voix de Fatsy, qui a commencé par me déclarer qu'il avait toujours pensé que ce spectacle ne me porterait pas bonheur; et que, maintenant qu'il était arrêté, il était bien content de me revoir. Je me suis aperçu que sa voix m'était déjà plutôt désagréable, comme quelque chose que je cherchais plus à fuir qu'à écouter. Il pensait que je pouvais reprendre le boulot à West Hollywood, parce qu'il était peu probable que le parc reprenne le spectacle après l'accident. Il m'a mis sur le lit un paquet de bonbons au chocolat qui était poisseux jusqu'au dehors de l'emballage, et qui avait passé des heures au soleil à l'arrière de sa voiture.

J'ai hésité, et puis j'ai répondu qu'il n'en était plus question. Je n'avais plus envie, tout simplement.

J'avais un peu de fièvre. Je ne comprenais pas pourquoi il restait là, au lieu de sortir.

Il a remué sa chaise sur le plancher comme on se racle la gorge, et il a repris la parole sur un ton tout différent. Je n'arrivais pas à saisir clairement, mais il sifflait maintenant ses mots comme s'il avait été en proie à une grande émotion. Il m'a dit que je devais tout à West Hollywood et à lui, que sans lui je serais devenu un clodo, ou j'aurais été repris par la police et renvoyé dans un asile, ce qui était ma place. Il a continué en parlant de photos; il y avait des photos qui existaient, paraît-il, et si elles étaient communiquées à des journaux, ça serait drôle. Il a claqué la porte de bois, en criant qu'il me laissait réfléchir quelques jours; il est parti avant que j'aie pris totalement conscience qu'il me menaçait.

Cette crapule avait pris des photos, peut-être avec l'accord de certains clients. Je me moquais bien du scandale : une photo, pour moi, est sans valeur, même quand c'est la mienne. Mais il y avait mon juge, qui attendait pour prendre sa décision.

Ils avaient tous juré entre eux de me renvoyer à l'institution. J'ai été pris de panique. Fatsy avait parlé de mon « image » dans le public. A présent, en plus d'un monde à reconstituer, absurdement organisé autour de moi, j'avais un double qui me collait à la peau et pourrait me faire reconnaître sur toute la côte, s'il était publié.

J'ai voulu me lever; j'ai dû m'y reprendre à plusieurs fois, le sol naviguait sous moi. Le phoque s'est mis à applaudir, à côté de moi, pour réclamer à manger, le vieux dresseur des dauphins est entré. Je lui ai demandé de m'aider à faire mon sac; il pleurait presque de me voir partir. J'ai fini par lui laisser l'adresse d'un hôtel à New York, que je connaissais par Mrs. Halloween, qui s'appelait le Chelsea. Elle en parlait uniquement dans une locution toute faite : « Si je devais être ruinée au point de tomber au

Chelsea », j'en avais conclu que le Chelsea était le meilleur marché possible. J'ai demandé au vieux d'écrire une lettre, que je lui ai dictée, où j'expliquais tout concernant Fatsy; je le chargeais au maximum, il le méritait. Il m'avait menacé pour m'obliger à me prostituer.

L'infirmière est arrivée quand j'étais en train de finir mon sac; elle s'est mise à crier en suédois et elle est partie chercher Olaf. Le temps qu'ils reviennent, j'étais monté dans un des taxis qui stationnaient en attente devant Marineland, et je suis allé à l'aéroport des lignes intérieures. J'avais plus de quatre mille dollars; il était temps de quitter la côte Ouest. Certes, j'y avais trouvé la liberté; j'avais aussi la conviction que, si j'y restais, ils finiraient par avoir raison de moi, par me transformer complètement en un rouage de leur rêve : un rêve où les machines de Larry, le sexe payant, la folie froide me réduisaient, moi aussi, à une image.

Pendant tout le trajet en avion, les hôtesses se sont relayées pour me demander si quelqu'un m'attendait à l'aéroport, et pour essayer de me prendre Zita. Je n'avais été qu'une fois à New York, à l'hôtel Pierre, où Mrs. Halloween avait une suite, que je n'avais pratiquement pas quittée. Par les fenêtres du Pierre, on voyait, paraît-il, les contreforts de brique du Chelsea, un peu plus loin – comme on contemple le purgatoire depuis le paradis.

Le chauffeur de taxi qui m'a pris à l'aéroport a d'abord sifflé gentiment quand je lui ai dit que j'étais aveugle, puis il a demandé comment je faisais pour me guider, ce à quoi Zita a répondu en miaulant. Lui ne savait pas se guider dans la ville; il a fini par m'avouer qu'il était arrivé juste l'avion d'avant moi. Il parlait français; il était haïtien, et j'avais plaisir à l'écouter; je n'avais plus parlé ma langue natale, le français, depuis que Mrs. Halloween était morte. Il m'a dit que les chauffeurs de taxi ici sont toujours les derniers immigrants à être entrés.

Cet hôtel Chelsea n'avait pas de porte tournante. J'ai toujours eu horreur des portes tournantes; quand j'étais avec Mrs. Halloween, une fois passées, elles m'enfermaient plus sûrement à l'intérieur de l'hôtel que les meilleurs barreaux.

Il pleuvait dehors, et il faisait froid. Je n'ai jamais eu l'habitude du froid; Zita et moi devions faire une drôle de tête de chats mouillés, dans le hall. J'ai remis les lunettes noires pour me réchauffer. Dans un coin, un ivrogne chantonnait; derrière le comptoir, dont la tablette était ouverte, un groupe se disputait en espagnol. Un peintre essayait de payer sa note avec les fresques qu'il avait faites sur le mur de sa chambre. Ils se sont remis à se disputer à mon propos, et ils m'ont amené, avec la chatte et mon sac, dans un gros ascenseur poussif et bruyant, jusqu'au cinquième étage. De là, je tournais à droite, puis encore à droite, et la porte au fond du couloir était la mienne, pour vingt dollars par jour.

J'habitais mon premier hôtel, seul; j'étais fier comme un enfant qui porte son premier pantalon. Les patrons du Chelsea, ils étaient trois ou quatre, ne me demandaient pas de signer une décharge d'assurances. A mesure de mes pérégrinations, j'ai trouvé que les portiers d'hôtels et les gérants m'imaginent toujours apportant avec moi des inondations, des incendies, des chutes dans les escaliers...

Ici, tout le monde se moque que je sois aveugle. L'hôtel est tellement ruiné que les assurances ont dû renoncer à le couvrir.

Je n'avais jamais eu l'occasion de visiter New York, parce que j'y avais passé quelques jours seulement, avec Mrs. Halloween, terré entre mon magnétophone et mon poste radio, dans l'hôtel. En me coinçant les doigts pour ouvrir la fenêtre de ma chambre, j'ai reconnu l'odeur qui venait par les fenêtres : une odeur un peu grasse et marine, celle d'un de leurs potages aux coquillages, parfumé au gas-oil.

Je suis redescendu dans la rue; sur la chaussée, j'entendais des chuintements; j'ai été vérifier, en manquant me faire écraser par les voitures. De petits jets de vapeur chaude sortaient du sous-sol, comme de la chaudière d'un bateau. La vapeur se perdait dans le vent de l'Atlantique, qui prenait en enfilade la 23ᵉ Rue, celle de mon hôtel.

New York est ma première ville européenne. Rome ne compte pas, où je n'étais qu'un malade en transit, ni mon éclair parisien. Ville européenne, pour qui avait appris à se guider dans le désert automobile de Los Angeles. Ici, des passants, tant de passants, sans arrêt : une foule de figurants qui auraient tourné le coin de la rue pour revenir par l'avenue.

Pour la première fois, seul avec Zita, je me promenais uniquement à pied. Toute cette ville est météorologique : je peux m'y retrouver rien qu'en suivant les vents dominants. La ville est une île, moins grande que Kerkenna; ou un bateau, avec Hudson et East River qui défilent lentement, rassurants, à droite et à gauche, au bout de chaque rue. A l'avant, où frappe le vent du large, je suis allé en bateau jusqu'à la statue de proue un peu détachée; l'arrière, peuplé de Noirs, est au-delà de la 100ᵉ Rue.

Je suis monté au nord, à l'arrière, ces jours derniers. Les familles tenaient conversation dehors, tard dans la nuit. Ils me parlaient amicalement, parce que je leur disais que j'étais arabe; ils ne l'auraient sans doute pas deviné.

Seul, depuis presque un an. Seul, comme je ne l'ai jamais été, même à L.A. Je m'étonne comme je peux facilement me fondre dans cette foule. Plus que nulle part ailleurs, je me sens libre, libre au point que je n'ai pas besoin de tester cette liberté, en reprenant mon travail de West Hollywood. Je suis libre, parce qu'ici personne ne se préoccupe que je sois aveugle : je pourrais me promener tout nu peint en doré sans provoquer d'accrochages. Qui sait si d'autres ne le font pas, autour de moi? En tout cas, aucun passant de la nuit ne prétend me confier à un asile.

Dernièrement, j'ai fait la connaissance d'une famille mêlée de Palestiniens et de Cubains, qui tient un restaurant sur la Huitième Avenue, juste à droite en sortant de l'hôtel. J'y mange des couscous à la langouste. Nombreux sont les Arabes, dans cette ville, plus que n'importe où ailleurs où je suis allé; mais ils ne viennent pas d'Afrique du Nord, et je me rends compte qu'ils ont déjà vécu dans des grandes villes, comme Le Caire ou Beyrouth, dont je n'ai aucune idée. La seule ville arabe que j'ai vue est Tunis, quand j'étais petit.

Cette cité est un bateau où je ne fréquente que les autres passagers de dernière classe. Un monde tout différent de celui des élites de la côte Ouest. Je marche le long des coursives ventées, les avenues, qui courent parallèlement aux rivières. Un groupe de hippies marocains est installé, en squatters, juste à côté de l'hôtel. Ils font de la musique toute la journée en haut des marches de l'immeuble qu'ils occupent, après avoir enlevé les planches qui en interdisaient la porte. Je suis obligé de parler français avec eux, mon tunisien du Sud ne leur permet pas de me comprendre. Le français, ma langue de fond, que Mrs. Halloween trouvait la seule correcte, qu'elle m'imposait au magnétophone; je parle aussi italien, avec le marchand de journaux. Espagnol, à l'hôtel. J'ai un peu l'impression de m'imaginer l'Europe, une Europe qu'on aurait agitée dans un shaker.

Je ressens un roulis de la rue, qui me permet aussitôt de savoir si je vais vers l'avant, vers l'arrière, ou en travers du bateau. L'arrière s'appelle Uptown, parce qu'on monte pour y arriver, comme sur le château arrière d'un navire. Là se tient l'équipage, qui est surtout noir, comme je l'ai dit.

J'entendais dire à L.A. que cette ville était grise. Elle est pleine de la rumeur de la mer, du soleil et des embruns. Si je la voyais d'une couleur, ce serait jaune clair, comme le soleil qui paraît vif dans Central Park, alors que l'air est si froid. Le soleil, qui me dit à chaque seconde si je vais uptown ou downtown, à l'est ou à l'ouest.

A Manhattan, je n'ai pas besoin de graver aucune carte, tellement le plan est simple. Le garçon portugais, qui fait le comptoir de jour, en bas, m'a expliqué une fois le système des numéros : ceux des avenues, qui commencent à la cinquième, vers l'est et vers l'ouest, en arête de poisson; celui des rues, et celui des immeubles dans les rues : de zéro à cent pour le premier bloc, et en décroissant par centaines, à mesure des blocs suivants.

Une ville de mathématiciens; j'ai toujours bien aimé le calcul mental. Le garçon portugais tire gloire de ce que l'hôtel n'est habité que par des artistes; alors, il y a des milliers d'artistes ici, comme cette femme juste en dessous de moi qui se met à taper à la machine électrique tous les soirs, entre minuit et cinq heures, en se versant à boire, avec des jurons; le saxophoniste, au-dessus, qui a une voix qui ressemble à celle de son instrument; ou le vieux hippy à côté, qui ne dit pas bonjour, ne fait aucun bruit, sinon parfois celui très discret d'une petite cuillère qui tinte; ou les visites nocturnes de gens qui frappent inlassablement à sa porte, trop défoncés ou trop découragés pour renoncer. Les employés du bureau, en bas, sont tous de nationalités différentes. Ils pensent que je suis un artiste; je leur parle du show que j'ai fait sur la côte, sans préciser le style du spectacle. Le surf me paraissait déjà très loin, et j'avais pris une véritable allergie à la beauté et à la richesse. A Los Angeles, je m'étais laissé prendre, moi, au jeu des apparences; à New York, je me sens presque chez moi, et je redescends en moi-même.

Un moi-même que l'été avec Larry avait profondément changé, changé en intellectuel. Par les clochards, je suis arrivé à la bibliothèque municipale de New York, le lieu de rendez-vous des paumés de la ville. Les premiers mois, je n'avais fait que rester assis très tard dans les bouches de métro, ou dans les coffee-shops du petit matin, à écouter tous ces morceaux d'Europe qui se comprenaient à peine entre eux; cette vieille clocharde polonaise qui causait à un vendeur philippin en bribes d'anglais, par exemple. Ici, ma liberté tient à ce que l'aveugle ne se remarque pas, ni l'étranger; avec mon accent et mes fautes d'anglais, je suis aussi américain que n'importe lequel d'entre eux, et ils me demandent des renseignements en me prenant pour un vieux New-Yorkais.

La bibliothèque n'est pas très loin de l'hôtel; Zita appréciait ce trajet parce qu'il nous rapprochait des beaux quartiers de Park Avenue, où rôdaient des chats précieux comme elle; dans le square devant la bibliothèque, elle faisait des rencontres avec des persans, des angoras, des chinois; depuis le printemps, elle m'encombre de bâtards que je donne aux femmes de ménage.

A l'intérieur de la bibliothèque, ils ne voulaient pas d'elle; j'ai fini par déclarer que la loi de l'Etat de New York autorisait les aveugles à être accompagnés de leur animal guide. A force de rencontrer des juges, j'avais remarqué que toutes leurs phrases commençaient par « suivant la loi de l'Etat de... ». La formule donnait l'équivalent verbal de leur robe de magistrats. J'ai attendu sur l'escalier, pendant qu'on consultait le conservateur, en écoutant les voix des jeunes Noirs qui se relayaient autour de moi dans un nasillement incessant : « Tu veux un joint, cinq dollars les trois, deux dollars le joint. Tu veux un joint... »

La section pour amblyopes est munie d'écouteurs individuels, qui permettent de s'isoler complètement en écoutant des cassettes. Cet hiver encore, seule la littérature enregistrée m'était accessible. Je n'avais jamais écouté de littérature européenne, les romans, les philosophes. Ma culture était surtout faite d'encyclopédies, à l'institution, et de manuels de langue, écoutés dans les chambres d'hôtel du temps de Mrs. Halloween.

Jusque-là, je n'avais pas bien su à quoi servait une bibliothèque; je n'ai jamais beaucoup lu en voyant, à part mon livre d'école à Kerkenna. J'ai toujours aimé me faire lire, même si la voix est idiote, sans rapport avec le texte. Les chiffres de braille que j'avais appris à déchiffrer à la longue avec Larry, je les lisais à haute voix, mon doigt devenant la tête d'un électrophone, sur le sillon d'un disque.

La bibliothèque m'a appris la lecture muette. La bibliothèque est un grand bâtiment aux escaliers bien sonores, en marbre tiède. On peut rester des heures sans gardien ni gêneur. Sur le fichier de la sonothèque, il n'y avait évidemment pas de texte en arabe, sauf une sélection des journaux du Moyen-Orient. Mais il y avait deux cassettes, dont l'une était la traduction anglaise d'Ibn Khaldoun, que je connaissais depuis l'enfance; et l'autre un livre que j'ai écouté jusqu'au bout parce qu'il était dans le fichier « Arabie », *Les Sept Piliers de la sagesse*, du colonel Lawrence.

La section enregistrée en français était ma favorite. La « Fondation La Fayette pour le bien des aveugles ». Les textes étaient lus par des comédiens français, et *Les Mille et Une Nuits* présentés par une femme qui déclamait le texte; l'introduction prétendait que les contes avaient été écrits par un Français appelé Galland, alors que je les connais depuis toujours en arabe.

Ce premier voyage en bibliothèque était émouvant. Autour de moi, d'autres aveugles farfouillaient, essayaient une cassette, dans un silence impressionnant. Quand j'enlevais les écouteurs, je n'entendais plus que le très petit ronronnement des autres cassettes, et, derrière, un grondement de machines. J'étais dans le ventre du bateau qu'est New York. La nuit avait dû tomber, et quand ils nous ont mis à la porte, parce qu'ils fermaient, et que j'avais écouté six cassettes à la suite, Zita a refusé de descendre à terre. Il faisait froid, certes, plus froid que je n'avais jamais senti. Mais surtout, le bruit sonnait différemment, étouffé. J'ai cru que j'étais devenu sourd, d'un seul coup, à cause des cassettes, et j'ai laissé tomber Zita, terrifié encore plus qu'elle. La ville me parvenait pourtant, assourdie, comme si l'air lui-même était devenu plus épais. J'ai fait un pas, et j'ai senti avec horreur une poussière plastique qui se rétractait sous mon pied avec un bruit de papier déchiré. Je me suis baissé, et j'en ai pris un peu. La matière était froide comme le glaçon d'un whisky, mais aérien, léger, fondant, une ouate qui ressemblait à de la barbe à papa gelée. J'aurais juré que cela vivait, bougeait dans ma main en fondant. C'était de la neige.

J'en avais entendu parler; je n'en avais jamais vu, sauf au cinéma. La neige ensevelissait le square de la bibliothèque, et en relevant la tête j'ai senti quelques frôlements froids de flocons attardés.

Une catastrophe avait englouti New York pendant que je lisais. Il ne restait plus, de toute la ville, que cette seule bibliothèque, protégée de l'ensevelissement par sa masse, qui éteignait tous les bruits de l'avenue.

Le lendemain, il restait encore de la neige; et j'ai découvert qu'après avoir gelé, la neige cessait d'être une moquette pour devenir un casse-jambe. Je suis tombé deux fois, et même Zita glissait sur le sol en griffant la glace. A Central Park, le soleil reflété sur la neige faisait un mélange efficace de rayons chauds et d'air glacé. La neige, air congelé, bouillait au soleil en se vaporisant, sans avoir le temps de fondre. J'ai enlevé mes vêtements, et je me suis roulé dans les milliards de cristaux qui éraflaient ma peau. Un chien, deux vieilles dames, des cyclistes et un policeman paresseux m'ont fait me rhabiller. On ne se baigne pas dans la neige comme on se baigne dans l'eau, chez les voyants.

Tous les après-midi, je suis retourné à la bibliothèque. Je pouvais converser avec tous les hommes et toutes les femmes qui avaient écrit dans tous les passés, sauf le mien : l'arabe.

Je me suis plaint au conservateur du manque de textes enregistrés dans cette langue. Il m'a dit que j'étais le premier lecteur arabe aveugle à réclamer; en général les immigrés arabes, ici, ne sont pas infirmes. Il a soumis ma demande au conseil d'administration, et il m'a autorisé à utiliser un service spécial, pour lequel on m'a donné une carte, où je ne savais même pas ce qu'il y avait d'écrit. Elle me donnait le droit d'utiliser une machine que la bibliothèque venait d'acquérir. Je me suis assis sur le siège, et Zita s'est hérissée en fichant ses griffes dans mon épaule, en contemplant la machine. J'étais devant un gros bureau de fer, avec un présentoir à gauche sur lequel je posais le livre que j'avais demandé, ouvert. A droite, une sorte de fenêtre, comme sur ma digicassette, présentait une surface plane; j'ai touché l'écran. Des traits en relief apparaissaient à l'endroit qui était lisse tout à l'heure. J'ai mieux exploré; chaque petit point formant l'écran était mobile, et pouvait monter ou descendre, pour créer un relief. J'ai essayé de comprendre les traits, mais je me suis rendu compte que je devais être entre deux lignes, parce qu'il y avait une grande zone vide au milieu.

Il suffit de déplacer la caméra mobile sur des réglettes, au-dessus du livre ouvert, pour que les caractères apparaissent, très agrandis, et en relief. Ce jour-là je suis resté tout l'après-midi, émerveillé; maintenant je peux *tout* lire, tous les livres, et même les œuvres d'art, les perspectives; la culture universelle m'était d'un coup ouverte.

Je passerais, désormais, ma vie à ce bureau, dans ce creux accueillant de la bibliothèque, au milieu du murmure de la ville. J'avais redécouvert les caractères arabes; j'avais menti en affirmant au conservateur que je savais très bien lire. Rien que de les toucher, les évoquer, les reconnaître, avec le cortège de sentiments, d'images du passé qui les accompagne, est merveilleux. Je parcours des traités de logique, des falâsifa, les invocations mystiques des soufis, et surtout les poètes : la vraie littérature, les œuvres calligraphiées. Ces écrivains avaient pris la poésie au pied de la lettre, dans ce qu'elle a de rare; Abou Nawas, Al Moutanabbi, et, pour moi, le maître des maîtres, Aboul Al'Al Maari, l'aveugle, le rude, qui a écrit sur sa propre tombe, parlant de sa propre naissance : « Ci-gît le produit de la faute imputée à mon père, que moi je n'ai jamais commise envers personne... »

Si les poètes supportent le rythme de ce lent déchiffrement, qui détache chaque lettre, la scrute, je ne fais guère qu'évoquer à partir des souvenirs de l'alphabet, où chaque lettre a ses propres sentiments, une poésie qui aurait fait honte à un étudiant arabe. J'étais tout entier absorbé dans le miracle de cette surface, où m'apparaissait une trace aussi sensible que mon pied dans cette neige qui faisait de la ville un musée d'empreintes. Ne lisant que lettre à lettre, je ne pouvais absorber les énormes livres imprimés en tout petits caractères, réservés aux érudits arabes.

D'ailleurs, la machine est mal prévue pour un texte arabe; elle est conçue pour que le livre défile lentement de gauche à droite, et non l'inverse.

J'ai continué des mois, pendant que le tas de billets, coincés entre l'armoire de la salle de bains et le mur, dans ma chambre, diminuait dangereusement au point de tomber au sol, ce qui est arrivé hier. Tous les matins, pendant que la neige fondait, et que le printemps virait à l'été, je suis allé à la bibliothèque, qui m'a ramené au français.

Aujourd'hui, je sens que je suis devenu une créature de livre, on ne passe pas impunément un an seul en face des livres. Les Arabo-Cubains de la Huitième Avenue trouvent que je parle comme un livre : je crois que l'on nomme le résultat de cette éducation solitaire un autodidacte.

Je suis un livre ouvert : j'ai lu tout ce que contient la bibliothèque d'écrit sur, ou par des aveugles. Je suis un livre ouvert unique sans guide qui réinvente la culture.

Dans une salle, consacrée à la pédagogie, le bibliothécaire m'a fait toucher une sphère énorme, en bronze. Elle était plus haute que moi : c'était un globe terrestre, qui avait été fondu trois siècles auparavant en Europe, pour les infirmes de la vue. A la surface, je sentais des points gravés, qui représentaient des villes, des reliefs, qui voulaient donner l'impression de montagnes.

Flou, trop grand, même pas sphérique pour moi, était-ce là notre globe? Un monde fabriqué par les voyants à l'usage des aveugles : une sphère trop grande, pour moi, est une surface plate.

Notant mes découvertes sur ma digicassette, je comprenais que je n'avais qu'entrevu, à l'institution, toute cette civilisation avortée des aveugles. Deux siècles avant le lecteur Optacon électrique que j'utilisais, un Français, Valentin Hauy, avait eu l'idée des grands caractères en relief à l'usage des mal-voyants. Le livre, les livres avaient été, pour nous, aveugles, le refuge et la consolation, le seul accès à l'humanité. Nos premiers pas, nous les faisons dans le petit parc de livres qui nous est accessible, choisis par des voyants.

Ces livres imprimés selon le système Hauy m'ont déçu. Les formes des caractères n'étaient pas celles que je connais, sans doute trop anciens. Il y avait notamment une énorme Bible en quarante-cinq volumes, imprimée à Philadelphie en 1845, en caractères en relief trop petits pour être distingués sous le doigt.

L'été était venu. Il faisait plus frais à l'intérieur des hauts murs de la bibliothèque, le long des couloirs de marbre, qu'à l'extérieur. En effleurant les caractères érodés par le temps, je découvrais une communication que je n'avais jamais expérimentée : d'autres mains aveugles avaient mille et mille fois lu ces signes, déchiffré péniblement cette phrase.

J'ai l'impression de vieillir très vite, depuis que je lis. De rejoindre un immense continent englouti d'aveugles savants, avant moi. Comme je vis seul, la communication, que je portais sur les corps qui me caressaient, se raffine dans cet effleurement de signes en relief. Les livres remplacent le sexe.

Un nouveau modèle de la machine à convertir l'optique en tactile est arrivé à la bibliothèque; le conservateur, ému par mon assiduité, m'a fait savoir que je pouvais l'utiliser. Le principe n'était pas différent de celui qui m'avait déjà servi. Mais les tacteurs, qui traduisaient en relief agrandi les lettres et les dessins, n'étaient pas placés sous les doigts : je m'asseyais sur un fauteuil spécial, après avoir revêtu, à même la peau, sous ma chemise, un harnais muni des fameux tacteurs. Ils traduisaient en pressions, sur mon dos, les images et les signes. L'avantage, sur l'appareil précédent, tenait à la taille que la zone de lecture pouvait atteindre : avec le doigt, quelques points seulement sont sentis simultanément. Dans le dos, après quinze jours d'exercice, je pouvais reconnaître un dessin, lire plusieurs gros caractères à la fois. Enfin, je pouvais prendre connaissance des lignes, de l'ensemble des traits d'une gravure.

L'exercice à l'Optacon me permettait d'acquérir la simultanéité. Je dis bien, exercice : j'étais sans arrêt tenté de me retourner, de former l'idée de la lettre, ou des traits du dessin, derrière moi, dans mon dos. Progressivement, j'ai cessé de les localiser; mais l'effleurement très rapide d'une multitude de repères finissait par constituer une presque image.

Depuis la fin du printemps, l'exercice si particulier, de « lire » avec la peau du dos, m'a fatigué, et m'a transformé. Je suis devenu tellement sensible à cet endroit que le moindre regard me brûle, le moindre contact me fait frissonner. Peu à peu, comme les nerfs de mon dos devenaient aussi sensibles que le monticule qui est au milieu du doigt, j'éprouvai de façon croissante l'impression absurde d'être constamment observé. Une impression qui n'allait plus me lâcher, me collant à la peau jusque dans ma chambre d'hôtel; qui me rendait associable, craintif.

Les illustrations, enfin : j'ai percé le mystère qu'étaient, pour moi, ces pages d'aplats sans lettres. Pendant la période où j'ai utilisé l'Optacon dorsal, j'ai longuement étudié une brochure charitable, qui contenait des gravures et ses sous-titres racontant l'histoire des bienfaiteurs des aveugles. L'Optacon permettait de violer le secret des voyants, à savoir enfin comment ils me voyaient. Ce livre, bien sûr, était destiné à de petits voyants; il devait les inciter à la pitié.

La série des gravures commençait par un groupe de musiciens aveugles, dans une fête qui s'appelait la Sainte-Ovide. Je mis cinq heures à la déchiffrer, avec l'aide de la légende. Elle est encore gravée en moi. Les musiciens portent des costumes grotesques, trop grands pour eux, des grosses lunettes rondes, pleines, sans trou au milieu. Ils jouent sur des partitions à l'envers sur leurs chevalets un air qu'ils doivent connaître par cœur; ils ont des bougies allumées à côté d'eux, en plein jour.

Dans un coin, un monsieur, en habit à boutons et chapeau, accoste un petit personnage, qui est un gamin, portant des guenilles déchirées. Le gamin tend la main, le monsieur vient d'y poser un objet rond, sur le dessin. L'orchestre est plus petit que le groupe des deux personnages; effet de ce que les voyants appellent la perspective.

Je venais d'assister à la naissance de la philanthropie européenne pour les aveugles. Le monsieur était Valentin Hauy, celui qui avait donné son nom au système des caractères gravés en relief. Le gamin était un jeune aveugle, François Lesueur, que Hauy avait adopté, et qui lui a donné l'idée de ces caractères en relief, en reconnaissant un écu d'or au toucher.

Jusque-là, semblait insinuer le texte, personne n'avait pensé que des aveugles pouvaient être doués d'intelligence. D'autres gravures montraient le jeune Lesueur à la cour, avec vingt autres jeunes aveugles comme lui, lisant dans de gros livres du système Hauy. D'autres encore, un char de carnaval, avec un groupe d'aveugles chantant un hymne spécialement écrit pour eux, pendant la fête de l'Etre suprême, un culte des Français pendant leur révolution. L'Etre suprême des aveugles était-il le même que celui des voyants? Ou bien était-il un grand Aveugle? Cette question ne traversait pas l'esprit des auteurs du livre. En suivant l'histoire du petit Lesueur, m'était révélée l'origine de la philanthropie. Elle naissait du désir de supprimer aux voyants la vue des aveugles. L'orchestre grotesque n'était là que pour représenter l'horreur du spectacle des infirmes, spectacle déshonorant qu'il fallait abolir. J'avais déjà entendu cet argument à la télévision, à Los Angeles. Cette philanthropie envahissante cachait la peur et l'inconséquence. Elle construisait les institutions, elle encourageait la création d'un univers parallèle, l'univers du braille, où elle enfermait les aveugles. Elle exigeait des signes humiliants, aux voyants seuls destinés : la canne et surtout les lunettes, pour cacher les yeux stériles. Elle voulait leur interdire d'être vus.

Une autre gravure représentait le jeune Louis Braille, âgé de quinze ans, inventant son alphabet, devant un vieux militaire avec un sabre et des moustaches. Les deux personnages se tiennent debout devant un stand d'une exposition des inventions de l'industrie. Le vieil officier, de La Serre, a inventé une « écriture obscure », à huit points par caractère, pour pouvoir écrire de nuit, à usage des espions. Ainsi n'auraient-ils pas à allumer de bougie qui pourrait les faire repérer. Louis Braille réduit le caractère à six points, et fait adopter l'écriture braille par les institutions, dont les directeurs en redingote l'entourent et le félicitent. Braille et institutions : telles sont les grilles auxquelles j'ai échappé. Le braille, je peux l'écrire passablement à présent, très lentement, à la main, de droite à gauche, comme je calligraphiais à l'école coranique. Il faudrait l'écrire, à la main, très vite, pour savoir bien le lire.

Sans doute, les points sont-ils plus faciles à lire au doigt que les traits; mais aussi, mes répugnances me devenaient explicables; si je n'avais lu qu'en braille, je n'aurais connu du monde que ce que les institutions veulent bien en imprimer. Je préfère passer des heures à déchiffrer un secret de voyants qu'à apprendre le langage créé au seul usage de mes semblables.

J'ai continué à parcourir des gravures, des cartes, des photographies. L'appareil au harnais, qui rendait très bien le trait, transformait les photos et les peintures en un brouillard d'impressions.

Une autre fièvre m'a heureusement gagnée, celle de communiquer à mon tour. Puisqu'il est plus difficile pour moi de lire que d'écrire, ce qui fait que nul roman ne se déroule assez vite, je me suis mis à utiliser intensivement la digicassette de Larry.

J'ai commencé à écrire; la chaleur faisait fermenter les poubelles de l'hôtel; je ne sais si j'écris pour moi-même, pour quiconque; j'écris sans aucun espoir de jamais me relire, simplement pour calmer mon effervescence.

A la fin du printemps, trois mois depuis ce jour, j'ai cru que je tombais malade. J'ai une très bonne santé; l'hiver sans aucun exercice, l'air de New York m'ont dévoilé que je n'ai pas le droit de ne pas penser à être fort. Ils seraient trop heureux de me rattraper, les médecins et les juges qui doivent me poursuivre. Les symptômes ont commencé quand j'ai cru me sentir observé, regardé continuellement. Le psychiatre de l'institution aurait été ravi. Depuis huit mois, je vivais sur la côte Est, et j'avais oublié Los Angeles. Or je portais en moi, inconnue, une faiblesse, une cicatrice de l'avidité avec laquelle L.A. m'avait pompé comme image. Le regard des autres doit porter, inaudible et insensible, un venin qui s'est accumulé en moi. J'ai vécu tous les jours de ma vie à l'Ouest me sachant scruté, apprécié, m'y conformant sans y penser par la posture : poison subtil dont le manque soudain et prolongé me rendait peut-être malade.

Je me sentais seul, et pourtant je fuyais un regard imaginaire, en fermant les rideaux de ma chambre, en vérifiant que la lumière était éteinte. Ma nervosité, quand les beaux jours se sont installés, est devenue une brûlure intolérable, dans le dos, à l'endroit où je lisais à l'Optacon, à l'endroit aussi où je sentais, le harnais enlevé, un regard en permanence lisant en moi sans qu'il y eût personne avec moi.

J'ai dû abandonner la lecture, mon dos se couvrait de cloques. J'ai eu soif de rencontrer un corps; j'avais trop lu, trop réfléchi. Je voulais être, comme autrefois, un spectacle sans conscience de soi.

Cette impression d'être vu, je la ressentais fautivement jusque dans mon lit, où la fièvre me retenait. Je la confrontais douloureusement à la liberté que j'éprouvais, alors que des milliers de spectateurs me suivaient des yeux sur l'eau; il y a deux sortes de regards : celui de la conscience est un seul œil, qu'on ne peut crever.

La lecture m'avait fabriqué un troisième œil moral. J'en parle au passé; j'ai passé le cap. L'impression d'être observé ne m'a plus quitté; je vis avec, comme on vit avec son infirmité. Contre la timidité et le renfermement qui me menacent, je vais aller à nouveau vers le seul antidote que je connaisse : offrir le spectacle de mon corps aveugle. Je vais faire du théâtre. A l'époque, j'ai cru que mon malaise venait de l'abstinence. Depuis que je lisais, je ne faisais de sexe qu'avec ma main. J'ai pensé que je pouvais perdre ma force. J'ai couché avec une fille sans échanger un mot, ramassée dans le couloir de l'hôtel, pour me désenvoûter. Cette nuit trop chaude, j'ai été amené au poste par les employés du métro. J'avais oublié de me rhabiller en sortant de l'hôtel. De ce jour, il est un flic de Manhattan qui a rencontré un exhibitionniste aveugle.

Si je suis arrivé à une grande vitesse pour frapper les lettres et les mots, identique à celle que j'avais acquise avec Larry pour les chiffres, ma lecture du braille ne s'est pas améliorée, et ne s'améliorera sans doute jamais. La fenêtre visuelle, que seule Zita, perchée sur mon épaule pendant que j'aligne les mots, peut déchiffrer, semble n'être là que pour me narguer. Je la laisse branchée, et le texte parle ligne à ligne, sortant de moi sans remords, défilant sans pouvoir jamais revenir; Zita se lèche une patte chaque fois que la ligne saute avec un très léger déclic qu'elle seule observe.

Vous venez de me rejoindre, si ce texte a un lecteur. Vous êtes à côté de moi.

En frappant les lettres, j'ai l'impression, parfois, d'enfoncer les doigts à demi dans un autre univers, où ils seraient devenus l'extrémité visible d'un corps entièrement invisible; des doigts qui frappent sans répit des touches, qui composent un texte, ce texte que les cristaux liquides de la fenêtre, inusables, forment et reforment sans interruption. J'écris vite, plus vite, encore plus vite, des centaines de fois plus vite que je ne lirai jamais.

Aujourd'hui, 28 septembre, il fait encore chaud. Je ne lirai plus, car je connais maintenant les limites de notre lecture, à nous, aveugles. A l'institution, les plus doués, ceux qui suivaient d'un doigt, de l'index gauche, la ligne suivant celle qu'ils épelaient de l'index droit, ne parvenaient jamais à dicter assez vite pour les dactylos, elles aussi pourtant aveugles. Nous sommes condamnés à trébucher en lisant, condamnés à écrire pour penser vite. L'immense collection de Mémoires d'aveugles que contenait la bibliothèque m'en assurait : une civilisation d'aveugles serait une civilisation de l'écriture, mais pas de la lecture. Une civilisation où des milliers d'écrivains se confient au néant de milliers de textes sans lecteurs, cris jetés au vide, miroir d'échos.

Je n'irai plus à la bibliothèque.

Je n'ai presque plus d'argent; je vais recommencer à travailler dans un spectacle. Pour me guérir, j'ai rencontré une troupe de danseurs, au restaurant arabo-cubain de la Huitième Avenue; enfin, ils m'ont rencontré. Au moment où j'étais en train d'essayer de repérer ma fourchette, en fièvre, à côté d'un juke-box punk terrible, une voix si aiguë que j'ai cru entendre un instrument de musique m'a demandé de m'asseoir à sa table. Il était en plus très grand, sa voix descendait du plafond. Il parlait du fait qu'il était grand pour s'en excuser : être grand est une infirmité, surtout au théâtre; on ne peut vous mettre avec personne, sur scène, sans créer un effet comique, qui ne me fait jamais rire. Je suis plutôt petit, pour des Américains. Il savait que j'avais déjà fait du spectacle, parce que le gardien du Chelsea, qu'il connaissait bien, lui avait parlé de moi.

On a bu quelques bières ensemble; et ils m'ont emmené dans un hangar glacé, au bord de l'eau, tout à l'est, où ils répétaient leur pièce. Je ne comprenais rien à la mise en scène, aux mouvements, ni comment il dirigeait, par des cris, une sorte de ballet que je ne faisais qu'entendre.

Il m'a fait venir devant, et il m'a indiqué quelques gestes simples de danse. J'ai commencé, et puis je me suis arrêté, parce que j'ai cru que j'avais un accident. J'ai senti une chaleur monter sur mon visage, comme si mes veines allaient éclater, qui me faisait tourner la tête. Ils m'ont dit que je venais de rougir.

J'ai rougi ce jour-là pour la première fois. A Marineland, et dans les pires situations du sexe, je n'avais jamais ressenti cette impression. Je n'ai pas trouvé cela désagréable, ce sang qui gonfle les artères du visage, cette chaleur irradiée par la figure. La solitude, dans la bibliothèque, m'avait marqué. J'ignorais jusque-là le rougissement, qui est un signe entre voyants, un signe de la conscience.

Ils toussaient, ils étaient gênés. En intermède, ils m'ont raconté le sujet du spectacle. Ils m'ont si bien adopté qu'ils l'ont construit autour de moi : je suis un danseur aveugle, comme dans la vie, et derrière moi les autres danseurs, dont on ne sait pas si je les imite ou s'ils m'imitent, reprennent mes gestes.

Pendant les dix dernières semaines, j'ai répété avec acharnement. Ils ont changé la musique progressivement, sous mon influence, pour des rythmes de percussion. Je crois que nous sommes prêts, bien que je n'aie jamais étudié la danse.

Ils m'attendent chez Phoebe's, un café à l'angle de la Seconde Avenue, à dix minutes d'ici. Même Zita connaît bien le trajet. C'est tout près du théâtre où nous répétons maintenant; aux autres tables, des artistes ou des journalistes qu'ils connaissent les appellent. Ils forment une assemblée bruyante, ne cessent de se lever pour aller saluer un producteur.

L'essentiel de leur métier, d'ailleurs, est de parler de l'idée du spectacle plus que de le répéter. Je ne les écoute pas, je m'ennuie un peu. On me garantit cinquante dollars par représentation.

En attendant la première, je n'ai plus un cent, le metteur en scène me donne tout juste de quoi régler mon hôtel, et me nourrit aux frais des critiques. Je gagnerai à nouveau de l'argent en Europe, la tournée commence. Je n'ai aucune idée du sens que les voyants peuvent trouver au spectacle. Je suis curieux de l'Europe, dont j'ai presque tout oublié : elle n'a été qu'éclairs, entre Kerkenna, l'Amérique, et l'institution. Je vais dans le sens contraire de Christophe Colomb : en Amérique, j'ai tout appris, sans avoir jamais rien vu.

Lamorne

La photo d'Amar en couverture de ce magazine américain veille au-dessus du petit bureau d'école, où je finis d'écrire ces cahiers. En bas, alors que l'aurore est commencée, ce bruit de vaisselle cassée, de voix ivres, est celui de ma fête de mariage.

Mon mariage : il est déjà loin de moi, comme si c'était le mariage d'une autre qui s'achevait en bas, une autre dont j'ai laissé la robe vide à l'entrée du bureau d'Alix, tout à l'heure.

Comment ai-je pu épouser un homme qui manipulait ma propre vie? Je regarde cette photo qu'Alix m'avait cachée, ce magazine qu'Antonio a dû apporter ici, lui qui revoit Malika; les deux jambes bronzées légèrement arquées, les épaules dont les muscles se voûtent vers l'avant.

Il n'est pas qu'aveugle, il est seul à cause de moi. Je viens d'apprendre que je lui ai retiré la main qui le guidait. Sous le rictus qu'il a dans l'effort, je cherche ses soucis, les traces des mauvais traitements que ces esclavagistes, qui se sont emparés de lui comme d'une bête de zoo, doivent lui faire subir. Il risque sa vie pour ne pas mourir de faim; il n'avait plus que moi, et je l'ai abandonné et j'ai passé ces années d'inconscience à Lamorne, alors que je suis tout entière responsable de son isolement désarmé.

Il venait de perdre sa gardienne. J'étais sur le pont

de San Francisco, il était entouré de flics, il est monté dans leur voiture. La lunette s'est refermée avec un claquement de colère, je n'avais plus de pièces. J'ai couru, j'ai poursuivi la voiture, déjà au péage, avec de grands gestes, jusqu'à la côte, en bas de laquelle l'accès au pont commençait.

J'ai couru tout le long de la route, j'ai enlevé mon manteau parce qu'il faisait chaud; le soleil chassait les grosses brumes accrochées sur les collines, j'avais l'impression que ma poitrine allait éclater. J'ai vu une autre voiture de police, j'ai fait de nouveaux signes, ils sont passés en riant sans s'arrêter. J'ai repassé le pont, j'ai traversé le Presidio, un grand parc, avec des tournants et des tournants, et des maisons de bois où les soldats qui habitent la base fumaient en manches de chemise; ils ne comprenaient rien à ce que je disais, essayaient de m'embrasser. J'ai mis des heures à rentrer à l'hôtel. Quand j'y suis arrivée, ramenée par un officier du Presidio, Philippe était en séance de méditation; il ne voulait pas bouger. Il a déclaré que les boulettes homéopathiques m'avaient fait beaucoup de bien, que j'avais meilleure mine. J'étais sur le point de m'effondrer d'énervement; je m'engueulais avec toutes les standardistes de la ville pour trouver le commissariat où Amar avait été emmené. Je n'étais qu'un simple témoin, mais je pourrais au moins lui parler, le voir. Philippe a fait interdire à l'hôtel de me passer des communications. Une telle agitation était mauvaise pour moi; et il ne voulait pas que je téléphone toutes les dix minutes à Paris pour avoir les sœurs d'Amar.

Je voulais faire le tour des commissariats, des hôpitaux; et Philippe a fini, comme toujours, par me faire une piqûre; j'étais brûlante de fièvre. J'étais sur le point de le tenir, et je manquais ma chance, et personne ne voulait m'aider. Je mordais mes draps en sueur.

Aucun commissariat de la ville de San Francisco n'avait entendu parler de lui. A force de chercher, au bout de trois jours, un des avocats du centre zen a pensé à téléphoner au shérif de Marine County. C'était lui qui avait arrêté Amar, car la moitié nord du pont était sous sa surveillance. Amar était parti dans une institution pour aveugles; son sort dépendait d'un juge, auquel nous avons téléphoné; le juge était très froid, il m'a demandé si j'étais sa parente, et j'ai eu la bêtise de répondre non. Il m'a demandé mon nom, en disant qu'il allait écrire à Amar pour lui signaler que je voulais le voir. Amar ne connaissait même pas mon nom de famille. Le juge avait l'air de penser qu'il devait être préservé des gens qui l'entouraient pendant ses années de fugue. Seule la famille aurait l'adresse de l'institution. J'ai renoncé à laisser un message.

Il ne me restait qu'à rentrer à Paris, voir les sœurs. Philippe ne m'aidait en rien; il était persuadé qu'il ne faut pas trop encourager les malades dans leur obsession. Il a fini par acheter les billets, parce que mon état de santé devenait inquiétant. Si inquiétant qu'on a relevé les accoudoirs de trois sièges pour moi seule, dans l'avion.

Des successions d'appels de phares, sur un mur noir et des murs blancs fixes; j'ai passé des journées, couchée dans une chambre, à Sainte-Anne, juste à côté de l'appartement de Philippe.

J'ai pris conscience en l'écoutant de la gravité de mon état. Il est vrai qu'il ne savait pas que j'entendais tout, les oreilles devenues comme des haut-parleurs, douloureuses de fièvre. J'en ai conclu que j'étais en danger de mort.

Dès que la fièvre a baissé, je suis sortie dans Paris, cherchant à voir Malika. Malika était en voyage, et les sœurs refusaient de me répondre au téléphone et ne m'ouvraient pas leur porte. Je revenais de ces courses encore plus écroulée de fièvre; Philippe a fini de me séquestrer tout à fait. J'ai cru que j'allais mourir là, quand il m'a proposé en désespoir de cause d'aller à Lamorne avec lui, quelques mois.

Entre Philippe et moi, il était convenu depuis des années de dire que j'étais « fatiguée », ou « trop nerveuse »; nous évitions le mot maladie. Cette fois-ci, j'étais tellement malade, que le nom de Lamorne m'a rendu un peu d'espoir. Onctueusement, à force de distiller la résignation, Philippe a eu raison de ma résistance. La facheuse coïncidence de l'accident du pont m'avertissait : je lui portais la poisse. Pour retrouver Amar, il fallait d'abord me retrouver moi-même. Je ne pouvais lui être d'aucune utilité, perdu dans une Amérique hostile, si je n'étais pas capable de me gouverner normalement. J'acceptai Lamorne, blanche et muette, presque inconsciente.

Lamorne, pour ceux qui ont fréquenté les H.P., dans les années soixante-dix, était le Ritz des cliniques. Je ne savais pas à quoi l'endroit ressemblait : je m'imaginais une famille d'artistes devant un château verdoyant. Mon transfert à Lamorne était inévitable par suite d'incidents survenus alors. J'étais devenue intenable à Sainte-Anne. J'espionnais les autres malades et les infirmiers dans les waters, je faisais des trous dans les cloisons.

Philippe m'entraînait en taxi pour faire les papiers nécessaires à mon transfert, et m'acheter de quoi m'habiller parce que ma valise était à l'hôtel de San Francisco; on disait Lamorne très chic, très intellectuel. Philippe m'a enveloppée dans une couverture et m'a mise dans le train, en première, pour Orléans, où quelqu'un à la gare, sur le quai, m'attendrait; et il a ajouté des recommandations au contrôleur.

Je me suis endormie entre Paris et Orléans et je me suis réveillée : le contrôleur me secouait, il venait juste remplacer dans mon rêve un flic en uniforme américain, comme ceux qui avaient emmené Amar. Il fallait changer de train pour Orléans; le train était aux Aubrais, une banlieue. Le contrôleur m'a emmenée, en me tenant par le bras, comme si j'étais incapable de marcher, jusqu'à la « navette », comme il disait. A peine était-il reparti vers son train, je suis redescendue, parce que j'ai cru que j'étais arrivée. Je suis sortie dans la campagne; autour de la gare une zone industrielle au milieu des champs; il faisait lourd, un soleil gris sous les nuages. A droite et à gauche de la route des bâtiments en préfabriqué renvoyaient la lumière blanche. Tous les ouvriers sont sortis devant les bâtiments; c'était l'heure de la fin du travail, ils avaient leurs gamelles à la main.

La plupart étaient arabes. Je les regardais passer un à un, sans écouter leurs quolibets, en les dévisageant, ces visages ridés et craquelés; je me suis mise à les apostropher en leur demandant ce qu'ils baragouinaient, et puis tout s'est mis à tourner et je me suis retrouvée dans un car de police qui ralentissait en faisant pin-pon. Au lieu du porche gris de Sainte-Anne, un château tout blanc se dressait dans les phares, au sommet d'une pelouse. C'était Lamorne.

Dès que les flics m'ont aidée à descendre du car, j'ai marché droit sur le perron du château. Je vacillais, et un jeune type qui portait un polo noir avec des cheveux longs m'a couru après; il venait de signer les papiers des flics. Il m'a retenue par le bras, et m'a montré un autre bâtiment, en brique, sous les arbres. Je lui ai répondu que je ne couchais pas dans les écuries. J'ai eu une faiblesse. Il m'a transportée à l'intérieur, comme un paquet, et il m'a couchée.

J'ai passé des mois à délirer; Philippe apparaissait sur le papier peint de la chambre, déformé, monstrueux. C'était une mansarde, avec des poutres apparentes, très jolie, très province. J'étais tellement fatiguée que je ne pouvais pas lui répondre. Il restait à me tenir la main. Les saisons ont passé. Longtemps après, je regardais la fenêtre à travers mes yeux à moitié fermés, et la forêt ensoleillée; je me sentais moins vaseuse. Je me suis levée, ce que j'avais pris pour la fenêtre n'était que la tache du soleil sur le papier peint, à travers la vraie fenêtre, vers laquelle j'ai marché. Dehors, à travers le paysage de printemps, j'ai entendu des voix à mes pieds; et j'ai vu un groupe où il y avait Philippe, des femmes en tailleur, quelques jeunes filles qui devaient être infirmières, en jeans, le jeune mec qui avait changé de polo, et quelques autres blonds à moustache. Ils avaient plus l'air d'étudiants que de médecins. Une Mercedes blanche est arrivée en trombe et il est sorti, comme un diable de sa boîte, un jeune type mince avec des lunettes d'écaille et les cheveux en arrière, qui a embrassé tout le monde et s'est mis à faire des gestes rapides en marchant vers le château.

Alix était le médecin-chef de Lamorne; il arrivait, m'a dit Philippe, d'un congrès aux Philippines. Il me le présenterait dès que je pourrais me lever. La semaine suivante, j'étais debout. J'ai recommencé à téléphoner à Paris, avec l'appareil qui était dans l'entrée du bâtiment. J'ai eu Malika, elle était très froide, et a raccroché presque tout de suite. Quant aux sœurs, impossible même de leur parler : une voix d'homme arabe refusait de me les passer. J'étais devenue une pestiférée, comme si elles avaient appris mon rôle lors de l'accident de Kerkenna.

J'ai eu un dernier accès de désespoir, et je me suis mise à pleurer dans le petit déjeuner; c'était la première fois que je le prenais dans le réfectoire, enfin devant le réfectoire; une machine fabriquait de l'eau bouillante, et les gens se faisaient des tartines et allaient s'installer n'importe où sur la pelouse au soleil.

Je bougeais, je vivais, mais mon corps était bizarre; je n'étais plus malheureuse, complètement aplatie, me chauffant au soleil sans penser à rien. Je refusais de parler, je remuais le moins possible, ça m'était douloureux. Je regardais mes mains, mes pieds, comme s'ils avaient été très loin, des morceaux de pierre que je traînais péniblement, accrochés à mon corps. Je ne me lavais plus, je ne m'habillais qu'en robe de chambre. La vue des autres m'était désagréable, je rencontrais leur regard, et je n'en voulais pas. Je ne pouvais regarder les visages qu'à la dérobée, en douce, par-dessous. La vue des yeux m'était insupportable; privée de mon obsession, je commençais à douter de l'existence d'Amar, et je me noyais dans les nuages, pendant que la pluie d'hiver battait le château, mon second hiver à Lamorne.

Le printemps est encore revenu. Je mangeais mon assiette sous les arbres, dans mon coin, comme d'habitude, une habitude dont je croyais qu'elle serait éternelle, jusqu'à ce que je n'aie plus ni dents ni cheveux.

Pour la première fois, quelqu'un a essayé de m'aborder; ou du moins, pour la première fois je m'en rendais compte. Il avait ceci de particulier qu'il me parlait en fixant son regard ailleurs. Il voulait savoir si je me sentais moins fatiguée; et miracle, je le comprenais, je pouvais lui parler. J'en ai eu les larmes aux yeux. Il a noté d'un air détaché qu'à son avis le ragoût était bien assez salé comme ça, et m'a conseillé de manger la viande et de laisser les légumes; quand j'ai mordu dedans il m'a souri et avec un geste qui désignait tous les malades en train de manger : « De la viande pour tout le monde, en pleine guerre, n'est-ce pas merveilleux? »

Il était gros, bien habillé, avec un costume rouille et une cravate rouge un peu chiffonnée; il m'a dit qu'il s'appelait Monsieur Rodolphe et que je vienne le voir dans son bureau. En effet, il y avait une plaque sur un petit bureau, avec marqué « Monsieur Rodolphe, médecin-chef en second ». La porte ne s'ouvrait pas, elle était plaquée sur le mur. Monsieur Rodolphe se tenait devant, non dedans. Il m'a sorti de ma torpeur. Je ne savais même pas comment était fait le domaine, je n'avais jamais été au-delà du trajet entre ma chambre et le réfectoire. Se promener avec lui voulait dire un étonnement perpétuel devant chaque auto, chaque objet de jardinage; quand on est allé plus loin, devant la moindre devanture poussiéreuse d'épicerie-tabac, dans des trous perdus de la campagne environnante. Toutes ces marchandises, en pleine guerre! Toute la famille de Monsieur Rodolphe était morte le même jour, tuée par le dernier bombardement américain sur Boulogne-Billancourt.

C'est Alix qui m'a raconté l'histoire de Monsieur Rodolphe. J'en avais enfin fait la connaissance. Lui, il avait un vrai bureau, une grande pièce toute blanche avec des canapés en coussins de skai blanc, remplis de petites boules de plastique qui faisaient un petit couinement sous moi. La cheminée était de marbre blanc, la moquette blanche; s'il avait pu, il n'y aurait eu que du bois blanc dans le feu.

Alix s'intéressait à moi depuis que je me remettais à parler; depuis que Monsieur Rodolphe m'emmenait dans de longues promenades dans le pays. Le château était au milieu du pays des fous, des burdins, comme les appelaient les paysans. Je ne sais pourquoi ils étaient tous concentrés là. Peut-être y a-t-il beaucoup d'ivrognes dans cette région; d'autres malades venaient de Paris, et étaient placés dans le pays parce que la campagne à vaches est bonne pour eux. Tout le long de la grande route qui allait du château à deux petites villes, une au nord, avec un hôpital psychiatrique d'hommes, l'autre, pour les femmes, au sud, des burdins se promenaient, main dans la main, imprévisibles. Ils avaient tous des pèlerines bleues, et ils souriaient béatement aux voitures qui passaient, de leurs bouches édentées, avec des petits hochements de leurs mentons tremblants. Ils n'étaient pas spécialement vieux, et pourtant me paraissaient tous gâteux. Ils étaient les malades de l'Assistance publique, et ceux de Lamorne les méprisaient un peu, parce qu'ils n'étaient même pas schizophrènes, de simples idiots, des alcooliques. Ils se nichaient partout, même la nuit, dans les phares, papillons bleu sombre, dans les coins les plus déserts, marchant comme des spectres le long des fossés.

Tout ce monde marchait, marchait toute la journée; moi aussi, je me mettais à marcher. Monsieur Rodolphe disait que nous étions en inspection, et les burdins nous croyaient, parce qu'ils ne voyaient pas la différence entre nous et de vrais médecins.

Cette région était le plein centre de la France; à croire que tous les fous du pays y étaient repliés pour profiter du calme de la Loire. Lamorne vivait cernée par une campagne à fous, qui dévalorisait le prix des propriétés, et permettait d'installer les malades dans de grands bâtiments bon marché.

Tous les soirs, des bords des canaux, on entendait monter la musique des postes à transistors, dont les burdins se munissaient. Dans le crépuscule, des dizaines de pèlerines bleues, leur appareil à la main, revenaient vers les fermes où elles logeaient.

Certains se collaient aux grilles du château, le soir, bavant devant le spectacle de nos repas; d'autres s'installaient le long des routes, leur transistor à la main, ces transistors que les épiceries du coin leur vendaient trois fois le prix, parce qu'ils n'avaient aucune idée des vraies valeurs. Ils dialoguaient avec les fils téléphoniques, qu'ils semblaient ausculter. Ils se taisaient tous, en nous saluant bien bas, quand j'approchais, pour recommencer à parler tout seuls, l'air furieux, comme quelqu'un qu'on a dérangé, dès que j'étais passée.

En me promenant, je constatais que le pays vivait des fous, de ceux de Lamorne comme de ceux des H.P. Les cultivateurs, surtout, qui, d'après Alix, touchaient cinquante francs par jour et par burdin, pour les loger dans des porcheries qu'ils repeignaient et où ils mettaient une ampoule électrique. Les burdins, au contraire des habitants de Lamorne, étaient logés chez des paysans, selon une très vieille coutume du pays. De temps à autre, ils commettaient un assassinat ou un viol; les habitants ne se mettaient pas en colère, parce qu'ils vivaient tous des burdins, les commerçants comme les autres.

Ils passaient leur vie à marcher, à marcher sans arrêt, pour apaiser l'inquiétude, pour faire bouger, même très lentement, le paysage. Rester en repos, être enfermé entre quatre murs, ç'aurait été la mort. Et je me sentais devenir comme eux : les burdins étaient ma frontière, le spectacle de ce que j'aurais pu devenir. Grâce à Monsieur Rodolphe, qui avait eu l'idée de me les montrer, je resterais de l'autre côté des grilles du château, parmi ceux qui ont des maladies bavardes et intéressantes. Les burdins n'étaient pas tous des idiots; mais j'entendais les rires des ménagères, quand ils faisaient, avec de drôles de voix tremblées, les commandes de boucherie pour les paysannes chez qui ils habitaient; et ils emportaient « cinq dont deux », cinq steaks dont deux dans les déchets, deux « spécial burdins », qu'on leur destinait.

Les petites filles de paysans jouaient avec eux, en les pinçant et en les appelant par de petits noms, puisqu'ils habitaient souvent juste de l'autre côté de la cloison de leur chambre. Ils étaient à peine plus que des animaux, et pourtant moins malheureux que les vieilles gâteuses de Sainte-Anne. En fréquentant Monsieur Rodolphe, je vérifiais tous les jours que je n'en étais pas à ce stade-là. Quand Alix avait pris sa clinique, en achetant le château avec l'héritage de la chocolaterie de son père, juste après la guerre, Monsieur Rodolphe avait été son premier malade. Depuis vingt-cinq ans, il était un pilier de la maison; il avait connu les temps durs où la Sécurité sociale ne voulait pas rembourser Lamorne, à cause des méthodes non conformistes d'Alix. Quand j'ai demandé à Alix pourquoi cette comédie du faux bureau, il m'a appris que tous les bureaux étaient faux, sauf le sien. En fait, rien n'aurait empêché Monsieur Rodolphe d'être réellement directeur, si ce n'était justement la S.S., qui n'aime pas beaucoup les changements de statut. Il aurait fait un très bon économe, parce qu'il ne pensait qu'à faire des stocks. Il assistait même aux réunions de direction de la clinique.

Monsieur Rodolphe avait commencé ma guérison, Alix voulait la terminer.

Pour Alix, Monsieur Rodolphe était presque une garantie, sa présence l'avertissait en permanence que les médecins aussi sont parfois fous. A la fin de cette seconde année à Lamorne, Alix me parlait souvent à cœur ouvert. Son projet était de faire participer tout le monde à la gestion de la clinique; s'il avait pu, les malades auraient fait partie du conseil d'administration; à quoi je lui ai fait remarquer que je ne voyais pas pourquoi la S.S. paierait, s'il n'y avait plus de différences entre les fous et les médecins. Dans ce temps-là, Monsieur Rodolphe m'a emmenée visiter une grosse pierre trouée qui était à un carrefour de routes, à une dizaine de kilomètres du château. C'était un « déburdinoir », très célèbre dans le pays : une curiosité du Moyen Age; une grosse meule de pierre, avec en son centre un trou gros comme la tête, par où on voyait le ciel. Les fous d'autrefois mettaient la tête dedans, et ils étaient guéris.

J'ai aussitôt passé le cou dans l'ouverture, la pierre était froide et humide, et j'avais l'impression d'être dans une guillotine. Je n'ai rien senti, et j'ai été guérie. En revenant au château, j'ai pris la résolution de raconter ma vie à Alix, ce qui ne s'est pas fait de suite. Une fois en face de lui, je ne savais plus comment commencer; et il se mettait à me raconter la sienne une fois de plus, parce que l'égalité commandait que les malades en sachent autant sur lui que lui sur eux.

Philippe, qui venait tous les week-ends de Sainte-Anne, était ravi de me voir revenir à la parole. Quand je le comparais à Alix, je ne pouvais m'empêcher de trouver ce dernier plus amusant. Alix parlait à toute vitesse, en répondant au téléphone et en essuyant ses lunettes en même temps. Il était direct, quand Philippe s'embrouillait en mordillant sa moustache; il était habillé avec un blouson de daim et des mocassins italiens, quand Philippe portait indéfiniment ses costumes feuille-morte fatigués de la Samaritaine. Ses mains s'agitaient tout le temps, quand celles de Philippe étaient moites et immobiles. Alix, avec ses cheveux noirs en arrière et son style cinquante, ressemblait un peu à Arthur Miller; Philippe, pardon de lui dire, ressemble à un cocker mouillé.

Alix a fini de raconter l'histoire de la clinique et de Monsieur Rodolphe; sans faire aucune allusion au fait que j'étais restée tant de mois sans dire un mot, il m'a demandé, incidemment, comme s'il découvrait ma présence, pourquoi j'étais là. Je me suis tournée par habitude vers Philippe; devant Alix, il était un oiseau devant un serpent, complètement fasciné et muet. Et tout d'un coup, comme un évier qui se débouche, je me suis mise à parler, à raconter mon passé, dans le désordre. Il a toussé, et m'a conseillé de tout recommencer depuis le début.

Avec Philippe, j'avais toujours eu l'impression

quand je parlais, de m'enfoncer dans un marécage où lui et moi perdions pied. Alix n'avait pas l'air d'un médecin, du moins d'un psychiatre. Il avait l'esprit clair.

Je m'étais étendue sur le sofa, et je me sentais plus relaxée. Alix a fait sortir Philippe, sous prétexte d'aller accueillir un nouveau malade. Il a fait le tour de son bureau, et s'est assis près de moi; je sentais son odeur d'after-shave à la menthe. Je me suis rendu compte que Philippe lui avait déjà conté mon passé. Il me connaissait déjà bien, ma famille et ma vie à Paris; et je me suis dit que je faisais partie de leur société, et qu'il s'apprêtait à ce que je reste là, longtemps, très longtemps.

A Lamorne, il n'y avait pas de malades; il n'y avait que des « pensionnaires », disait Alix. Comme à la Comédie-Française.

Quand, plus tard, j'ai expliqué que je n'avais pas l'intention de vivre toute ma vie dans des asiles de fous, Alix a décrit Lamorne comme une petite société qui ne voulait qu'améliorer les échanges, de part et d'autre de la barrière bourgeoise entre les malades et les médecins. Il avait les mains froides, maigres et nerveuses, et il était en train de prouver sur moi son point de vue sur l'abolition des barrières.

Nous avons eu deux ou trois séances de discussion par semaine, parfois avec Philippe. Alix suggérait que je pouvais parfaitement devenir monitrice à Lamorne, et que j'avais ici un avenir tout chaud qui m'attendait. Personne ne m'avait jamais proposé de travail dans un hôpital psychiatrique, et j'ai trouvé ça gentil. En récompense, quand il a commencé à déboutonner sa braguette en me caressant la chatte, je l'ai laissé faire; et puis je lui ai donné une tape sur la tête et je suis sortie.

Je découvrais toutes les activités qui formaient Lamorne, un vrai club Méditerranée au milieu des terres : des chevaux dans le parc, un service de minibus pour aller en ville, un théâtre de verdure dans le parc, où les moniteurs organisent des spectacles.

Les moniteurs étaient des jeunes chevelus qui tapaient à la machine dans un autre bâtiment, et restaient entre eux toute la journée, sauf pour leurs tours de garde. Ils avaient peur des malades, semblait-il.

Personne ne portait de noms véritables à Lamorne. Les gens se connaissaient seulement par leur prénom ou leur surnom; comme Alixe, dont personne ne connaissait le nom de famille. Comme Monsieur Rodolphe. Quant à moi, qui avais toujours refusé de répondre même à mon prénom officiel, je trouvais ces habitudes plutôt sympathiques. Ils avaient accepté Andréa sans recourir à ma carte d'identité.

J'ai décrit ma rencontre avec Amar, l'accident, comment sa famille refusait maintenant de m'aider à reprendre contact avec lui. A mesure que je déroulais mon récit, je prenais conscience combien c'était absurde de ma part d'avoir caché aux sœurs d'Amar que je connaissais leur frère. Je le cachais uniquement parce que je me considérais comme coupable, alors que j'étais la seule à le savoir, et donc qu'en me cachant je le révélais. En parlant à Alix pendant que Philippe prenait des notes, je comprenais que je m'étais mise moi-même dans une impasse, en me conduisant comme une coupable, sans avouer de faute. La première fois que j'avais revu Amar, j'aurais dû aller lui parler, et le retrouver comme si de rien n'était. Il m'avait peut-être même oubliée, ou pardonné, s'il l'avait jamais su.

J'ai pensé longtemps, et je leur ai dit qu'on n'avait pas le droit de faire des analyses à trois, que c'était contraire à toutes les règles. Alix ne s'est pas embarrassé; au contraire de mon analyse avec Philippe, où je passais une heure dans le silence, là, je discutais ferme, je criais pour les interrompre dans leur discussion; c'était un conseil de guerre tenu à l'intérieur de mon crâne.

Ils voulaient tout savoir sur mes parents, mes frères et sœurs, mes saletés de petite fille; et ils me faisaient faire des analyses de sang, où ils ont trouvé du LSD naturel. Alix m'a demandé de raconter tous mes amants, ce qui avait l'air de l'exciter drôlement.

Alix avait surtout retenu que j'étais fascinée par les Arabes, que je me sentais persécutée par eux. J'ai protesté : je n'ai jamais couché avec aucun Arabe.

Très vite, j'ai noté qu'Alix ne prononçait jamais le nom d'Amar, comme s'il l'avait mis entre parenthèses. Au printemps, au moment où j'en arrivais à l'épisode du pont de San Francisco, dont je ne pouvais pas me souvenir précisément, ils ont eu recours à l'hypnose. Alix tenait une boule d'argent au bout d'une ficelle à la main. Je me suis réveillée, les bras encore tendus en avant, comme dans un rêve, faisant le geste de pousser quelque chose hors de ma route. Je ne savais ce que j'avais avoué sous hypnose. Alix et Philippe tenaient des conciliabules d'où ils m'excluaient.

Ils me mirent en demeure de renoncer à mes « mythologies ». Ainsi appelaient-ils Amar. Ils avaient décidé de ne pas croire à son existence en tant qu'individu, encore moins à mes rencontres et poursuites avec lui.

Profondément troublée par l'apparente bonne foi d'Alix, j'hésitais. Je n'avais pas inventé Amar, mais personne d'entre eux ne l'avait jamais vu. Il n'était qu'un symbole, dans ma lutte avec moi-même, ma volonté de me rendre malheureuse, fautive. J'allais devenir la femme d'Alix.

Dès le début de mon analyse, j'étais devenue une personnalité de Lamorne. Alix refilait ses autres malades à des assistants, et me traitait personnellement. A la longue, les visiteurs, des intellectuels de Paris en duffle-coats et blousons de daim, qui venaient passer le week-end chez les fous, des cinéastes, d'autres médecins, me prenaient sérieusement pour un membre du personnel. Alix me faisait suivre une cure très bien dosée de médicaments, qui me rendaient irréels mon passé et ma passion pour Amar. J'ai rencontré un jour Antonio, venu avec un groupe de visiteurs anarchistes entreposer des bombes dans la cave de la clinique; je n'avais rien à lui dire. Alix l'a chambré pour le questionner sur moi : je n'y ai attaché aucune importance. Je voulais réorganiser ma vie, en rayer définitivement ce drame stupide que je m'étais créé. J'ai appris le rock à tous les moniteurs, qui partaient le vendredi soir danser en boîte à Paris. J'ai moi-même été faite monitrice de week-ends.

Quelque temps après l'hypnose, Alix m'a montré un article de lui dans sa revue, qui m'était consacré : son dada étant le syndrome de la guerre qui n'en finit pas; j'étais considérée comme une victime à retardement de la guerre d'Algérie, entre des Japonais qui continuent à se croire en guerre avec les Américains dans les îles perdues du Pacifique, et Monsieur Rodolphe.

L'article se terminait par un « à suivre ». Pour lui couper l'herbe sous le pied, j'ai décidé de me préparer à poursuivre mon propre récit, que j'écris actuellement, dont j'avais rédigé la première partie juste après l'épisode à San Francisco. Je ne me mis pas au travail immédiatement; je voulais rassembler mes souvenirs. Dans les explications d'Alix, je pressentais un truquage. Je sais lequel depuis aujourd'hui, et j'écris pour contredire ses mensonges.

Alix devenait de plus en plus entreprenant, me

caressant les seins et les fesses en parlant. En même temps, il faisait des petits signes à Philippe, qui pensait que j'allais briser mon serment de ne jamais coucher avec mon psychiatre. Alix était assez vicieux, comme tous les intellectuels; et il aurait bien couché à trois avec Philippe.

J'ai recommencé à parler de m'en aller. Je ne voulais plus être malade, j'en avais assez de cette comédie. Alix et Philippe étaient consternés; ils étaient juste au milieu d'un gros livre sur mon cas, et avaient à tout prix besoin de moi pour le terminer. Ils avaient prévu une évolution en courbe sur des années, ma décision de partir était une catastrophe qu'ils ne voulaient pas financer.

C'est alors qu'Alix m'a proposé de l'épouser; comme il disait, c'est le plus pratique; j'étais très surprise et flattée. J'ai hésité; c'était la première fois qu'on me proposait le mariage; j'ai eu peur de regretter, et j'ai dit oui.

Je suis sortie téléphoner la nouvelle à ma mère, qui n'a jamais cru qu'un jour j'épouserais, pour de bon, un monsieur. Tous les pensionnaires et les moniteurs sont venus m'offrir un bouquet; les ex-femmes d'Alix, qui étaient les doctoresses en tailleur, sont venues me féliciter. Elles m'ont dit en passant combien Alix leur versait de pension alimentaire, et de bien regarder les clauses du contrat.

Alix aurait bien voulu m'épouser en douce, en passant en civil à la mairie, un jour de courses à Orléans. J'avais toujours dit à ma famille que je me marierais en blanc et j'ai exigé un mariage tout en blanc, bien que je n'aie pas invité mes frères, rien que pour les faire bisquer. Les parents italiens d'Alix étaient ravis, ils étaient venus spécialement de Padova. J'ai commandé une robe de mariée à Orléans, les malades ont décoré le château avec des rubans et des bouquets de fleurs d'oranger en plastique.

Quand on est revenus de la mairie, Alix a allumé un petit cigare et a dit d'un air satisfait que désormais nous resterions tous les trois ensemble; n'est-ce pas, Philippe?

Philippe a dit oui d'une voix émue; il venait de demander son transfert à Lamorne. Il avait l'impression de m'avoir épousée par procuration.

Le drame a éclaté l'après-midi, quand Alix m'a baisée; Philippe ne voulait pas sortir de la chambre. Nous avons dû le mettre à la porte, il était furieux, et a disparu pour bouder.

Au château, tout le monde était rassemblé sur la pelouse. Monsieur Rodolphe a prononcé le discours de bienvenue au nom des pensionnaires, en nous souhaitant de longues années de bonheur sans restrictions alimentaires. Les moniteurs ont offert à Alix un exemplaire spécial de sa revue, avec des articles consacrés à lui et à moi. La moitié de la fanfare des malades jouait les trompettes d'*Aïda*, l'autre moitié « Happy birthday to you », et une pensionnaire en tricot rouge chantait même « L'Internationale », excitée par l'atmosphère de fête. Les moniteurs avaient préparé une pleine baignoire de punch qu'ils avaient entourée de papier doré. Ils y ont mis le feu, et ont distribué à tout le monde des verres en carton, en dépit des objections Alix. Vous pensez si les pensionnaires se sont précipités.

Nous avons dîné à une grande table dans la cour, sous les arbres, et bien qu'Alix ait défendu de servir du vin à cause des pensionnaires, plus le repas avançait, plus ils étaient excités. Au dessert, plusieurs malades avaient commencé chacun de leur côté une réfutation des thèses d'Alix, en se barbouillant de crème ou en se trempant la bite dans la sauce refroidie. Sans compter ceux qui pleuraient sur l'os du gigot en faisant « bee, bee », ou ceux qui se cachaient sous la table parce que la salade de fruits refusait de leur parler.

Tout le monde s'était mis en blanc, comme je l'avais demandé. Les seuls habits blancs, à Lamorne, c'étaient les blouses médicales, que personne n'utilisait jamais et qui étaient dans un placard en cas d'inspection. Tous les convives étaient en infirmiers ou en docteurs, quand ils ne s'étaient pas tout simplement enveloppés à la romaine dans leurs draps de lit.

Je me suis tournée vers mon mari. Il ne cessait de chantonner le nom de Philippe. Car Alix aussi était tout bizarre. Il s'obstinait à essayer de manger sa fourchette et son couteau avec l'aile et le pilon du poulet comme instruments. Et puis il avait commencé un discours que personne n'écoutait, pour proposer que désormais les médecins soient élus par les malades. J'ai commencé moi-même à avoir des éblouissements, alors que la nuit tombait. J'ai entendu la voix de l'un des moniteurs, qui avait une grande barbe noire et riait à s'en tenir les côtes, et qui disait à Alix que toute la pharmacie avait été pillée et versée dans le punch par Monsieur Rodolphe. Alix s'est levé avec un grand cri, et s'est précipité hors de la table, avec la main devant la bouche, en courant vers les waters. J'ai secoué mes demoiselles d'honneur; mais l'une, qui était une monitrice japonaise, essayait de manger le gâteau avec des baguettes, et l'autre, la femme doctoresse qui avait autrefois épousé Alix, ne faisait que hurler le chiffre de sa pension alimentaire à la table qui se disloquait.

Je me levai pour rejoindre Alix, en me rattrapant à la nappe; quelqu'un a agrippé ma manche. Je me suis tournée vers lui, furieuse. Philippe : il était réapparu, blême, la moustache hérissée. Il était le seul à ne pas avoir bu de punch drogué. Je l'avais oublié depuis la scène de l'après-midi, il avait boudé la fête en se bouchant les oreilles dans la grange. Du foin sortait de la pochette de son costume; il tremblait, il avait la larme à l'œil. Il était jaloux.

Mais il n'était pas jaloux d'Alix, il était jaloux de moi. Il m'a interrogée d'une voix émue. Comment était-ce, avec Alix? Il avait un gros sexe? J'étais contente? J'avais drôlement bien réussi mon coup.

Il avait cru que nous allions faire ménage à trois jusqu'au lit. Son corps mou tressautait de chagrin. Il était le dindon de la farce, personne ne voulait coucher avec lui. En dépit de la drogue, j'étais très froide. Il sortait de son rôle, se démolissait à mes yeux. J'étais plus lucide que lui, un psychiatre à jeun. Je l'ai repoussé, un peu brutalement. Il gluait, ses larmes étaient de colle et son chagrin de mastic.

Un peu de sang lui est monté au visage. Il est devenu agressif, d'une méchanceté qu'il avait longtemps cachée sous son allure bonhomme, une méchanceté de folle. Je le regardais bouche bée, métamorphosé : le bon caniche était une levrette enragée.

Je lui ai fait répéter son insinuation, je ne la comprenais pas. Il sifflait qu'une meurtrière devait d'abord penser à la police, avant de prétendre chasser quelqu'un qui l'avait servie pendant dix ans, en lui volant son ami. Je croyais qu'il voulait parler de Kerkenna, je n'étais même plus convaincue d'être responsable, à présent; en tout cas je n'avais pas tué Amar. Il m'a mis les points sur les i. Sous hypnose, j'avais avoué un meurtre. Et on ne pouvait mentir sous hypnose. Etais-je vraiment assez sotte pour ne jamais avoir senti le caractère invraisemblable d'une coïncidence comme celle du pont? Je serais arrivée juste au bon moment, par hasard?

Toute la scène m'est revenue tout d'un coup, comme avant ma grande fièvre; le tourbillon de l'espace entre le camion et la remorque, les vieux os frêles des maigres épaules qui craquent presque sous mes mains, et l'envol de cette chose incroyablement légère dans le vent, heurtant le pare-chocs du camion, rebondissant, une poignée de hardes en désordre déjà rougies, qui volait par-dessus la rambarde. Je me tenais la tête à deux mains, pendant que cet horrible poulet géant à moitié déplumé tenant sa broche à la main me faisait encore de l'œil sur la porte arrière du camion.

Philippe m'avait toujours affirmé qu'il ne croyait pas à Amar, Alix m'avait presque convaincue que j'avais été victime d'une auto-intoxication. Poussé à bout, Philippe me donnait le fin mot de leur conspiration. Il y avait eu crime, le seul témoin était un aveugle. Ils avaient décidé d'enterrer l'affaire dans le secret de leur cabinet, pour moi et pour eux. Alix pour faire de moi sa femme, Philippe par amitié pour nous deux.

Philippe s'était écroulé en sanglotant dans le dessert, en me suppliant de lui pardonner le mal qu'il venait de me faire, en bramant qu'il avait trahi le serment d'hypocrate. Il appelait Alix, d'une voix si déchirante que celui-ci est sorti des toilettes et est revenu en s'essuyant la bouche, et en vacillant.

Je suis montée dans le château en me débattant et en lançant des coups à tous ces oiseaux qui m'entouraient et dont j'aurais bien voulu faire cesser les cris perçants. Je suis passée devant le bureau d'Alix, je suis entrée pour me reposer, et j'ai vu sur le bureau une revue qui était à moitié cachée sous le sous-main en cuir. Sur la couverture, il y avait la photo qui est en face de moi, la photo d'Amar, en maillot de bain rouge, sur une planche de surf, avec une énorme vague verdâtre derrière, et en titre : « THE BLIND SURFER ». j'ai essayé de lire l'article, mais mes yeux se brouillaient. Je ne comprenais pas où la photo était prise, je ne comprenais pas le texte. Une évidence m'accablait : Philippe n'avait rien inventé sous l'effet de la jalousie. Alix m'avait caché qu'il savait l'existence d'Amar, avait retrouvé sa trace.

J'étais la meurtrière de sa protectrice, j'avais poussé la vieille sous le camion. Il ne voulait pas que je le sache. Depuis plus de deux ans, Amar était sans aucune protection par ma faute.

En bas, Alix avait, dans un dernier accès de lucidité, fermé la grande grille à clef, et jeté la clef par-dessus le mur. Enfin, il a fermé le compteur, en enlevant les plombs. Je les ai retrouvés dans sa chambre, Philippe et lui, en train de s'embrasser à pleine bouche, avec de la bave dégoulinante sur la moustache de Philippe, et les lunettes d'Alix en morceaux par terre. Alix s'est relevé et a déclaré tragiquement qu'il aimait Philippe.

La scène se passait il y a deux heures, au petit matin. J'ai demandé cinq mille francs par mois de pension alimentaire, plus dix mille francs d'avance; j'ai décidé de divorcer. Il avait tellement peur que je dise partout qu'il est homosexuel qu'il a aussitôt accepté; et j'ai regretté de n'avoir pas demandé plus. Je lui ai demandé ce qu'allait devenir leur livre, mais ils avaient décidé de changer de sujet; et ça devenait maintenant : « Le rapport amoureux entre analystes ».

Je reprends le train pour Paris tout à l'heure. Je viens de téléphoner au zoo où Amar travaillait, à Los Angeles, le numéro était dans le magazine; à cette heure-là, c'est le jour là-bas; la clinique paiera. Le standard du zoo m'a envoyée au secteur des Dolphins, où je suis tombée sur un vieux bonhomme qui parlait espagnol, qui m'a dit qu'il ne travaillait plus là. Comme j'avais appris un peu d'espagnol avec Carmen, je lui ai demandé où il était parti. Il ne voulait pas répondre, les déclics de la note de téléphone tombaient dans le silence. J'ai eu l'inspiration de dire que j'étais sa sœur, alors il a parlé. Il était à New York, dans un hôtel qui s'appelait le Chelsea. Moi, je croyais que Chelsea c'était à Londres.

Quelle erreur, de l'avoir cru infirme!

J'achève ma treizième semaine à New York, en reprenant ce cahier commencé à Lamorne. Je viens de me relire. Je suis partie en croyant que je lui serais indispensable, que j'étais responsable de son sort. Je me voyais comme une Antigone, le guidant toute ma vie.

Il n'a besoin de personne, je ne suis pas ici pour lui, mais pour moi. Il ignore même mon existence. Je vis avec lui sans qu'il le sache; les premiers jours, je tendais le bras pour l'aider chaque fois que je le croisais dans l'hôtel. J'ai arrêté mes gestes à temps, avant qu'il les perçoive. Moi, j'ai besoin de lui; il vaut mieux qu'il ne se rappelle jamais mon existence, où il a tant à me pardonner.

Je suis revenue en Amérique toute seule, sans prendre de médicaments, et personne ici ne se douterait que je sors d'un H.P. Les crises sont finies depuis que j'ai couché avec lui. Je parle peu, je suis habillée juste d'un jean et d'un pull ras du cou noir, et j'ai coupé mes cheveux, ce qui me donne l'air un peu plus vieille. Après tout, je suis une femme divorcée, une femme respectable.

Même mes règles sont très en retard, tellement je suis froide. Je suis à New York, devant le paysage de toits plats goudronnés et de réservoirs de bois qui est visible des fenêtres de Sabine, avec l'Empire State Building, éclairé en couleurs.

Sabine est mon amie française, la seule que je fréquente ici. J'habite trois étages au-dessus d'Amar; je ne parle que français, je n'ai pas appris un mot d'anglais. Alix a commencé à verser la pension, par mandats télégraphiés, à ma mère, qui me les renvoie ici, avec des commentaires sur le talon. Elle ne supporte pas mon mariage brisé. Je ne veux pas donner mon adresse à Philippe et Alix, ils seraient capables de venir me rechercher. Ils m'ont affirmé qu'ils feraient tout par correspondance, pour le divorce.

Je suis arrivée à l'aéroport Kennedy à la fin du printemps, avec seulement un sac de toile; si bien que les officiers d'immigration m'ont gardée longtemps. Je suis sortie, c'était déjà tard la nuit; je ne comprenais rien au système des taxis. L'un d'entre eux m'a prise de force, le chauffeur était un Polonais qui parlait italien, et qui voulait à tout prix que je sois suédoise, à cause de mes cheveux, moi qui déteste les Nordiques. Je lui avais dit « Chelsea », je pensais que c'était très connu. Arrivé à un carrefour de grosses avenues de banlieue, avec des tours au fond, il m'a montré une rue en me demandant : « Quello? » Je ne savais pas quoi dire. Il m'a amenée devant un grand immeuble, j'ai payé, je suis entrée dans un vestibule énorme et tout en marbre. Le gardien était ivre mort, il m'a demandé ma carte, je n'ai pas compris quelle carte; il n'a pas insisté et m'a donné une clef du septième étage.

Dans la chambre j'ai compris que je n'étais pas dans un hôtel, même américain, mais dans une sorte d'auberge de jeunesse géante. Au-dessus, sur le toit, il y avait une piscine, des bars, et des tennis au rez-de-chaussée. Des milliers de jeunes nanas comme moi, de tous les pays d'Europe, étaient parquées là.

En face de mon lit, de l'autre côté de la rue, il y avait un château fort, ou du moins un immeuble en brique en forme de château fort qu'on aurait passé à la peinture rouge. J'apercevais l'enseigne dans ma vitre, je me suis penchée pour la lire, et j'ai vu les fameux escaliers en fer le long des façades qui sont une spécialité d'ici. L'enseigne disait : « Chelsea Hotel. »

J'ai failli redescendre et demander à annuler ma chambre, mais ils m'avaient fait payer d'avance, douze dollars, et je ne voulais pas les perdre. J'ai regardé la façade; seules quelques fenêtres étaient allumées, ce qui n'était pas étonnant, à quatre heures du matin. Je n'avais jamais regardé ainsi une fenêtre allumée, la nuit.

L'une des fenêtres était la sienne.

Je n'y ai pas pensé tout de suite; j'ai entendu une chatte, qui miaulait, qui grimpait, courait le long de ces rayures horizontales que faisaient sur la façade les escaliers repliés. Elle est passée, cherchant un mâle, au-dessus de l'enseigne, juste à ma hauteur, et je l'ai reconnue, la bête féline qui l'accompagnait à Paris.

Elle est entrée par une des fenêtres à guillotine qui était allumée et entrouverte. Je suis sortie sur ces mêmes escaliers, enfin ceux de la façade où je me trouvais, et j'ai marché à droite, jusqu'à être en face un peu au-dessus de sa fenêtre. Et je l'ai vu étendu sur son lit.

Il dormait les yeux ouverts, et la lumière allumée. Il était plus pâle, plus maigre que sur la photo du magazine, et l'ombre lui faisait une bouche énorme, qui s'entrouvrait en respirant. Comme la rue était large, je ne voyais pas tous les détails de son visage, mais il n'y avait aucun doute que c'était bien lui. J'ai été interrompue dans ma contemplation : une voix, derrière moi. Celle du type qui avait la chambre devant la fenêtre de qui j'étais. Il l'a ouverte, je suis entrée; c'était un Hollandais étudiant. Il a accepté en riant d'échanger les chambres, bien que ce fût dans la partie réservée aux garçons. Il avait un passe pour la porte qui faisait, à chaque étage, communiquer les deux sections. De ce jour, je n'ai plus cessé d'observer Amar. Son visage, ses mains, et surtout ses yeux.

Ils sont sable et lichen, le matin, quand le soleil monte au-dessus du grand pont qui conduit à Brooklyn, et qu'il flaire l'odeur mouillée de la rue; ils sont couleur mer du Nord quand il pleut sur les terrasses goudronnées et les marquises de toile bleue; vient le coucher du soleil sur la grande rivière de l'Ouest, et ils sont vert sombre fibrillé de doré. Mais la nuit, ils deviennent bleu lait phosphorescent presque comme ceux de sa chatte.

J'ai refait cent fois la mise au point aux jumelles; aucun doute : ses yeux, dans le noir, au-dessus des escaliers en fer forgé de la façade de brique rouge éclairée par l'enseigne, font un peu de lumière. La plupart des gens, sans doute, la prennent pour un reflet. Moi, je sais que c'est une luminescence venue du dedans.

De la YWCA, j'avais une vue parfaite; il ne ferme jamais les rideaux, la lumière du jour ne l'empêche pas de dormir. Même en dormant, il garde souvent les yeux ouverts, humides et lumineux dans la chambre tranquille.

Ses yeux ne me parlent pas, et pourtant ils m'envoient des émotions; pas des idées ni des choses qu'on voit, seulement des couleurs, ces couleurs qu'il ne connaît pas, des couleurs et des sentiments.

Il vit seul, heureusement. De la fenêtre de la YWCA, j'essayais de m'imaginer, grâce aux jumelles, que je supprimais la distance, j'étais dans sa chambre à côté de lui. Une autre personne vivant dans sa chambre aurait remarqué mon manège.

J'ai donc couché avec lui, après tant d'années, presque par hasard, l'action n'a pas du tout eu l'importance que je croyais. J'ai vu qu'il avait un début de moustache, et un petit tatouage que je ne lui connaissais pas, au creux de la poitrine. La couleur de sa peau aussi a changé; elle était brun foncé sur la photo, comme à Kerkenna. Ici, en pâlissant, elle devient un peu couleur d'olive, avec des reflets verts. Ses boucles de cheveux, ses cils, ses longs sourcils sont devenus plus noirs, et il a deux rides qui se forment au coin de la bouche, qu'il tient presque toujours serrée, sauf quand il dort.

Il ne fait presque jamais l'amour. Je l'ai vu revenir avec des filles qui habitent son hôtel, comme cette horrible jument à queue de cheval, qui tape à la machine assise en tailleur sur la moquette de sa chambre juste en dessous de chez lui. Il ne fait rien avec elles. J'attends leur départ, tapie derrière mon rideau. Je suis la seule à avoir couché avec lui.

C'est Sabine qui m'a poussée dans ses bras. Je la connaissais de Paris; je ne l'aurais jamais reconnue, je l'avais rencontrée il y a dix ans. J'étais montée à la piscine de la YWCA, un matin, à mon lever, peu de temps après mon arrivée; je ne me baignais pas, rien que de voir la pluie dehors, sur la terrasse, ça me faisait froid dans le dos. Quelqu'un nageait, si tôt, en faisant beaucoup de bruit, en battant des pieds et des mains; et elle a plongé en faisant un grand flac, et enfin s'est essuyée en faisant des mouvements de gym.

J'étais la seule personne vivante dans l'aquarium; elle est venue à côté de moi, et m'a parlé en anglais; j'ai répondu en français, et on s'est aperçues qu'on se connaissait, on s'était vues à une fête chez Marie-Flor, des années avant Mai 68. Sabine habite au Chelsea presque tout le temps, elle sort tous les jours pour faire du patin à roulettes, très loin, de l'autre côté des ponts, avec des Noirs qui portent des gros transistors sur l'épaule; elle est grande, elle est brune, elle a les seins qui tombent et des rides plein les coins des yeux et le nez rouge à force de cocaïne. Elle se fait bronzer à la lampe, et beaucoup de sport; et elle ne boit pas, elle est très bien conservée. Je suis passée avec elle, en peignoir de bain dans la pluie, de l'autre côté de la rue. On est montées chez elle, au dernier étage de l'hôtel, pour que je lui donne des nouvelles des femmes de Paris. Elle voulait dire les féministes, que moi je ne connais guère.

Je suis donc entrée chez elle pour boire un verre, et quand je suis ressortie trois heures plus tard, c'était pour prendre ma valise à l'auberge et la transporter à l'hôtel, à son appartement.

C'est tout blanc, il y a trois téléphones rien que dans la cuisine. Elle passe son temps à répondre, sur les trois appareils, qu'on l'appelle sur l'autre ligne, ou qu'elle n'y est pas. Moi, je reste à côté, dans le salon, parce qu'elle a tout un appartement privé au sommet de cet hôtel. Le salon : il y a sept projecteurs de cinéma dont trois posés côte à côte sur le sofa, et des morceaux de films, accrochés partout à des clous; et des amorces rouges et jaunes scotchées à tous les murs.

Elle paie l'hôtel en faisant chaque mois un film d'actualités, qui s'appelle *Chelsea News* et qui est fait d'interviews des personnalités qui habitent l'hôtel; des chanteurs punks brésiliens, ou des poètes homosexuels. Elle donne des nouvelles des étages, des travaux, des attaques et des viols dans les couloirs. Elle le projette dans le bar, en bas. De temps à autre elle passe du porno, en demandant une taxe supplémentaire. Elle ne supporte pas les Français de New York, qui croient toujours être au courant de tout; moi, du moins, je ne m'intéresse à rien dans cette ville.

Sabine prétend que je commence à ressembler à Amar, que j'ai pris sa façon de marcher, et, depuis le jour où il a eu la fièvre, j'ai des frissons et des nausées. Elle rentre dans la pièce, avec des garçons portoricains qui portent des tee-shirts moulants à paillettes; elle crie qu'on n'a pas idée de se fixer sur un Tunisien à New York. Tout ce qui est sexy m'est devenu indifférent, depuis que j'ai couché avec lui. Apparemment, lui aussi, ça lui est indifférent. J'essaie d'être aussi loin que lui de ma propre image, de ne pas éprouver d'émotions, si on me parle de mon corps. Sabine soupire parfois en le regardant, elle dit que nous ferions un si joli couple.

Le premier jour où j'étais chez elle, elle m'a proposé de venir sniffer un peu de cocaïne dans une chambre d'amis au rez-de-chaussée, chez le comptable de l'hôtel. Et en remontant dans l'ascenseur, il s'est trouvé avec nous.

J'avais la tête qui tournait, je me sentais mal, Sabine a commencé à me pousser sur lui; j'ai senti à travers son jean qu'il bandait, bien qu'il eût l'air absolument comme d'habitude, et caressât la chatte qui me fusillait des yeux. Quand l'ascenseur est arrivé à son étage à lui, Sabine m'a poussée dehors; j'étais excitée par le fait qu'il bandait calmement, sans ciller; quand il m'a pris la main et m'a entraînée jusqu'à sa chambre, je l'ai suivi. Nous avons fait l'amour sans dire un mot, et je me suis sauvée en pleurant dans le couloir, poursuivie par la chatte.

Je m'étais tellement fait d'histoires de coucher avec lui, je crois que je suis devenue frigide. Depuis que j'ai renoncé, c'est le grand calme.

Dès que j'ai commencé à le regarder vivre, j'ai su que je ne chercherais plus à le « voir », comme dit Sabine, à le rencontrer de nouveau, à être en présence de lui. Ma présence avec sa présence? La sienne seule me suffit. Au début je le regardais pour le surveiller. Je ne pouvais croire à son indépendance. Aujourd'hui encore, si un danger menaçait... En restant à distance, je m'égalise à lui. Puisqu'il ne peut me « voir », je préfère qu'il ignore que je le regarde. Je ne le regarde pas pour moi, mais pour lui-même. Je le fais se voir, moi qui suis l'ombre de quelqu'un qui ne se voit pas.

J'ai pris l'habitude de le suivre, à distance. Il va à la bibliothèque municipale, qui est grande comme le Panthéon, et est à une dizaine de rues plus loin. Je suis parfois entrée; j'ai aperçu son profil, regardant droit devant lui pendant que ses mains explorent un texte devant lui. Je ne savais pas que les aveugles lisaient avec les doigts.

Je n'aime pas être trop près de lui, j'en ai peur. Je pourrais m'approcher de lui dans la rue, faire comme si j'étais sa femme, celle qui l'accompagne; il ne s'en rendrait peut-être pas compte, et personne ne me remarquerait.

Je n'essaie pas de l'approcher. La chatte, qui marche autour de lui, le garde comme un dragon, elle m'a reconnue, elle; et elle crache et se hérisse si je passe.

En trois ans, il a moins changé que moi-même. Quand j'étais petite, il y avait un seul garçon dans ma classe, en sixième, parce qu'il était le fils du concierge du lycée des filles. J'aurais tellement voulu être la seule fille dans une classe de garçons. Pas pour me faire courir aux fesses; juste parce que je n'aurais eu aucun moyen de comparaison, pour savoir que j'étais une fille.

Quand je le regarde, je suis physiquement émue. Comme le petit garçon de ma classe, il est tout seul de son genre au milieu d'un troupeau de voyants. Il ne peut pas comparer. Il ne me paraît pas plus grand qu'il y a six ans, à Kerkenna. Il n'est pas encore un homme, plus un adolescent; être aveugle rajeunit. Son corps est fort, quoiqu'il n'ait aucun poil sur la poitrine et juste un peu de laine très frisée au sexe. Mais il est à peine un homme, parce qu'il n'a pas de regard : il est un homme sans défense et sans attaque.

En couchant avec lui, je n'ai pas essayé qu'il me reconnaisse. Je croyais trouver là mon but; au moment de parler, j'avais une boule dans la gorge, et je me suis rhabillée sans rien dire. Je suis sortie de sa chambre pendant qu'il se lavait.

Je ne peux pas vivre avec lui, comme avec un homme ordinaire, à se regarder en face. Je ne suis jamais en face de lui, puisqu'il ne me voit pas. Il n'est pas en face de moi, parce que je ne vois pas son regard. Je suis enfermée dans lui, je ne suis qu'un prolongement de lui.

Je me suis accrochée à lui sans qu'il s'en doute, en parasite, en coquillage. Je ne souhaite plus qu'il sache que j'existe, je ne cherche pas de retour. Je ne veux pas qu'il me voie, il me suffit de le voir.

J'ai beaucoup changé, j'ai maigri. Comme je ne supporte pas la nourriture d'ici, Sabine me fait des choucroutes en boîte, et du camembert pasteurisé, qu'un ami steward vole pour elle à Air France. Je ne sors de l'hôtel que pour suivre Amar, si bien que je ne connais presque rien de la ville; mais je m'en moque; rien que l'hôtel est une ville, avec des centaines d'habitants.

Sabine dit souvent qu'elle vit ici, parce que personne ne se soucie de ce que vous faites, ou de ce que vous portez comme vêtements; et que la ville n'est qu'une collection de maniaques qui vivent côte à côte. Je n'ai rencontré que des gens qui me laissent faire, sans s'étonner de rien. Je peux suivre Amar dans la foule, ils ne se retournent pas sur lui, en dépit de sa drôle de façon de marcher, un peu raide, les jambes écartées, de ses yeux étranges qui bougent sans rien fixer, de cette chatte qui l'accompagne. Le garçon dont j'ai emprunté la chambre, au début, à l'auberge de jeunesse, puis Sabine n'étaient pas étonnés de rencontrer une voyeuse. Ils ont admis que j'étais possédée par mon idée fixe, qui est de savoir à chaque minute où il est et ce qu'il fait.

Sabine dit : « Chacun ses goûts. » Elle dit aussi que l'amour réciproque à l'européenne n'est plus du tout à la mode ici.

En entrant dans sa vie, je n'ai causé que des catastrophes. Je lui porterais la poisse; je suis devenue si superstitieuse que je ne m'assieds pas là où il s'est assis, que je ne touche aucun objet qui l'a touché sans l'essuyer d'abord.

Sabine a donc décidé de m'aider. En dessous de sa fenêtre sur la rue, il n'y a que le vasistas d'un grand placard qui nous sépare de lui. Une nuit, en sortant par la fenêtre, nous avons descendu la grande glace de la salle de bain, et nous l'avons calée sur les échelles, le miroir tourné vers la façade de l'hôtel. Après avoir failli laisser tout tomber sur les rares passants, nous avons réussi à la fixer avec des cordes. Le lendemain, la femme de ménage a fait un scandale. Sabine lui a promis un reportage sur elle dans *Chelsea News*, pour son silence. De la rue, la glace faisait une tache brune à peine visible à travers les grillages des échelles.

En enlevant trois tôles pourries, nous étions juste au-dessus de la fenêtre d'Amar, de ce palier où nous nous tenions. Elle s'est ouverte, il a penché la tête à notre bruit. Nous retenions notre souffle : j'aurais pu lui caresser les cheveux.

Assise dans le salon, où je colle des chutes de films pour Sabine, je le vois parfaitement, surtout la nuit, avec la lumière allumée dans sa chambre. De lui à moi, à travers les fenêtres et les étages, il n'y a pas plus de distance que d'un bout à l'autre d'un grand appartement. Il est haut comme ma main, debout; en prenant les jumelles, je peux vérifier s'il est bien rasé; les jumelles ne sont plus qu'accessoires, les longues poses devant les oculaires sont fatigantes.

Maintenant, j'aurais plutôt peur d'un contact physique avec lui, mais je ne me rassasie pas de son image. A la longue, garder un œil sur lui est devenu une habitude. Il m'est arrivé de me caresser sur son image, surtout quand il se déshabille pour se coucher, et qu'il se croit tout seul dans sa chambre. Mais depuis que j'ai recouché avec lui, je jure qu'il n'y a plus rien de sexuel entre nous, puisqu'il n'y a pas d'entre nous, il n'y a que lui, moi, je m'oublie moi-même un peu, à force de le regarder. J'ai souvent peur qu'il se brûle avec sa bouilloire quand il fait du thé, qu'il tombe dans la cage de l'ascenseur; et tous autres pièges qu'il évite avec une telle adresse.

Je me suis faite son ombre, un ange gardien qui n'a jamais à intervenir.

A quoi se rend-on compte qu'il est aveugle? Uniquement à ce regard qui n'exprime pas. Ses mains, sa bouche, ses jambes parlent. Jamais son regard. J'arrive à le fixer, parfois, quand il s'accoude à la fenêtre; avec les jumelles, je vois battre une petite veine, juste sous la paupière, je vois les prunelles qui suivent la sirène d'une voiture de police sans la voir, ou qui montent vers le ciel parce qu'il pleut. Et pourtant, ses yeux n'expriment rien de ce que je trouve dans ceux de Sabine, si elle regarde le même spectacle de la rue. On n'y voit pas ce qu'il voit, ou ce qu'il pense des objets qu'il voit. Ils n'expriment que l'intérieur de ses sentiments jamais distraits par un spectacle hors de lui. Ils sont des puits de mystère qu'aucun reflet n'obscurcit.

Je dors beaucoup le jour, pendant qu'il est à la bibliothèque, après avoir fait le ménage en le regardant faire sa toilette d'un coin de l'œil. Pour le conserver en vue, j'ouvre toutes les portes de l'appartement, même de la salle de bain; je suis pour ainsi dire mariée avec lui à distance. Je le regarde souvent dormir, grâce à la lumière allumée toute la nuit dans sa chambre. Je ne sais s'il avait soupçonné quelque chose, il s'est mis à éteindre systématiquement, en se couchant, depuis quelques semaines. Sabine a remède à tout : elle a inversé le bouton électrique chez lui, en ouvrant sa porte avec un passe; quand il croit vérifier que le bouton est éteint, il l'allume.

Il manipule jour et nuit un minuscule instrument, qui ne le quitte pas; on dirait un harmonica avec des touches sur le côté. Je pensais qu'il s'agissait d'un instrument de musique; je n'ai pas le son; ce serait plutôt une petite machine à calculer, d'après Sabine.

Il doit en effet compter mentalement, je vois le pli de sérieux sur son front. Des comptes infinis, inextricables, qu'il ne relit jamais.

Je le regarde préparer son café, ouvrir sa fenêtre, et rester couché avec des écouteurs à lire avec les oreilles des textes que je ne connais pas, qu'il a en tas de bandes de cassettes. Je mets des disques en le regardant bouger, respirer, se gratter, et surtout pianoter sur son appareil.

Sabine commence à trouver que j'ai habité assez longtemps chez elle. Amar a eu des visites, ces derniers temps. Il paraît qu'il est devenu acteur, et qu'ils vont faire une tournée en Europe, dans quelques jours, a dit le réceptionniste de nuit. Je partirai avec lui, il faut bien que quelqu'un le surveille.

A propos, j'ai les résultats des analyses. Je suis enceinte d'à peu près trois mois.

Une liberté si voyante

Messieurs les jurés,

Je suis emprisonné, et je suis plus libre que vous; comme le serait sans doute, plus que ne le pourra jamais être la vôtre, une société d'aveugles. Nul n'y penserait à surveiller autrui.

Contraint de vous parler depuis l'extérieur du réel auquel vous appartenez, j'utilise pour me faire comprendre des termes dont je sais que vous les accepterez. Ainsi « aveugle » et « regard ». Je ne les utilise que par commodité, pour vous faire parvenir un message dont j'ignore moi-même le sens qu'il prend pour un voyant.

Je me sens libre, en prison, comparé à mes compagnons de pénitencier, qui ne cessent de pleurer après le spectacle de la liberté, de la nature, des villes.

Moi, je ne pleure pas le spectacle de la liberté. Au moins, depuis que je suis en cellule, je ne me sens plus observé par le monde voyant. Les murs du pénitencier empêchent plus l'extérieur de me voir, que moi de vagabonder.

On dit la prison un lieu d'isolement. Au contraire, le seul problème ici, pour moi, est la promiscuité. Les codétenus sont terriblement bruyants, et l'ensemble du système : chariots des repas, portes en fer qu'on claque, bruits de clefs; le vacarme est incessant.

Vous m'avez condamné au maximum, je dois

payer de deux cent quarante-six ans de prison le fait que vos habitudes, et vos règles morales, me sont aussi arbitraires que votre monde perceptible, moi qui ne viens pas seulement de l'Arabie, mais d'un continent invisible.

Comme tous les voyants, vous ne comprenez pas que nous ne parlons pas du même monde, quand nous employons les mêmes mots. Nous sommes deux univers parallèles, qui coïncident parfois, pour ma honte, sous la forme odieuse de la pitié, mais restent distincts.

Votre pouvoir sur moi est véritablement aveugle, puisque c'est la dictature d'une dimension que vous affirmez me manquer. Au nom de quelle morale m'avez-vous condamné? Connaissez-vous la morale des aveugles? En me réduisant à la mesure de vos préjugés voyants, vous m'avez imposé, pendant le procès, une torture morale. Je n'osais pas protester, et je souffrais le martyre. Mon avocat tentait de démontrer que j'étais de moindre responsabilité parce qu'aveugle, et l'avocat général que j'étais d'autant plus condamnable que j'avais exploité le respect dû aux infirmes.

Pendant l'instruction, vos experts s'étaient mis en tête de me démontrer voyant, pour aggraver ma culpabilité de mensonge. L'absence du « clignement à la menace », quand ils ont su que je connaissais le principe de l'expérience, leur paraissait le signe d'un criminel endurci, capable de se faire crever les yeux plutôt que d'avouer.

Enfin, à défaut de mon innocence, le tribunal a admis ma cécité. Il y avait sans doute longtemps qu'ils attendaient, dans les labos, un aveugle jeune, condamné à une longue peine, pour lui mettre le marché en main. L'insistance des examens s'expliquait.

Je ne m'excuse donc pas de ce que j'ai commis par le fait d'être aveugle. Je savais parfaitement que transporter quatorze kilos d'héroïne pure est illégal. J'aurais pu prétendre que j'ignorais tout de cette substance : je n'ai pas cherché à me dissimuler, mon avocat me l'a assez reproché.

Qu'elle était comique, votre exaspération, dans vos questions à vous, jurés; j'avais commis un affront à votre bonne conscience, une escroquerie à la charité.

J'ai eu la malchance de tomber sur un territoire sous juridiction américaine. Tombé : jamais argot ne fut plus juste. Moi qui ai horreur de trébucher, je n'ai rien senti, pas le moindre avertissement.

Dans ce pénitencier perdu du Nevada, il n'y a que des « longues peines ». J'y croupis depuis six mois, si on peut croupir au soleil. On m'a laissé ma chatte-guide, Zita; elle s'inquiète du manque de souris, d'oiseaux, de petits êtres vivants à pourchasser dans la prison.

Mes compagnons et moi nous sommes dans la section des escrocs et délinquants intellectuels. Des fabricants de fausse monnaie, avec qui je fais des concours de reconnaissance de billets au toucher; d'autres trafiquants de drogue; des détourneurs de fonds, des voleurs à l'ordinateur. La vie est moins changée pour moi que pour mes codétenus. J'étais déjà très claustré à New York, et je travaillais dur, en Europe. Ils m'ont laissé la digicassette : je peux continuer à écrire.

Tout le monde me respecte, dans le préau de promenade. Même ceux du quartier des assassins, où il n'y a aucune discipline que celle qu'ils se sont donnée eux-mêmes et où les gardiens ne rentrent pas. Eux aussi, les gardiens, ont un peu peur de moi; pas peur du coup de couteau, mais du mauvais sort que je pourrais jeter.

Ils me savent de passage; les vieux prisonniers disent que c'est ainsi : quand un jeune tombe et qu'il est en bonne santé, ils le condamnent au maximum, et ensuite lui proposent la réduction de peine contre la participation « volontaire » à des expériences médicales. Le pénitencier est un vivier pour les tests médicaux, même pour l'armée. J'attends cette expérience qu'on m'impose; je ne sais ce qu'ils veulent me faire. Ils affirment que je n'en souffrirai pas, au contraire.

Au-dessus du mur qui me sépare de la cour des assassins, j'entends un nuage de pétarades et de poussière. Ils tournent en rond, indéfiniment, sur leurs motos que l'administration les a autorisés à entrer pièce à pièce et à reconstruire; ils tournent, en cuir noir sous le soleil brûlant, pour se donner l'illusion d'être dehors.

Les assassins m'ont à la bonne; ils me croient un nouveau genre de dur; à la réciproque des juges, ils pensent l'outlaw d'autant plus courageux qu'il est infirme.

J'ai commencé à devenir trafiquant il y a longtemps, avec les amis de Mrs. Halloween. Je n'avais jusqu'ici pas éprouvé le besoin de conter le pourquoi de mes voyages incessants : je servais de courrier. Je me constituais ainsi une cagnotte, disait-elle.

Je n'avais jamais pu supporter la canne, symbole de mon infirmité; il fallait tout de même la porter, pour prendre les avions, passer les douanes, « faire aveugle ». Elle avait eu l'idée de l'utiliser pour un des nombreux trafics qu'elle faisait : diamants, bijoux, devises, or. Elle avait toujours aimé la contrebande, même sans nécessité. Tout naturellement, quand je me suis remis à voyager en Europe, avec la troupe de danseurs, et qu'on m'a proposé de recommencer des « transports », j'ai accepté. Je ne prends jamais de drogue moi-même, cela perturbe mon sens de l'équilibre. Mais on m'offrait plus pour quatre ou cinq transports que tout ce que j'avais gagné jusque-là.

J'ai toujours eu besoin de tant d'argent. C'est le prix de mon indépendance : taxis, restaurants assez chers pour m'accepter; je suis toujours obligé de dépenser plus qu'un autre pour être libre. Seuls les établissements de luxe acceptent les aveugles.

L'idée qu'un aveugle a besoin d'argent vous a beaucoup choqués; ainsi que les rapports de police affirmant que je me prostituais à Los Angeles. Vous étiez prêts à beaucoup me pardonner, sauf de détruire l'image de pureté aveugle que vous vous faisiez des miens.

J'ai déchiré le costume de pitié que vous m'aviez, par l'entremise de l'institution, imposé. Voilà ce qui m'a condamné à vos yeux.

J'étais arrivé en Europe par Barcelone. Ma première ville européenne, à part un bref passage à Rome, pour consulter les médecins italiens, juste après mon accident, il y a sept ans, et une visite de vingt-quatre heures à Paris, juste avant l'accident de San Francisco.

En Europe, je me suis remis quelque temps à porter des lunettes noires; la foule qui est partout serrée, les rues étroites, et le son sur les hautes façades, pire que dans une gare, au début, me désorientaient. Les lunettes noires me protégeaient contre les voyants. Au moins, ils ne me heurtaient pas dans cette foule enfermée.

Il n'y a pas de dehors, dans les villes d'Europe; on est toujours dedans même dans un square.

Je sors toujours tard la nuit, je la préfère au jour. Un soir, je buvais un jus d'orange à un bar, dans la calle San José, qui était pleine de monde à cette heure-là; il y avait à côté de moi quelqu'un qui portait une fourrure en dépit de la chaleur, et qui était si lourd que le tabouret craquait; c'était un homme habillé en femme, qui parlait avec une voix d'homme qui se met en femme. Une bande de marins est entrée, ivres, qui se sont mis en tête de nous marier, enfin de me payer la passe du travesti. Je ne sais qui leur avait fourré dans la tête l'idée qu'un aveugle se tromperait plus facilement, et le prendrait pour une femme, alors que je n'aurais pu me tromper ainsi que si j'avais été voyant.

Ce genre de contresens vous est familier.

Les gens croient les aveugles sans sexe, puceaux, indéfiniment conservés dans le formol des bons sentiments. Vous nous avez cousu, en deux siècles, une robe de charité qui fait le vide autour de nous plus sûrement que ne le faisait la crécelle des lépreux; qui fait de nous des êtres sans chair, des eunuques dérisoires.

En Europe, j'ai visité les quartiers d'aveugles de vos grandes villes, où les lycées pour aveugles, les musées d'aveugles, les ateliers d'aveugles se succèdent au long des rues qui portent les noms de vos philanthropes.

Pourtant, comme nous, Arabes, vous avez eu des devins aveugles, des rois chevaliers aveugles, des croisés aveugles, comme les trois cents serviteurs du roi de France Saint Louis auxquels mes ancêtres sont accusés d'avoir crevé les yeux. J'ai touché des caractères en bois, à l'usage des aveugles, à Rome, créés il y a cinq siècles.

Un jour, il y a deux cents ans, vous avez inventé la philanthropie, en discutant pour savoir si les aveugles étaient doués de sentiment. Personne ne s'en était rendu compte avant. La philanthropie intéresse bien plus que les aveugles, vous les cache, même. Vous m'avez condamné sans pitié parce que j'ai trahi mon rôle : être l'emblème vivant de cette philanthropie.

Vous avez décidé que les aveugles avaient un esprit; ils n'avaient plus besoin de corps. Vous avez créé un nouvel être immatériel, pure intelligence sans sexe ni besoins, un aveugle de philanthrope que votre dignité étouffe.

L'Accusateur a insisté sur la période que j'ai passée en institution, comme la preuve que toutes les chances m'avaient été données.

Toutes les chances d'être à jamais eunuque. Parce que vous êtes philanthropes, je dois être vertueux, je dois être immobile, je dois être enfermé pour mon bien. Par philanthropie je ne devrais ni marcher seul, ni errer la nuit, ni danser, ni faire l'amour.

La philanthropie commence quand vous me prenez le bras de force, pour me faire traverser une rue que je ne voulais pas traverser; elle continue quand vous voulez interdire le spectacle des infirmes. Vous me supposez fragile comme du verre; pour mon bien, vous me protégez, en vase clos; vous me supposez transparent, sans secrets, sans intimité. Votre philanthropie s'achève quand vous vous scandalisez du délit commis par un aveugle.

Je suis doué de sentiments, mais dénué de morale, de votre morale trop voyante.

Le moins que je pouvais faire était bien d'utiliser votre aveuglement à mon égard, votre cécité à mes gestes.

J'ai retourné la faiblesse en force.

Quand je suis arrivé en Europe, mon métier était le spectacle. Un métier que j'avais appris, ici, en Amérique. Car je suis un Arabe américain, bien plus qu'un Arabe européen.

Les autres prisonniers, quand je leur dis que j'étais danseur, sont choqués. Ils trouvent qu'il y a quelque chose de dégradant, pour un « infirme », à se montrer en spectacle. Ils me préfèrent gigolo, ou passeur de drogue.

Je ne sais pourquoi tant de gens ont peur du spectacle de l'aveugle – pour lui, ou pour eux? L'aveugle n'est pas quelqu'un qui ne voit pas, cela ne se sait que de l'intérieur, mais celui dont le spectacle peut perturber les enfants, qu'il faut enfermer entre soi, invisible aux voyants.

En dansant, j'ai échappé à ma condition de handicapé, de prisonnier du voir. Une scène est une qualité matérielle de l'air et du sol, un mélange de poussière, d'électricité, de toux étouffées, qui est l'haleine de la salle. Je n'ai jamais eu besoin qu'on me signale quand les projecteurs s'allumaient, je l'entendais. L'obscurité parle, raclements de chaises, éternuements, chuchotements, regards dardés. La lumière des projecteurs fait silence.

A ce moment-là, tous les gestes prennent une importance merveilleuse. Les bras fendent des milliers de toiles d'araignée qui caressent le visage, tissu serré et aérien des regards. J'aime à être regardé; et le plus bête des voyants est celui qui se croit discret à mon égard, parce qu'il détourne son regard.

Peut-être ai-je toujours préféré me montrer à voir par moi-même. Le regard des spectateurs est une brûlure inconsciente, que l'échauffement de la danse avive, et rend presque insupportable, qui donne le sentiment d'exister plus.

Je n'ai jamais cessé de garder le sentiment d'être observé, en Europe, tous ces mois où j'ai dansé, au point de me retourner, dans la rue la plus déserte, en sentant un regard posé sur moi.

J'avais appris par cœur, geste après geste, les enchaînements que j'exécutais, sous la main du metteur en scène, qui guidait ma jambe, tournait mon épaule. Sur la scène, la relation était inversée, et les autres danseurs semblaient, pour le spectateur, imiter une chorégraphie que j'aurais inventée.

J'ai toujours aimé la musique et la danse pardessus tout, même quand j'étais petit. J'ai passé mon enfance à attendre le retour de l'Achoura, du carnaval du dixième jour de l'année. Son déplacement, de l'hiver au printemps, pendant que coulaient les jours de mon adolescence, a rythmé mon grandissement.

Je portais un caftan vert, un turban de soie de la même couleur, et un petit sabre de vrai cheikh. A treize ans, j'ai parfois revêtu, par dérision, la derbela bariolée de l'aveugle mendiant dont je contrefaisais les tâtonnements. La danse est à l'aurore de ma vie. Bien plus tard, en voyageant, j'ai appris l'existence d'une autre manière de bouger que celle que je connaissais, une manière rusée de bouger seulement en soi-même, que vous appelez penser.

Je ne savais ni lire à voix basse, ni éprouver un sentiment sans bouger. A l'école de Kerkenna, le cheikh qui nous faisait réciter les « qasîda », les fables en vers en une seule rime, aussi monotone que les dunes du désert, nous avait appris un geste pour marquer le rythme; et j'aurais été incapable de dire le poème sans faire le geste. Je ne pouvais pas parler de la musique, je ne pouvais que la chanter, et la danser. Maintenant, je sais parler de tout, sans rien bouger que mes doigts ou mes lèvres.

Le même cheikh, à Kerkenna, contait que la poésie avait été inventée, avant la naissance du Prophète, par un Maître qui marchait dans la rue des Forgerons de la médina.

Je n'allais presque jamais dans la rue des Forgerons de notre médina, quand j'étais gamin, à Kerkenna, j'en avais peur; comme la ville était très petite, les deux rues, celle des teinturiers et celle des forgerons, n'en faisaient qu'une, avec des feux de soufre, des eaux mortes qui ressemblaient à du sang ou à de la bile, qui venaient jusqu'aux chevilles; et le martèlement infini des poinçons sur les théières et les plateaux.

Quand j'ai été aveugle, j'ai compris ce que le cheikh voulait dire. Les marteaux improvisaient en travaillant des rythmes qui se répondaient, se chevauchaient, emplissaient l'air parfumé, et m'enveloppaient comme un filet. J'y restais des heures, et ma mère devait me ramener de force à la maison, où je végétais dans le silence, répétant des litanies sans suite.

L'inventeur du rythme devait être un forgeron aveugle; en inventant le rythme, il a trouvé la musique et la poésie. Ou alors, il a au moins fermé les yeux pour le découvrir. Tous les musiciens le font, j'en suis sûr, s'ils veulent fixer une mélodie. La musique et la poésie étaient d'abord des arts aveugles, que les voyants ont maladroitement annexés. Et la danse aussi, qui n'est pas autre chose qu'un rythme aveugle en mouvement.

Les voyants pensent souvent que la musique « représente », parce que les musiciens et les poètes aveugles, à force de travailler pour eux, ont fini par leur faire croire qu'ils décrivaient la même chose qu'eux voyaient. Le musicien et le poète ne peuvent éprouver que libérés d'images.

Dans le monde du spectacle, je n'ai pas cherché l'image. La sensation de la salle, la sensation des projecteurs dont la brûlure se confond avec celle des regards sur la peau, ne sont pas des images.

C'est le maquillage qui m'a fait aimer le théâtre. Non pour le plaisir de l'apparence, mais pour celui de sentir ma peau comme un écran sensible aux lumières, une peinture animée. Même alors que mille regards me fixent, ma peau n'est pas tournée vers l'extérieur, elle est la surface du monde tournée vers moi.

Sous les petites caresses répétées des pinceaux de la maquilleuse, mon visage devenait une empreinte en creux, un masque que je pouvais sentir en tous les points, du menton à la racine des cheveux. Je ne crois pas que le visage nu soit plus vrai que peint, au contraire; je le sentais plus présent alors qu'aujourd'hui. Inversement, je n'ai que de la gêne à porter des vêtements, parce que je n'ai pas d'autres impressions que celles qui viennent de l'intérieur de moi, et que mes mouvements sont entravés par ces obstacles flottants que votre pudeur a inventés.

S'il y avait un art de la peinture aveugle, il serait un art de la peinture sur la peau; et chaque œuvre serait un tatouage unique, vivant et présent à un seul spectateur, qui le porterait en lui jusqu'à se l'incorporer si bien qu'il en perde la sensation.

J'ai eu la chance de commencer ma vie d'aveugle par l'Amérique, je suis devenu libre par le sexe et le théâtre. Si je n'avais eu ces moyens-là de me mêler à la foule de mes contemporains, je n'aurais été qu'une créature d'institution lâchée dans la nature, incapable de faire un pas sans une aide. Mrs. Halloween n'était heureusement pas une philanthrope, d'ailleurs elle a toujours préféré les animaux aux hommes. Les seuls gens avec qui j'ai des rapports d'égalité sont ceux qui veulent mon corps, non mon bien.

Les peaux sont mes images. Ma mémoire est un immense hangar où sèchent côte à côte des centaines de peaux, d'hommes et de femmes, au grain unique et différent.

Quand j'ai quitté la Tunisie pour l'Amérique, j'ai dû me refaire moi-même, me reconstruire autrement que je n'étais. Je n'aurais jamais pu être libre en restant l'infirme de ma mère, en restant un jeune Arabe aveugle perdu dans la pierraille. Il a fallu le choc, comme disent vos experts, le choc que peut éprouver un garçon de quinze ans, transporté ici, six mois après l'accident qui l'a rendu aveugle.

Perdu au milieu d'une foule étrangère, privé de tout point de référence, j'ai dû inventer ma propre morale. Je suis une Amérique morale; mes règles de vie sont une découverte que j'ai dû faire par moi-même; je ne pouvais imiter vos comportements, je ne les voyais pas.

Je dois découvrir seul, et à partir de moi-même, la

civilisation du tact que vous avez empêché de naître. Vous comprenez comment ma morale n'est pas la vôtre : j'ignore le spectacle de la douleur, celui de la misère, celui de la famille, celui de la beauté, j'ignore ce qui vous tire des larmes ou vous fait sourire. Je n'ai pas beaucoup pleuré dans ma vie : cette émotion-là est réservée aux voyants. Sourire, cet étirement idiot des muscles dans une complicité qui m'échappe ne m'est plus qu'un acte mécanique.

Dans l'enquête de police, vous avez retenu que j'étais un ancien « prostitué » et que j'avais des « tendances homosexuelles ». Je n'attache pas au sexe l'importance que vous lui donnez; pour moi, faire l'amour est une simple poignée de main prolongée, le plus court chemin pour faire connaissance. Ici, en prison, j'ai continué à accepter les propositions des caïds du pénitencier. Contre des cassettes, des disques, de la nourriture, contre tout ce qui peut se trafiquer en prison. Personne pourtant ne me considère comme une lopette. Ces hommes durs qui me caressent timidement me mettent hors du commun : c'est moi qui suis l'homme.

Les seuls corps de femmes que j'ai jamais vus, enfant, au hammam, quand j'allais chercher ma mère, étaient perdus dans la brume. Parfois, dans l'oued, j'entrevoyais des petits corps bruns, les taches du soleil à travers les feuilles de figuier. J'ai vu aussi des femmes au cinéma; mais quand j'ai fait l'amour pour la première fois avec une femme, j'étais déjà aveugle.

Le corps de l'homme m'est plus familier, je me suis beaucoup vu moi-même, autrefois, dans la glace; j'ai contemplé ma propre image entourée de jasmin. Et j'ai joué à des jeux de sexe avec tous les garçons de mon âge, dans l'île.

Je n'ai pas de goûts sexuels, dans votre sens. L'imaginaire est réservé aux voyants : ainsi je ne suis pas homosexuel. La distance à laquelle je cesse de pouvoir toucher marque la fin de mes possibilités de compassion. Un agonisant silencieux n'en est plus un pour moi, et un corps qui se tient au-delà de l'espace de mes bras n'en est pas encore un.

Si nombreux, ces corps, qui m'ont fait autre, m'ont lavé de tout regret, et je n'ai jamais su s'ils étaient beaux. Cette beauté qui construit chez vous la différence entre les deux sexes, elle n'est que de l'ordre du visible. Et après avoir mélangé tant de corps, les avoir éprouvés tous si différents et si peu représentables, comment voulez-vous que je ne mélange pas les sexes?

Les poètes, pour l'être aimé, parlent d'Al Habib; il a tous les sexes.

Voilà ce que je vous aurais dit, si la stupéfaction, la rage, et aussi les conseils de prudence de l'avocat ne m'avaient pas retenu, au procès. Je n'enverrai pas cette lettre, elle restera, en français et en braille, sur ma digicassette. J'ai vendu mon corps une fois de plus, en acceptant de participer à ce cycle d'expériences. Je me suis retiré le droit de protester. Mon avocat était au courant dès sa première visite, pour ces condamnations exorbitantes suivies de suppressions de peine moyennant coopération. Ils ont seulement proportionné la peine à ma valeur expérimentale. A part la cécité, je suis intact. Prévenu des dessous du jeu, incité à l'accepter, je ne regrette rien; je supporte moins cette attente du moment où l'on me transportera à l'hôpital de l'armée, la façon dont mes codétenus me félicitent de peut-être « guérir », « voir à nouveau ». Ils parleraient de même si j'étais aveugle de naissance; ils ne peuvent imaginer chez l'aveugle de désir plus puissant que celui de voir. Il existe des poissons, et même des mammifères aveugles. On admire le radar des chauves-souris, mais la seule idée d'une humanité aveugle fait vomir de terreur.

Je ne suis pas un militant des droits des aveugles, et je ne veux pas vous démontrer que nous sommes opprimés. Etre aveugle n'est qu'un incident, sans signification, c'est une étrangeté purement individuelle.

Mais cette étrangeté est radicale. Je n'ai que faire du monde visible, et je sais que votre civilisation du regard est simplement une absurdité parmi d'autres, froidement soutenue par une quasi-unanimité.

Je sais depuis les examens, à Neurone Valley, que nul être au monde ne peut me « guérir ». Je suis si éloigné de ce désir que les expériences me font peur. J'ai dû prendre l'engagement de ne rien révéler des techniques qui me seront appliquées, ni de notre marché.

On me transférera bientôt d'ici à l'hôpital, pour quelques semaines, je suppose. Après, je serai de nouveau au-dehors, sous surveillance judiciaire. Je ne regrette pas la liberté, la liberté voyante symbolisée par l'espace entre deux barreaux; je regrette le vent. Je veux retrouver le vent, le souffle des villes que je ne connais pas encore. Le vent est mon élément, ma distraction sensuelle, mes paysages. Je m'y baignais des heures entières, girouette en proie à un tumulte d'impressions sans suite. Quand j'étais enfant, nous célébrions le changement de vent sur l'île; un matin, le vent du large remplaçait celui du désert, et annonçait les pluies. Nous organisions alors la fête du vent, en récitant en chœur la sourate appropriée, pour attirer les bénédictions divines que porte le souffle. Ma mère faisait cuire des œufs teintés, et mes sœurs préparaient des carrés de papier où elles inscrivaient les mauvaises lettres, celles que le vent devait emporter, et les bonnes, celles qu'il fallait avaler dissoutes dans un verre de thé.

Le vent apporte la santé et la maladie, fait gonfler

le ventre et périr les troupeaux. Le vent est la respiration commune, qui lie le monde au monde, me fait part du réel.

Les villes où je suis allé étaient d'abord des territoires du vent. Les cartes géographiques pour aveugles, au lieu de ces maquettes ridicules et trop vastes, devraient être faites de souffles, d'air en mouvement.

Je veux retrouver les villes du vent, qui me guide et me soutient. Le vent lourd de fumées charbonneuses et de conserverie, de rumeur des ramblas, qui m'arrive sur le carreau de faïence par le balcon de fer forgé de Barcelone; les larges et puissantes respirations salines de la baie de New York; la brume étouffée de loden et de fourrures des galeries de Milan. Je ne connais pas les vents d'Asie, je regrette ceux du Pacifique. Il me reste tant de vents à découvrir.

On ne voit pas le vent, on en fait partie. Le vent est en moi, autour de moi, sur moi, partout et pourtant si proche. Il me rend à mon existence élémentaire, il efface les prudences de la distance visible. Il est ma liberté faite chair. Zita a beau grimper sur moi et tendre son museau trop chaud vers le soupirail : les murs de ce pénitencier arrêtent le vent.

Vincennes

ANDRÉA ! J'ai gardé ce vieux prénom, dont seul Léopold, s'il existe encore, sait comment il a remplacé celui de mon baptême, puisque c'est lui qui l'avait inventé.

J'ai commencé à me faire un nom quand je suis arrivée à Paris; enfin, plusieurs noms, pour les bars des Champs et les drugstores de Saint-Germain. Je changeais de nom comme de chaussures, suivant le style du micheton. Il y a des gens qui ont des têtes à sortir avec des Isabelle, et d'autres à coucher avec des Jackie.

A l'hosto, on essayait souvent de me faire signer les registres; je faisais un prénom illisible. Philippe prenait ma défense. A Lamorne, je suis devenue Mme Alix avant d'avoir eu le temps de redevenir Andréa.

J'ai toujours pensé que garder le même prénom pour deux amants porte la poisse. Un prénom ne doit servir qu'à une seule personne, comme un mouchoir. Après, il faudrait le jeter. Quand on n'a plus d'amants, on n'a plus de prénom. C'est ce qui m'est arrivé. En recouchant avec Antonio, je suis redevenue Andréa, qu'il était le premier à utiliser comme amant en le croyant d'origine; ça me fait l'effet d'endosser un vieux vêtement du XIVe arrondissement.

J'ai suivi Amar dans tous les aéroports à travers l'Europe; il m'a même fallu demander une avance sur la pension alimentaire à Alix, pour que je puisse continuer. J'ai vu le spectacle où il dansait trente-sept fois, avec des boules Quiès, à la fin, pour ne regarder que lui.

Depuis qu'il est en prison, je regrette cette vie d'ange gardien, qui n'a pas été toujours facile. J'avais l'impression que sa fille, dans mon ventre, profitait de son rayonnement; qu'elle était plus proche de lui, si je restais en vue de lui. Je prenais une table seule, dans les restaurants, en dépit des sourires des garçons, une table pas trop loin de celle où il dînait lui-même, seul aussi. Il ne renversait jamais rien, il écoutait les plats qui se posent sur la nappe, il nourrissait sa chatte sous la table; les clients le regardaient faire du coin de l'œil; il se faisait lire l'addition, la recomptait avec sa petite calculatrice rouge.

Le restaurant était près du théâtre. Le garçon avait dit qu'il était le danseur aveugle. Ils n'osaient pas lui demander un autographe, ils pensaient qu'un aveugle ne sait pas écrire; pendant ces premiers mois en Europe, il était une vedette, partout où il allait. Je ne suis pas sûr qu'il s'en soit jamais rendu compte, de telle sorte qu'il ne s'est pas non plus rendu compte, certainement, quand ça s'est arrêté.

Je faisais partie de la troupe, sans en faire partie; à force d'être là, tous les soirs, les régisseurs, les machinistes me connaissaient. Et aussi les concierges des hôtels, où ils descendent, et les ouvreuses des théâtres, où j'étais souvent dès quatre heures de l'après-midi. Ils s'imaginaient que je faisais partie du personnel, ou que j'étais la petite amie de quelqu'un de la troupe.

J'ai tout suivi, les répétitions de l'après-midi, mal réveillée, les dîners réchauffés dans les brasseries à quinze ou vingt après le spectacle, les coulisses mal chauffées et leur odeur de pieds; je l'ai vu torse nu, devant une glace, avec une vieille dame qui le poudrait, par la porte entrouverte de sa loge. Je ne lui parlais, je ne le touchais jamais. J'étais autour.

Sa peau continuait de pâlir, à cause du maquillage. Le tatouage, un serpent lové autour d'un feu, était devenu plus foncé, bleu-noir.

Des visites lui venaient dans la loge, ou à l'hôtel; des gens qui n'étaient pas tous des gens de théâtre. Dès cette époque j'ai eu peur pour lui.

J'ai laissé dans chaque hôtel des valises de vêtements, achetés dans tous les Uniprix du coin, les standas italiens, les super mercados espagnols, les boutiques de Berlin. J'ai déshabillé et stocké les vêtements de toutes les foules où je l'ai suivi, pour dérouter sa peu vigilante attention.

Il aimait à errer dans la foule, il lui fallait cette cohue, ces milliers de gens en train de marcher, anonymes, qui s'écartaient à son approche. En Europe, il avait repris une canne blanche, démontable, en aluminium, et des lunettes noires, qu'il relevait sur son front, quand il était seul sur un banc.

Je le regardais dans cette foule, je prévenais un faux pas, je retenais une porte de métro, et il me remerciait sans jamais s'étonner que la foule ait toujours le même visage. La foule avait déteint sur moi, m'avait rendue indéfinissable, perdue dans des formes sans formes. Les autres acteurs de la troupe, même la chatte, ne me remarquaient plus.

J'ai perdu la voix, ou presque, à cette époque, à force de ne pas m'en servir. Je m'étais figuré que s'il lui était resté un souvenir de moi, à Kerkenna, ce devait être ma voix. Elle était devenue très enrouée, bizarre à entendre, quand je parlais toute seule. Pour être plus près de lui, je suis donc devenue multiforme. J'ai supprimé les couleurs trop vives, non par crainte d'attirer son attention, mais celle des autres.

Heureusement, il est de nature solitaire. Il se balade avec sa chatte, le matin. Je variais les parfums, la façon de marcher, les talons, les bijoux, tout ce qui fait du bruit, et les manteaux, parce qu'il aurait pu me reconnaître à un frôlement, au crissement d'une étoffe.

Je n'avais jamais appris à m'habiller pour le son et l'odeur, et non pour la vue; à m'effacer, et non à me souligner. C'est plus dur que de trouver une tenue sexy pour une fête; l'irreconnaissable demande infiniment plus de travail que n'importe quelle mode.

Je me levais souvent pour lui céder ma place, je lui trouvais une chaise dans une promenade, je pouvais l'approcher, le toucher parfois, au hasard d'une bousculade dans le bus. Et pourtant, il n'a jamais fait attention à moi.

Je le suivais partout dans la foule muette; je n'avais jamais tant senti comme la foule est silencieuse; on n'entend que des milliers de pas, un trottinement continuel et sans espoir dans le gris. Les passants marchent sans parler, dans les couloirs des métros, sur les trottoirs; quand il hésitait, et tapait avec sa nouvelle canne démontable en aluminium, quelqu'un était toujours là, pour le mettre dans la bonne direction; quelqu'un qui était la moitié de la foule sans nom, parce que je ne me mets jamais en homme.

Rien ne pouvait m'échapper de ce qu'il faisait, on ne se cache pas de son ombre. J'ai senti venir la catastrophe sans pouvoir le prévenir.

Mes déguisements ne me protégeaient donc pas tant d'Amar, qu'un changement de parfum aurait suffi à dérouter, mais des autres... Les trafiquants, eux, étaient plus difficiles à observer.

Je ne savais pas ce qu'ils trafiquaient; ils portaient

des briquets en or, des costumes trois-pièces, des chaussures en croco, et des attaché-cases.

Je les ai vus pour la première fois à Barcelone. Je n'étais pas la seule à les avoir remarqués. Ils étaient tous les trois, Amar et les deux trop bien habillés, au café en face de l'Opéra. De ma table, je voyais le bout de la leur. Un gros type me bouchait la vue, assis de dos devant moi, qui était seul à une table, lui aussi. Quand ils sont partis, il s'est levé, et a fermé son journal. Ce gros-là, je devais le revoir plusieurs mois plus tard, à la fin de l'année.

La troupe jouait, pour trois jours, dans une ancienne gare désaffectée de Berlin; et je logeais dans le même hôtel que les danseurs, sur une grande avenue moderne qui s'appelle le cours Tustermann, ou quelque chose d'approchant; je ne parle pas allemand. J'étais à la fenêtre, et je regardais les longs bâtiments plats, modernes, avec l'église en ruine au milieu, quand j'ai vu ce même gros sortir d'un taxi.

Il était si gros qu'il a dû s'y reprendre à deux fois pour se dégager de la voiture. Il a allumé un cigarillo, sur le trottoir, en regardant l'enseigne de l'hôtel; il est rentré à l'intérieur. J'ai appelé la réception au téléphone, et j'ai demandé les horaires des trains pour Istanbul. Pendant que le portier essayait de s'y retrouver dans les horaires, j'entendais le gros qui lui demandait si Amar habitait bien l'hôtel; il le connaissait par son nom de famille. Il est ressorti aussitôt, sans laisser le temps au standardiste de lui passer la chambre. Les jours suivants, d'autres hommes sont venus voir Amar; je n'ai pas pu écouter, parce qu'ils passaient l'aspirateur dans le couloir, ils le font très souvent, à Berlin. Les visiteurs étaient les mêmes : deux jeunes truands bien habillés, avec les mêmes attaché-cases qu'à Barcelone.

Je n'y ai pas accordé d'importance; nous partions le lendemain pour Paris. J'ai failli ne pas avoir de place, parce que l'avion était complet. Comme l'aéroport est tout rond, et fait de cent couloirs vitrés tous exactement pareils, j'ai perdu du temps à chercher le comptoir d'enregistrement; et j'ai demandé une priorité comme femme enceinte. Là-dessus, j'ai vu arriver le gros porc qui surveillait Amar, tout essoufflé et en sueur; il a demandé aussi une place pour Paris, mais j'avais pris la dernière. Il s'est mis à crier en américain; il s'est tu en voyant arriver Amar. Il a ricané sans me remarquer, et il est parti vers la police américaine; ce coin de l'aéroport était le secteur américain. La police dormait derrière une paroi vitrée un peu plus loin, sous le drapeau aux étoiles et un aigle en plastique doré.

Quelques-uns des machinistes m'ont dit bonjour parce que je finissais par les connaître. Amar portait sa bête dans un panier. Conformément à mon habitude, je me suis mise autour d'un autre groupe que le sien.

Amar avait sa canne à la main, mais il ne s'en servait jamais pour se guider, seulement pour écarter les passants.

L'hôtesse a décroché son téléphone, et sa voix est sortie dans les haut-parleurs au-dessus de nos têtes pour le premier appel. Elle nous a fait entrer en priorité dans la salle d'attente, lui et moi : je suis restée assise, silencieuse, à l'autre bout de la banquette. J'ai pensé à sa fille qui dormait en moi, à quelques mètres de lui, sans qu'il le sache.

L'hôtesse s'est mise à examiner les billets des autres pour faire entrer le reste des passagers après avoir déchiré les nôtres.

C'est alors que j'ai vu le gros revenir, avec deux flics qui balançaient leur matraque; ils entraient par une porte de verre dont ils avaient la clef, directement, dans la salle d'attente; et ils marchaient vers lui, qui jouait, inconsciemment, à agacer sa chatte avec sa canne.

Je voulais crier, rien n'est sorti, ma voix ne m'obéissait plus, à force de la retenir en sa présence. Les flics lui ont mis la main sur l'épaule, et le gros s'est esquivé aux toilettes, pendant que le plus vieux des flics prenait la canne, la tournait entre ses mains, la dévissait, et en sortait, comme un prestidigitateur, une longue ficelle d'où pendaient des petits sacs de plastique pleins d'une poudre blanche. Les autres gens de la troupe voyaient la scène à travers les vitres. Ils s'exclamaient et voulaient rentrer; l'autre flic a fermé la porte, après m'avoir mise dehors; et ils ont été en chercher d'autres en civil, et ils ont embarqué Amar en bousculant le directeur de la troupe qui voulait savoir ce qui se passait. Le dernier à sortir a été le vieux flic, qui portait le panier de la chatte, en le balançant au bout d'une ficelle. Et j'ai vu le gros qui venait en sens inverse, avec un sourire huileux, et qui retournait au comptoir d'embarquement. Maintenant, il y avait une place de libre pour Paris.

L'hôtesse a appelé pour la seconde fois, et je mordais mon gant sans savoir que faire. Les gens de la troupe hésitaient aussi, mais l'hôtesse les a poussés vers le portillon, et j'ai suivi le mouvement, pendant que le directeur, absolument affolé, cherchait un téléphone pour prévenir des avocats, et en même temps demandait à tout le monde qui pouvait doubler le rôle d'Amar. Le gros souriait toujours en lisant ostensiblement le *New York Herald Tribune;* comme la troupe s'est regroupée dans l'avion vers l'avant, j'ai été obligée de me mettre juste derrière lui. J'ai regardé sa nuque pendant tout le voyage, en m'imaginant que j'étais une hache bien effilée, et en refusant tous les bonbons de l'hôtesse. Je ne pouvais pas sauver le père de mon enfant, mais je pouvais le venger.

Je n'étais pas revenue à Paris depuis près d'un an, et je suis arrivée en étrangère, tout étonnée que les douaniers parlent français. Je suis restée derrière le gros. Il a récupéré une valise au rez-de-chaussée pendant que je faisais semblant de chercher la mienne, et s'est fait conduire en taxi rue des Pyramides, un taxi que j'ai fait suivre par un autre taxi. J'avais l'habitude des filatures, avec Amar : mais là il fallait ne pas être vue. J'ai noté l'adresse et j'ai téléphoné à Philippe, qui n'était pas à Sainte-Anne. J'ai pris mon vieux carnet qui ne me servait plus, et j'ai fait tous les numéros que je connaissais, jusqu'à ce que je tombe sur Marie-Flor, qui partait juste pour le Japon où elle dirigeait une collection. Elle m'a laissé les clefs de son appartement, à la Bastille, chez la concierge qui n'était plus espagnole.

Marie-Flor m'avait bien dit de ne pas exagérer avec le téléphone, elle aurait aussi bien pu dire à un grand brûlé de ne pas fumer. J'ai appelé Sabine à New York, je me rappelais qu'elle avait un amant avocat. Je suis restée deux jours sans trouver comment allumer le chauffage, à dormir avec mon pull sous les couvertures. Sabine m'a rappelée, et m'a dit qu'Amar avait été transféré dans un pénitencier en Amérique, parce que la drogue qu'il transportait était destinée aux USA d'après les flics; et qu'il serait jugé aux USA, ayant été arrêté en secteur américain. Elle-même partait aux Bahamas avec son amant, et ils n'avaient pas le temps de s'en occuper.

J'ai appelé Malika, j'étais prête à tout, même à m'humilier devant ses sœurs et sa famille, pour le sauver. Je suis tombée sur Antonio; et j'étais tellement nerveuse que je lui ai donné rendez-vous au Tambour de la Bastille, qui est un café ouvert tard le soir. Il est venu, et il a recommencé à me faire la cour, si on peut s'exprimer ainsi pour quelqu'un qui vous pince sous la table en vous écrasant les pieds, sans tenir compte que j'étais bouleversée.

Amar me manquait, me manque tous les jours, parce que j'ai pris l'habitude de centrer ma vie sur lui. Antonio m'avait crue à Lamorne, tout ce temps-là. Il est rentré avec moi dans l'appartement de la Bastille, et il m'a baisée. Je lui ai demandé s'il avait toujours son P .38, il a dit oui, en fumant une cigarette et en regardant le plafond.

J'ai retrouvé sans peine la trace du gros Américain, en traînant devant son hôtel de la rue des Pyramides. Je l'ai guetté plusieurs semaines, il ne sortait que pour manger un hamburger au Wimpy des Champs-Elysées, ou le soir, pour boire un verre au Harry's Bar à l'Opéra. Antonio revenait me baiser de temps à autre.

Il m'a confirmé d'un air gêné que Malika lui avait dit que Djamillah et Alissa ne voulaient plus jamais me voir; quelqu'un leur avait raconté mon passage à Kerkenna. Je lui redcmandais chaque fois son P .38, si bien qu'il a fini par me proposer de faire le boulot lui-même, sans poser d'autres questions. Je savais que s'il savait que le gros était une donneuse, il aurait aimé le tirer. Je lui en ai dit suffisamment, sans prononcer le nom d'Amar, pour lui faire croire que le gros m'avait balancée moi-même. Il faut penser que j'ai été convaincante; il ne voulait pas me donner son arme, il prétendait que le recul était si fort qu'il m'aurait renversée. Je le lui ai montré depuis le trottoir, du coin de la rue Sainte-Anne : le gros sortait du Harry's Bar, et il a levé le bras comme pour appeler un taxi, il n'y avait pas de taxi; il y avait juste une grosse balle qui lui a fait éclater la tête dont l'intérieur a coulé sur le pavé. Antonio s'était mis les deux jambes écartées, en tenant le pistolet à deux mains, au milieu de la rue; le gros s'est écroulé en ramenant une main sanglante de son front.

J'ai senti la petite fille, en moi, qui trépignait de joie, son père était vengé. Immédiatement, le rideau du bar s'est entrouvert, une musique de jazz débordait dans la rue, avec des cris. Antonio s'est mis à marcher calmement vers l'avenue de l'Opéra, en me tirant par la main. Je me suis échappée, je suis revenue vers le corps du gros. Les gens qui étaient sortis sur le seuil du bar ont reculé précipitamment, et ont rabaissé le rideau dans un bruit de ferraille.

Je me suis baissée, le gros avait la figure violette, convulsée, comme s'il avait eu une attaque au moment où la balle lui faisait éclater le front. Sa veste était entrouverte, et j'ai fouillé dans sa poche; je voulais savoir pourquoi il avait donné Amar. J'ai attrapé un gros portefeuille; et j'ai entendu des pas derrière moi et une main qui m'a saisi l'épaule; c'était Antonio, heureusement. Il m'a tirée de là, jusqu'au métro Pyramides, pendant que les feux clignotants des flics remontaient l'avenue en nous croisant.

On est rentrés en métro à la Bastille; j'ai allumé du feu dans la petite cheminée de marbre qui ne sert jamais, avec les marionnettes de bois que Marie-Flor collectionne. J'ai étendu tout le contenu du portefeuille, sur la fourrure, devant la cheminée, pendant qu'Antonio prenait un bain où il versait tous les sels de bain de l'armoire : des billets, des papiers, un petit carnet vert, une enveloppe.

J'ai mis de côté un tas de dollars que je n'ai pas comptés et qu'Antonio a raflés en sortant de son bain, des papiers américains, que j'ai demandé à Antonio de me traduire : un extrait de journal américain, déjà vieux et jauni, avec la photo du gros. L'article disait qu'il avait été jugé et condamné parce qu'il était un « pimp », trois ans auparavant, à la suite de dénonciations. Antonio ne savait pas ce qu'était un « pimp ». Cela se passait à Los Angeles.

Dans une des poches du portefeuille, une photo d'Amar se cachait dans une enveloppe. Il était nu, à l'intérieur d'un appartement, et la photo avait été prise à travers une fenêtre dont on voyait un angle de la croisée, en flou. Il était debout et il bandait.

La photo datait de deux ou trois ans auparavant; il avait presque un corps d'adolescent, avec des hanches très longues et des poils tout petits et frisés au sexe. Le carnet comprenait des centaines de noms, dans l'ordre alphabétique, avec des colonnes de chiffres, de versements. J'ai continué quelques jours à baiser avec Antonio en m'excitant mentalement sur la photo; lui, il s'excitait, le salaud, à baiser une femme enceinte, comme il me l'a dit froidement.

Je ne lui avais rien dit à propos d'Amar, je ne lui ai pas montré la photo. Je lui ai demandé de ne pas dire, même à Malika, que j'étais à Paris. Je pensais repartir très vite pour New York, et attendre sa sortie de prison; mais Sabine m'a expliqué, quand je lui ai téléphoné des soirées entières aux Bahamas, que, normalement, il devrait sortir dans deux cent quarante-sept ans, c'est la peine totale à quoi il a été condamné.

J'ai laissé tomber le combiné tellement j'étais atterrée.

Il y avait toutes les chances qu'il ne connaisse jamais sa fille. Il aurait fallu pouvoir prouver qu'il était innocent, pour refaire son procès; et Antonio avait supprimé la seule personne qui pouvait savoir qui avait mis la poudre dans sa canne.

Il me restait quelques semaines avant d'accoucher, et je voulais le faire à Paris, pour que l'enfant soit française. Ensuite, j'irais en Amérique, je convoquerais les juges, et je leur dirais : voilà sa fille; je demanderais un permis de visite et je lui dirais tout, le pneu lisse, l'assassinat, la longue filature, la mort du gros.

On m'enfermerait avec lui. Nous aurions une petite cellule, que je pourrais décorer à la française;

l'enfant jouerait sur la couchette en haut, pendant que je lui ferais la lecture.

Je formais ces plans en regardant aller et venir l'infirmière que Philippe et Alix m'ont donnée pour les dernières semaines de grossesse, qui ont été très douloureuses. L'accouchement aussi, à cause de mon ancien avortement mal fait; finalement un garçon est sorti de moi, au lieu de la fille que j'avais toujours cru porter.

J'avais tellement peur que le bébé naisse aveugle que, les premiers jours, je n'ai pas voulu le regarder. Philippe et Alix s'en sont chargés, pendant que je retournais à la Bastille finir ma convalescence. Ils m'apportaient le bébé tous les jours, qui avait le teint brun et criait très fort, et voulait me sucer le sein de toutes ses forces, au point que je devais lui donner des tapes pour le décrocher; je n'ai jamais eu une goutte de lait et je ne voulais pas qu'il me déforme la poitrine. Quand j'ai été bien sûre qu'il y voyait normalement, je lui ai fait une place dans l'appartement, dans une vieille caisse en carton que j'ai bourrée avec des coussins. L'infirmière continuait à le nourrir, j'étais trop fatiguée pour me lever toutes les deux heures. Quelques jours après, ils sont venus m'apporter des dragées; Alix jouait avec ses lunettes, et avait l'air très gêné. Il m'a dit qu'il désirait que je lui laisse l'enfant; Philippe et lui avaient toujours rêvé d'avoir un enfant; il était prêt à le reconnaître. Après tout, il était bien le père, non?

J'étais stupéfaite. Alix insistait sur le fait que l'air de Lamorne était tellement meilleur pour un enfant, et il a fini par poser ses lunettes et me demander d'une voix chavirée si je ne voulais pas revenir là-bas, moi aussi, avec notre fils.

Je lui ai essuyé ses lunettes et j'ai donné un mouchoir à Philippe qui pleurait aussi en répétant : « Reviens avec nous, reviens avec nous. » Puis j'ai levé l'enfant dans mes bras, j'ai regardé sa petite frimousse fripée toute brune qui se contractait pour crier, et je me suis demandé comment Alix pouvait croire qu'il était le père de ce petit moricaud; il s'est mouché et a dit juste à cet instant d'une voix mouillée que c'était fou, comme le bébé ressemblait à sa grand-mère italienne.

Ainsi l'enfant a trouvé un père, et un foyer qui est plutôt un asile. Je n'ai rien essayé de leur expliquer à propos d'Amar, ils étaient si émus à l'idée de devenir un couple avec un enfant, tous les deux, que j'étais sûre que le petit aurait une bonne ambiance familiale. Ils ont recommencé à me supplier de les accompagner; j'ai dit que je viendrais plus tard, en prenant l'air très fatigué pour qu'ils partent; ce qu'ils ont fait, en serrant entre eux l'enfant d'un air ravi.

Je suis restée au lit quelques jours, jusqu'à ce que je me dispute avec l'infirmière et la mette à la porte. Je ne voulais pas manger, je ne voulais pas boire, je ne voulais prendre aucun médicament. Alix et Philippe envoyaient tous les jours un bouquet pour me le dire avec des fleurs. Moi, je ne pensais qu'au père de l'enfant, et à ses deux cent quarante-sept ans de prison. Je ne savais pas qu'on pouvait vous condamner au-delà de la mort.

J'ai repris les photos de lui, qui sont les seules choses que j'ai gardées de mon passé. La couverture du magazine où il est en surfer, et la photo que j'avais trouvée dans le portefeuille du gros, qui était un peu floue, à la regarder au grand jour; ce flou en faisait celle que je préférais.

En examinant le cliché, j'ai fait tomber l'enveloppe. Il y avait une adresse dessus, de la même écriture que les chiffres du carnet. Une adresse en Europe, qui en barrait une autre, aux USA. L'adresse disait : « Pr Larry Home, department of neurology, Université de Vincennes. »

J'avais déjà vu ce nom quelque part. J'ai rouvert le carnet à H, et j'ai retrouvé Larry Home, avec une liste impressionnante de versements en dollars : plus à lui seul que tous les autres noms du carnet. En francs de France, anciens, des millions.

Ce Larry Homes avait payé une fortune ce gros lard, à propos d'Amar. Sans démêler ce qui les liait tous les trois, il était clair que l'organisateur était ce professeur, et il vivait à Paris, ou plutôt à Vincennes.

J'ai appelé Antonio à son journal et lui ai demandé de m'accompagner là-bas.

Le nom de l'enveloppe était marqué sur des affiches pour les étudiants, avec ses heures de cours, sous cette rubrique : UER de neurologie.

Le département en question était dans un long bâtiment en préfabriqué, dans la boue, au bord d'un champ d'ordures. On a commencé à traverser, avec Antonio, les flaques de boue; un type est passé en moto, m'a éclaboussée, s'est arrêté devant le bâtiment; quand il a enlevé son casque, j'ai vu qu'il n'était pas un étudiant, comme je l'avais cru, mais un vieux d'au moins quarante ans, ou plus, tout chauve, avec des lunettes, rondes, en fer. Il a commencé à défaire un panier attaché sur le porte-bagages.

Je me suis appuyée sur Antonio, j'ai eu un éblouissement. Du panier, il avait sorti la chatte, la même chatte que j'avais laissée à Berlin; c'était bien elle, la tache blanche au front, la queue coupée; elle a dirigé la tête vers moi, elle me reconnaissait et a marché vers moi en crachant. Le type l'a appelée, comme on siffle un chien. Elle s'appelait Zita. Elle a obéi. Il s'est éloigné en marmonnant des excuses en anglais; Amar ne pouvait être loin. Comment était-il arrivé ici, depuis les prisons d'Amérique?

Larry Home était bien américain, comme m'a dit la secrétaire des inscriptions que j'avais connue autrefois au Rosebud à Montparnasse; elle avait été placée à la fac par son mec. Je ne savais pas qu'il était si facile de devenir étudiante; j'ai rempli tous les formulaires, pendant qu'elle me confiait que cet Amerlock avait quitté son pays pour échapper à une sale histoire de mœurs; et puis elle m'a proposé de faire aussi partie du comité antivivisection, qu'elle formait avec les autres secrétaires de département.

Alix et Philippe étaient très contents que je m'inscrive à la fac, j'obtenais ainsi la Sécurité sociale pour le petit, qui en aurait bien besoin. En fait, je cherchais des prétextes pour m'approcher des laboratoires; j'étais convaincue qu'Amar devait s'y cacher, aidé par cette folle chauve et ses assistants.

Antonio et moi continuions ensemble, dans les draps sales de la Bastille. Il me baisait comme une morte, les bras derrière la nuque, regardant son dos maigre s'agiter, pendant que je me représentais l'obstacle à forcer, la porte blindée des labos. La folle chauve n'en sortait et n'y rentrait qu'avec des plateaux-repas, ceux d'Amar sûrement, après avoir déjà mangé lui-même à la cafétéria.

Antonio me parlait parfois des deux sœurs, qui me détestaient maintenant, et d'un copain à elles, appelé Hassan; et je me suis rappelé le garçon en uniforme de postier, qui était avec elles, le soir où j'avais revu Amar, à Paris. Elles ne savaient rien de plus que moi, même moins sans doute; elles croyaient leur frère dans un pénitencier américain, elles lui envoyaient des cornes de gazelle et du thé vert. Moi, j'étais convaincue qu'il était ici, à Paris, pas loin de sa chatte.

La folle chauve, tout le monde savait qu'il était pédé, était aussi un savant célèbre. Une cour d'étudiants l'entourait, quand il traversait la pelouse, avec la chatte qui levait haut les pattes d'un air méprisant pour contourner les tas de vieux tracts mouillés et collés ensemble.

Pour mieux le surveiller, j'ai suivi ses cours. Il ne laissait personne entrer dans ce labo où Amar, évadé de prison, devait manger et dormir; les volets en plastique, sur le parking, étaient hermétiquement clos. La seule fois où il les a entrouverts un instant, j'ai vu une silhouette assise, de dos, la tête entre les épaules, qui se balançait sur elle-même tristement. Mon cœur a bondi, j'ai voulu m'approcher; il a refermé le rideau en me dévisageant.

La folle chauve parlait assise sur son bureau, avec la chatte qui courait entre les rangs. J'étais avec les féministes, qui étaient toutes regroupées, en haut, à gauche, qui ne laissaient aucun homme s'asseoir dans ce coin. Elles interrompaient et demandaient pourquoi le cerveau de l'homme est considéré comme supérieur à celui de la femme; je ne comprenais rien au cours; c'était à moitié en anglais, avec un étudiant canadien qui traduisait. Au premier rang, le groupe de Noirs vendait des statuettes en bois, qu'ils taillaient pendant le cours; et personne n'écoutait. On entendait à peine, à cause de la disco qui s'était installée, pour le personnel, dans l'amphi à côté, et qui ouvrait dès neuf heures du matin.

Je découvrais que la plupart des profs étaient étrangers, comme les étudiants. Les étudiants étaient arabes ou noirs, les profs étaient anglais, américains ou australiens. Personne ne comprenait personne, ce qui n'empêchait de parler ni d'interrompre aucun des enseignants. Ils donnent le diplôme à tous les Arabes qui ont couché avec eux, et qui l'écrivent au marqueur dans les chiottes qui n'ont pas de portes. Dans ce désordre, les manigances du professeur Home dans son labo passaient totalement inaperçues.

La secrétaire du département de neurologie est copine avec celle du bureau des inscriptions, et travaille en douce à renseigner le comité anti-vivisection.

La folle chauve aurait déjà eu le prix Nobel, à l'écouter; si ce n'étaient ses mœurs, ajoute-t-elle. Elle pensait qu'un jour où l'autre, il serait amnistié et retournerait aux USA; il avait d'ailleurs fait le voyage, pour la première fois qu'il était à Vincennes, quelques semaines auparavant. On disait qu'il y avait accompli une grande expérience sur l'homme.

Elles n'avaient pas la moindre clef des labos de neurologie. Tout y était top secret; le professeur la gardait avec lui, il faisait le ménage avec un étudiant américain qui lui était tout dévoué. Elle avait fouillé leurs blouses, en vain, pour moi.

Et ces poubelles, qui sortaient du labo! Du sang caillé, des membres d'animaux qui bougeaient encore, au milieu des filtres à café : le professeur en buvait des litres.

Bientôt je suis devenue présidente du comité anti-vivisection, où siégeait la majorité des secrétaires de départements, et nous avons installé une table dehors, dans le hall, entre les autres groupes, contre le viol, pour l'indépendance des Canaries; nous avions aussi notre banderole, et notre haut-parleur qui faisait un beau concert avec tous les autres mégaphones.

La folle chauve passait sans nous voir, ne souriait jamais, s'enfermait dans son bureau dès qu'il avait fini son cours et parlait d'une petite voix calme et sèche. Il était laid, bourré de tics, des yeux tellement durs qu'ils brillaient comme une pierre taillée; et les rares fois où je l'ai vu rire, j'entendais un crépitement méchant, comme une brassée de feu sec qui craque.

Il ne disait jamais bonjour à personne. Si distrait, qu'un jour où il m'a prise à fouiller dans ses papiers, je lui ai affirmé que j'étais la nouvelle secrétaire remplaçante et il n'a pas sourcillé. Devant nos slogans anti-vivisection du hall, il ne réagissait pas. On aurait dit qu'il nous voyait chaque matin pour la première fois.

Enfin j'ai découvert, dans son casier, un billet d'avion. Il avait déjà son retour, pris pour la fin du mois suivant, sur Pan Am, pour Los Angeles. Il fallait me dépêcher : je ne pouvais deviner ce qu'il comptait faire d'Amar. J'avais peur de lui, je le sentais puissant et malfaisant. L'idée qu'il touchait Amar me faisait froid sur ma propre peau, comme s'il avait posé ses mains dans ses gants de caoutchouc sur ma peau nue. Pourtant, malgré mes imprudences, ma présence continuelle autour du labo ne semblait pas l'avoir alerté.

Comment forcer ce labo sans scandale, car Amar n'avait rien de bon à attendre de la police? Je tournais dans la fac, cherchant un moyen d'agir, sans même m'apercevoir du bouillonnement des affiches pour la grève.

A la réunion suivante du comité anti-vivisection, j'ai commencé à chauffer l'assistance en dénonçant les assassins de grenouilles et de rats qui se cachaient dans les bureaux et les labos du bâtiment des sciences. Autour de la salle où nous étions réunies, pleine de la fumée des cigarettes, des étudiants allaient et venaient en transportant des affiches, des seaux de colle, des tracts pour appeler à la grève avec occupation de la fac le lendemain.

Ce lendemain, qui était hier, je suis arrivée en bus à la fac; des cars gris stationnaient à la file le long des allées du bois; des casques brillaient dans le feuillage et des grosses chaussures écrasaient l'herbe. J'ai été prise dans un tourbillon en entrant dans le hall, et nous étions trois cents dans le grand bureau d'un type barbu avec un chandail bleu pétrole, qui était le président de l'université. Il a promis en bégayant que les flics ne rentreraient pas dans la fac.

D'une bande en blousons de cuir, j'ai entendu la voix d'Antonio qui réclamait une assemblée générale. J'ai joué des coudes, il m'a embrassée; il était tout surexcité et sa bande, des loubards très gentils, démontait les tables pour se faire des matraques avec les pieds en fer; ils étaient plus résolus que les autres étudiants, j'ai choisi d'aller avec eux. Antonio donnait des ordres à un Arabe qui agissait comme son second, cet Arabe qu'il appelait Hassan et qui était si laid.

Antonio était lui-même sorti de taule au moment où Amar était passé à Paris; il ne le connaissait pas, et ne l'intéressait pas. J'aime mieux qu'il n'ait jamais su; il aimait tellement baiser avec moi, ça lui aurait fait de la peine de savoir que j'étais à la recherche d'un autre, qu'il n'était qu'un instrument. J'avais déjà liquidé deux des ennemis d'Amar, la vieille sur le pont, à San Francisco, et le gros Américain, devant le Harry's Bar. Toute cette agitation me donnait l'occasion d'entrer dans le labo de la folle chauve.

A l'AG, tout le monde a décidé de participer à la défense de la fac et de construire des barricades. J'ai pris la parole au nom du comité anti-vivisection, et j'ai proposé l'occupation du bâtiment des sciences et des labos, et la libération des animaux prisonniers. La salle a éclaté en applaudissements. A l'extérieur, les étudiants en sciences et les profs passaient entre deux rangs de flics pour aller travailler, comme si de rien n'était. J'ai vu passer la folle chauve et la chatte dans son panier, qui tendait la tête pour regarder froidement le tumulte. Je suis retournée en AG pour entendre Antonio dénoncer les laboratoires de la fac qui travaillaient pour l'impérialisme américain, même pour l'armée américaine.

A cet instant, une fille est arrivée, échevelée, la jupe déchirée, en disant que les flics venaient d'arrêter tout le comité pour l'indépendance des Canaries, qu'ils avaient pris à voler des papiers à en-tête de la faculté. Antonio a hurlé qu'il fallait prendre en otages les Américains des sciences, et les échanger contre le comité prisonnier.

L'AG est sortie en tonitruant pour occuper le bâtiment des sciences; c'était de l'autre côté du terrain de sport, que nous avons passé en manif. Les flics ont chargé de grenades leurs gros fusils, qu'ils sortaient en chaîne des cars, de l'autre côté des grilles. Le président est monté sur une voiture devant le bâtiment en préfabriqué, et a commencé un discours en disant qu'il y avait des provocateurs; je suis allée chercher une corbeille à papier dans un bureau, je suis montée sur le capot de la voiture, et je l'ai coiffé avec la corbeille pleine de mégots. Les étudiants ont applaudi, ils sont entrés dans le bâtiment, se sont éparpillés dans les bureaux et ont commencé à découvrir des rats emprisonnés avec des fils sous des cloches de verre, ou des grenouilles élevées dans l'eau minérale, qui avaient cinq pattes. Ils les ont tous libérés, et ils se sont mis à courir et à sauter partout, Antonio a rassemblé un commando pour fouiller le bâtiment. Une série d'explosions sourdes vibraient dehors, j'ai vu la chatte d'Amar qui sautait par un vasistas et coursait les grenouilles pour les dévorer au milieu du vacarme.

Je n'étais pas la seule à l'avoir remarquée; Hassan, le copain d'Antonio qui était si laid, la regardait comme s'il avait vu le diable. Pour fouiller les bureaux, Antonio a commencé à démonter les gonds de la porte du labo, qui s'est entrouverte; est apparue la folle chauve, tremblant comme une feuille. Il a commencé à parler en anglais; ni la dizaine de Portugais et d'Arabes qui étaient là, ni Antonio ne comprenaient l'anglais. Dehors, les flics avaient commencé à bombarder le terrain de sport avec des grenades lacrymogènes, pour disperser le gros de la manif.

Soudain, la folle chauve a mis la main dans sa poche de veston pour prendre son passeport et montrer qu'il était américain; j'ai crié : « Attention, il va tirer »; et j'ai vu un petit trou rond juste au-dessus de lui, dans la cloison; juste après, une détonation si forte que je suis devenue sourde plusieurs minutes.

L'Américain a plongé en arrière, en traversant la baie vitrée au milieu des éclats de verre. Dehors, une escouade de flics s'était glissée le long du mur, et un type en civil a soigneusement ajusté Antonio par la fenêtre, et a tiré, toujours dans le silence. Je me suis retournée; Antonio, debout les jambes écartées et son P .38 tenu à deux mains, vacillait lentement; il est tombé mollement dans la fumée qui montait des dalles de lino, rampant depuis la fenêtre. Une tache rouge s'élargissait dans le dos de sa chemise. Les étudiants se sont égaillés dans le bâtiment, ont construit des barricades avec les téléviseurs et les terminaux d'ordinateurs.

Je me suis penchée par la fenêtre; les flics avaient reculé et s'abritaient derrière des boucliers pour éviter les cornues en verre que les étudiants leur jetaient. Une sorte de grosse tortue, faite de flics avec de longues matraques qui traînaient jusqu'à terre, et leurs boucliers, côte à côte au-dessus de la tête, s'est ébranlée pour avancer vers le bâtiment.

Derrière, au second plan, une petite silhouette chauve courait vers le parking. J'ai poussé un cri de rage, ma surdité suite au coup de feu a cessé. Les hurlements, les bruits de matraque et les coups de sifflet des gradés en casquette dorée, qui étaient à l'abri derrière les cars et dirigeaient la manœuvre, m'ont traversé la tête.

Il y avait aussi un râle, une plainte interrompue par des gargouillements, qui venaient du sol. Je me suis penchée, Antonio n'était pas tout à fait mort, et il essayait de parler malgré le sang qui lui dégoulinait des lèvres. Il disait : « Pompino! Pompino! » J'ai défait sa braguette et je l'ai sucé, il a joui en quelques secondes en expirant.

Les étudiants s'étaient mis à piller, ils sortaient les

meubles et les machines à écrire des bureaux. Personne ne faisait attention à moi. Je pouvais enfin entrer dans le labo, la folle chauve avait laissé la porte entrouverte en s'enfuyant.

L'intérieur du labo était noir et silencieux. Les stores et les doubles vitrages fermés, le plafond insonorisé arrêtaient le vacarme extérieur. J'ai cherché le bouton électrique en appelant Amar, ma main rencontrait tant d'interrupteurs que j'avais peur de m'électrocuter. Je n'ai eu qu'un grognement en réponse. J'ai trouvé le bouton, abaissé le commutateur, entendu un rugissement, été poussée contre le mur par Hassan, le copain d'Antonio, qui m'avait suivie dans le noir.

Un être grand comme un enfant, avec des bras longs couverts de poils, vêtu d'un imperméable, est passé en trombe entre nous en courant à la fois sur ses jambes et sur ses bras. Des fils traînaient par terre, qui venaient de sa tête, sur laquelle étaient plantées, au milieu d'une zone rose et rasée, deux prises de courant en plastique blanc.

J'ai ouvert le store. Le singe, c'était bien un singe, courait à travers le terrain de sport en se prenant dans ses fils, et s'est suspendu aux buts. Là-bas, derrière les cars, un flic en civil à l'allure de Bernard Blier sortait son revolver et l'ajustait tranquillement.

Je me suis retournée; Hassan avait disparu, le bureau était vide. Dans un coin, une chaise avec des bracelets brisés, où le singe devait être assis.

J'ai renversé les meubles, les étagères, les microscopes. Au fond d'un tiroir, il y avait un objet rouge, pas plus gros qu'un harmonica, avec des touches sur le côté. J'ai revu la main d'Amar jouant avec cet instrument; il s'en servait tous les jours. J'ai pris l'appareil, je l'ai glissé dans mon sac en pensant qu'il était mort.

Je suis sortie avec un groupe de loubards qui

s'abritait derrière des tables démontées; ils m'obligèrent à baisser la tête : je marchais comme hébétée, sans rien voir.

Nous avons retraversé le terrain de sport, tandis qu'une grenade tombait juste dans le but. Dans le grand hall, dix mégaphones hurlaient des ordres contradictoires. Je l'ai traversé pour sortir, je suis parvenue au parking où j'ai commencé à faire du stop, en pleurant.

J'ai vu Hassan devant un scooter jaune des PTT, qui enfermait la chatte dans un carton des postes où il a fait des trous avec son couteau. Je l'ai reconnu quand il s'est relevé, après avoir mis le paquet à l'arrière. C'était Hocine, et non Hassan, qu'il s'appelait. Hocine, l'ami d'enfance d'Amar, celui qui voulait être postier, le très laid. Lui seul l'avait suivi, comme moi, du début à la fin. Lui seul savait qu'Amar était aveugle par ma faute. Lui seul avait pu le dire à ses sœurs.

Des écharpes de gaz lacrymogènes s'accrochaient aux arbres, dans le soir. Hocine s'est arrêté devant moi : il m'a tendu la main, et je suis montée dans la petite benne. Je serre contre moi l'appareil, l'appareil qui ne le quittait jamais, où il lisait l'heure, avec quoi il comptait. Hocine pleure aussi, à cause des gaz. La chatte griffe furieusement le carton. Elle, elle ne me pardonnera pas.

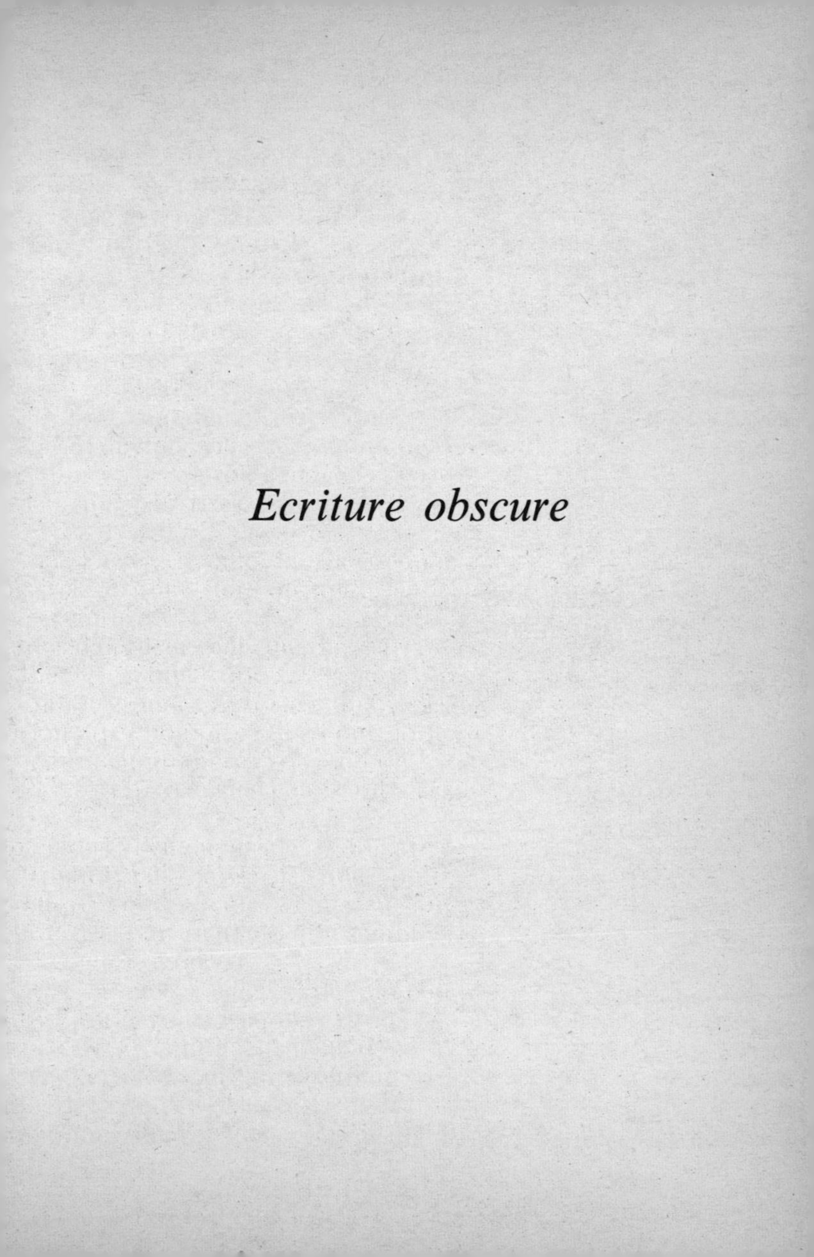

Ecriture obscure

JE voudrais tant ne plus voir, ne serait-ce qu'un instant!

Je continue à fermer désespérément les yeux pour tenter de me retrouver. Et je ne fais que rendre la vision plus nette, plus impitoyable.

Mes doigts pianotent les touches de la digicassette dans l'obscurité; en écrivant, j'oublie le grésillement, le bourdonnement d'abeille moribonde que j'ai dans le crâne. J'écris dans l'obscurité pour me cacher que je ne peux pas cesser de voir. Même à cette heure, je vois le noir. La machine n'arrête jamais; et ce noir est strié parfois d'un bref électron filant.

J'ai crié, j'ai supplié; ils ont haussé les épaules, ont soupiré que je m'habituerais, m'ont donné des calmants.

Ils ont laissé la machine en marche, et la machine n'a pas de paupières devant son objectif de caméra infatigable.

C'est la nuit, et on a éteint la lumière indirecte qui baigne ma chambre. La machine ne dort pas, ou elle dort l'œil ouvert.

Le noir, que je ne connaissais pas, me rassure un peu. Il aura fallu voir à nouveau pour retrouver le noir; à Kerkenna, il était toujours peuplé d'étoiles; au cinéma, les lampes de l'entrée le faisaient toujours imparfait.

Je vois le noir, un noir un peu phosphorescent, l'écran d'une télévision qui n'a rien à montrer que la nuit. Pas mes nuits d'autrefois, mes nuits d'aveugle qui étaient mes vrais jours, mais la nuit désolée de cette cellule sur la banquise.

Sur ma tête, je sens le casque froid qui m'enserre les tempes. Je suis épuisé, brisé, et pourtant je ne peux pas dormir; alors je frappe machinalement ce texte, pensant que la nuit, ils n'observent pas.

Moi qu'ils ont annexé à un tube cathodique, ma prothèse me sert au moins à savoir quand on me surveille. Ils n'ont jamais pensé que je pouvais écrire dans le noir; et ils n'ont pas fait attention à la digicassette, parce que je ne leur ai pas montré la mémoire. Ils croient qu'elle me sert juste à calculer et à savoir l'heure.

Je peux écrire sans voir, je ne peux même écrire que sans voir. Ma main bougeante est plus moi-même que la vision absurde que la machine colle à ma vitre intérieure. Je sais que je pourrais diriger la caméra vers ma propre main, et pouvoir me relire enfin en « noir ». Quand j'étais à l'institution, nous disions des journaux des voyants qu'ils étaient imprimés « en noir », c'est-à-dire autrement qu'en braille. Le noir est une notion de voyants.

Je continue à écrire « nous » pour les aveugles. C'est ma manière de résister à la machine électronique.

Quand j'étais en Europe, un vieil aveugle m'a raconté que le braille avait servi de code pour les résistants de la dernière guerre. Je me rappelle mes lectures de New York; le vieil officier, qui avait inventé le braille, l'avait appelé « l'écriture obscure », pour déjouer les espions. Je déjoue l'espionnage des voyants, en écrivant la nuit au lieu de dormir.

Je pense que personne au monde ne pense à moi, ne se soucie de mon sort. Pas même ces demi-sœurs, que je n'ai jamais vues qu'une journée, et qui sont tout ce qui reste de ma famille : mon père ne m'a jamais reconnu.

La cassette est à moitié pleine. Je n'en ai aucune de rechange; que se passera-t-il quand elle sera remplie? J'ai marqué, en noir, en caractères bâton, l'adresse de ces sœurs à Paris, celle qu'elles m'avaient laissée et dont je me souvenais, puisqu'elle contenait le mot Plaisance. Et j'ai tracé un signe magique pour punir les violateurs de mon secret.

En tournant la molette qui est à mon chevet, je peux balayer la chambre jusqu'au rai de lumière, qui doit filtrer, quelque part, du couloir sous une porte. Ou aller par le regard à la fenêtre, la vaste vitre hermétiquement close la nuit par des volets de fer automatiques, derrière lesquels il n'y a que la lumière triste du pôle. Les quatre mille récepteurs sont là, tapis dans l'ombre de mon crâne, pleins d'énergie, prêts à me balayer à nouveau de leur flot électronique, regard obtus qui n'est pour l'instant qu'un vague crépitement de phosphènes égarés.

De moi-même, je n'utilise jamais la caméra. Ce regard, qui est en moi, est situé en dehors de moi; il me dédouble, me fait être à la fois ici, sur mon lit, et là-haut, au-dessus du lit, là où est fixée la caméra, pour pouvoir embrasser toute la pièce. Mon œil est suspendu au plafond, et mon corps étendu au sol.

Je n'ai pas cessé depuis l'opération de demander qu'on débranche la machine. Ils ne comprennent pas, ils s'attendaient à une explosion de gratitude. J'ai pleuré, sans que la vision se brouille; j'ai fait la grève des réponses, pendant les séances d'entraînement. Ils m'ont parlé comme à un gosse rétif.

Ils m'ont attaché les mains, ils ont mis la caméra hors de mon atteinte, ce qui a redoublé le supplice. Ils se sont excusés, ils ont répété que je leur serai bientôt reconnaissant; depuis des mois je ne souhaite que de redevenir aveugle.

Je me suis calmé, pour résister sournoisement, en

faisant le flou dans ma tête contre le bourdonnement incessant. Ils m'ont détaché. Ils m'ont mis la caméra dans la main, et j'ai hurlé d'horreur; c'était comme si ma main était devenue l'œil de mon bras : j'ai tenté de la fracasser. Ils affirment que le balayage est si rapide que je ne peux pas le sentir; ils se trompent; quand la lumière se rallume, pendant un horrible instant, un point lumineux remplit en une seconde mon espace visuel, depuis le haut à gauche, jusqu'au bas à droite, en stries qui persistent et forment l'image. Alors l'écran s'emplit, l'immense écran sans limites et qui peut tourner sur lui-même, l'écran effrayant posé à l'intérieur de moi, qui me cache le monde : depuis que je vois, je n'entends plus, je ne sens plus.

Les aliments n'ont plus de saveur, quand je vois sur le plateau les barquettes d'aluminium que m'apporte l'infirmière. Je peux les contempler jusqu'à la nausée, en manœuvrant le zoom.

Mon premier souvenir d'après l'opération, mon premier souvenir visuel : une rangée de masques, tout le bas du visage perdu dans le blanc éblouissant qui se prolongeait sur leur ventre et leurs bras. J'entendais, parmi d'autres, une voix, une voix qui parlait en américain, que je connaissais; une des figures, qui avait le crâne brillant de sueur, agitait les lèvres en même temps que j'entendais ses paroles.

Un autre médecin a mis un doigt sur la bouche en tendant l'autre vers moi. La voix s'est tue. La voix de Larry.

Il a disparu de mon champ de vision. L'image était si laide que j'ai eu un hoquet, en pensant que j'avais couché avec lui. Il est revenu, un monstre à quatre pattes et à la tête plate lui était monté sur l'épaule; elle a miaulé, j'ai reconnu Zita, j'ai voulu avancer le bras pour l'appeler.

Maintenant, Larry disparu, ils parlaient de casque. Ce poids, ce fourmillement sur le crâne... Mais les paroles étaient très proches, et la figure très loin, perdue dans la foule des médecins. Ils sont revenus vers moi, comme s'ils avaient marché du plafond, à travers les airs, en tombant sur moi. Je me sentais couché, et mon point de vue était celui d'un homme debout.

L'écran intérieur n'avait aucune limite, et pourtant il s'arrêtait progressivement quelque part où je ne pouvais voir, sur les bords, derrière ma tête. Et le son semblait provenir d'ailleurs que l'image, exactement synchronisé. J'ai fermé les yeux, et j'ai fait la découverte horrible que l'image était là, sans modification.

Ils ne m'ont pas donné la possibilité, mais l'obligation de voir; même le noir, désormais, me pèserait. Ils m'ont charcuté le crâne pour y introduire le monde voyant.

J'étais trop faible pour parler; j'ai senti une main se poser sur mon épaule, et une voix me parlait doucement. La bouche qui disait ces mots était devant moi, et le son venait de derrière. Ce n'était pas le son qui me trompait, c'était l'image.

J'ai commencé à me débattre; aussitôt j'ai senti une piqûre au bras; avant que je sombre, l'image s'est mise à se déplacer lentement, en tournant autour de la pièce éclatante de blancheur; j'ai vu une couchette, avec un drap qui recouvrait une forme, un corps, une tête sombre sur l'oreiller, surmontée d'un gros casque. En même temps, je sentais une main à mon côté qui tournait un bouton tout contre mon bras. La vision de la tête grossissait inexorablement dans ma propre tête; j'ai ouvert la bouche pour crier, et la tête a fait de même; le trou noir de la bouche a envahi tout l'écran, et je suis tombé en moi-même.

Je me suis réveillé, j'étais anesthésié, sans aucune autre sensation que celle d'un trait de feu qui me traversait la tête. J'ai cherché la chatte autour de moi, je l'ai appelée, mais rien n'est venu.

A cette latitude il n'y a ni vraie nuit ni vrai jour. Ma lumière artificielle étouffe la grisaille, dehors, sur la glace. En quelques « nuits », j'ai beaucoup appris, la science s'est déversée en moi pendant mon sommeil. Un magnétophone sous l'oreiller, qui s'interrompt dès que je me réveille. Ils pensent que j'accepterai d'autant mieux la machine que je la comprendrai.

En tournant la molette de la caméra, je peux voir une surface brillante, qui va jusqu'à cette ligne entre la pâleur du ciel et la blancheur de la glace; une ligne qui doit être l'horizon.

Nootka, ainsi s'appelle l'infirmière, pour m'éviter tout désir d'évasion, m'a affirmé que nous sommes en Alaska, et qu'il fait moins vingt dehors. Lorsque le fourgon est venu me prendre au parloir du pénitencier, le directeur m'avait fait endosser des vêtements chauds. Les autres prisonniers étaient aux fenêtres, et je sentais leur respiration envieuse autour de moi; ils croyaient me voir partir pour une liberté dont à leurs yeux je ne peux pas jouir.

L'avion militaire aux sièges durs et à la carlingue pleine de courants d'air s'est posé quelque part à l'extrême Nord; on m'a transporté illico dans un gros appareil qui faisait beaucoup de bruit en projetant de la glace autour de lui, et qui s'est ébranlé sur ses chenilles.

J'ai réclamé Zita, ils ont affirmé qu'elle s'était sauvée pendant le transport. Ils mentaient, puisque je l'avais vue à mon premier réveil. Ils voulaient simplement me séparer de mes habitudes d'aveugle, m'empêcher de continuer à me diriger par elle, pour me forcer à collaborer avec leur machine à voir.

Ma cicatrice à la nuque a grandi vers le haut du crâne. Entre la peau et l'os du crâne, ils m'ont glissé une seconde peau, en plastique métallisé, qui contient leurs quatre mille récepteurs radio minuscules. Tous ces fils se regroupent pour traverser l'os de mon crâne, juste à l'endroit où ma blessure avait laissé un trou.

Et à la surface de mon cerveau, ils ont posé une plaque en caoutchouc, avec quatre mille électrodes grosses comme une pointe d'épingle, qui déchargent de l'électricité quand les récepteurs le commandent. Ils sont très fiers de ce système; autrement, ils auraient été obligés de laisser une plaie ouverte pour faire sortir un câble hors de mon corps. Le casque qui contient les émetteurs est relié à la caméra de télévision qui est au-dessus de mon lit. Chaque point lumineux correspond à un récepteur radio, chaque récepteur est réglé sur une fréquence légèrement différente. Tout est prévu pour durer. Le cerveau perçoit mieux une vibration faite de multiples petites excitations qu'une seule grosse décharge, disait Larry.

Cobaye pour combien de temps? Dix ans? Vingt ans? Ils m'ont montré une salle de gym, et un cinéma pour le personnel de la base; je vais vivre ici en « rééducation ». Ils me font miroiter l'avenir, une expression dont je comprends maintenant le sens. Dans quelques années, ils remplaceront la machine, qui est lourde et difficile à transporter, par un œil synthétique dont ils m'ont montré des dessins, un œil que fabriquent les labos concurrents, ceux de l'armée de l'air, parce qu'il est en cristaux transistors comme ceux des satellites. Des cristaux qui transformeront directement la lumière en électricité.

Ils me rééduquent à voir, comme on réapprend à marcher; sauf que cela revient à me paralyser, à m'empêcher de sentir pour m'obliger à regarder.

Supplice suprême, l'image s'améliore de jour en jour. La grossière approximation lumineuse est devenue un tableau en relief, avec des objets proches et lointains, et pourtant tous à l'intérieur de ma tête.

Cela m'enlève tout désir, celui de saisir, de manger ou de caresser.

Chaque empreinte du cerveau d'un homme est unique au monde, comme une empreinte digitale ou le fond de l'œil. Larry a dû leur donner la mienne, ils n'ont pas perdu de temps. Et j'ai réappris à voir en corrigeant la machine.

Pour être vraiment sûrs du résultat, il leur fallait un sujet parlant. J'ai passé des heures à indiquer la position exacte de chaque phosphène pris isolément, tel que je le voyais dans l'espace noir; ils corrigeaient la position du point sur le casque émetteur.

Je me souvenais d'un monde en couleur, à Kerkenna. Ils m'ont offert de teinter ma vision artificiellement, avec un petit computer relié à ma digicassette. Je m'injecte des rouges, des flamboiements; je suis comme un malade en perfusion d'ordinateurs. On me montre des figures géométriques, des portraits de gens, des cartes géographiques, je dois décrire ce que je vois, ce qui est la plus fastidieuse activité que je connaisse. Quand je refuse de travailler, j'ai des entretiens avec le psychologue qui, lui, est infatigable.

De temps à autre ils m'apportent un magnétoscope, avec un film de cinémathèque. Ils le branchent à la place du câble de la caméra, et j'ai deux heures de projection directement dans la tête. La moindre action violente du film me laisse dangereusement épuisé, comme si je l'avais vécue. Aussi ne me mettent-ils plus que des comédies musicales, des sucreries dégoulinantes qui m'envahissent, me noient, m'asphyxient.

J'ai réclamé ma digicassette pour compter le temps. J'ai de la peine à lire les cadrans d'horloge pour voyants, habitué comme je le suis à effleurer l'heure qu'elle affiche en braille. Ils ont fini par me la laisser quand ils se sont aperçus qu'ils pouvaient la brancher sur le computer en frappant des instructions en braille. Mais je n'ai jamais réussi à trouver l'instruction qui signifie « arrêt général ».

Alors je peux contraster l'image, la pâlir ou la foncer, la déformer, la surimpressionner, la doubler; et ils ont pensé que ce jeu me ferait prendre goût à la machine. J'y attrape d'intenses maux de tête, surtout l'injection de couleurs. J'ai vu la neige bleue, puis rouge, mouvante comme la mer; j'ai vu la couverture de mon lit devenir semblable à un volcan en éruption quand je bougeais le genou, et la tête de l'infirmière en négatif, en solarisé, en taches d'un peintre fou.

Le chirurgien noir m'a suggéré d'utiliser la digicassette pour me créer des paysages et des personnages. Il m'a montré comment faire, en décomposant l'image en éléments de programmes. J'ai dessiné grossièrement une maison avec un arbre, comme je savais les décrire. La maison dans laquelle j'entrais était toujours trop grande, ou trop petite. Je m'y perdais, ou j'y étais coincé, dans ces visions de rêve volontaire. J'ai arrêté, mais j'ai gardé la digicassette pour écrire seul dans le noir.

Aucun calendrier; peut-être ai-je dormi mille ans. Le ravitaillement vient jusqu'à l'entrée du camp par chenillettes qui ébranlent la glace de très loin. Ils n'apportent ni journaux ni lettres. La neige endort le temps.

Je n'ai plus de sexe depuis que je vois; je n'ai même plus envie de jouir seul. Je suis deux en permanence; non pas deux peaux, deux corps; deux esprits qui se surveillent, dont l'un regarde et surveille l'autre. J'ai cru d'abord que mon absence d'excitation venait des piqûres et de ma faiblesse, quand on me nourrissait de force parce que je faisais la grève pour faire arrêter la machine.

Des dizaines de personnes s'occupaient de moi; des masseurs faisaient fonctionner mes muscles malgré moi. Ils ont brisé ma grève, qui consistait à être le moins possible, en me faisant exister contre ma volonté, avec l'amour des mécaniciens pour leur machine.

J'ai réclamé de l'exercice. Depuis que je voyais, j'étais immobile dans un lit. Comme je ne pouvais pas aller à la salle de sport avec le casque et la caméra, il a bien fallu me l'enlever une heure par jour; si bien que bouger, c'est enfin ne plus voir.

Ils ont fait énormément de difficultés pour m'accorder cette heure, tant ils ont peur que je ne rompe l'apprentissage.

Dès que j'ai enlevé mon casque, j'ai retrouvé tous mes réflexes, mon espace sonore. Mon corps était en bon état, ils l'avaient très soigneusement entretenu. Après tout, je porte pour dix millions de dollars d'électronique dans la tête, le psychologue ne cesse de m'en féliciter.

Nootka, l'infirmière, je la vois toute petite, peut-être à cause de la vue plongeante; elle a les pommettes saillantes et les yeux un peu bridés. Elle est née dans un des villages d'Eskimos qui ont été rasés par les bulldozers des glaces, quand ils ont construit la base. Elle parle un drôle d'anglais kalmouk. Elle est la première personne que je regarde sans éprouver un sentiment de dégoût; elle m'amuse plutôt, elle est un de ces djinns difformes de mon enfance, un djinn des glaces. Elle compatit, quand je me plains.

J'ai essayé de lui demander des renseignements sur la base; elle s'est tout de suite braquée; elle s'est tue, et son visage est devenu plus sombre et j'ai pensé qu'elle rougissait, tout en arrangeant nerveusement les oreillers.

Chaque fois qu'elle me touche, elle sursaute, comme si j'étais une pile électrique. Je crois qu'elle m'admire secrètement; elle m'envie presque l'appareillage électronique qui m'entoure et qui l'impressionne. Elle me demande toujours ce que je vois, comme si elle était une spectatrice mal placée au cinéma.

J'ai des douleurs dans la tête, des rhumatismes, dès que j'essaie de lire à la caméra. Les lettres se bousculent, les dessins clignotent. Seul mon hémisphère gauche, le plus important, celui qui dirige la main et la jambe droites, est réparé; le droit est toujours aveugle. Je n'ai en fait que des champs visuels gauches; quand je dessine une ligne en la regardant à la caméra, je la trouve courbée vers la gauche; si je pouvais marcher avec la prothèse, je tendrais toujours à droite.

Mon cerveau voyant est un pilote qui tente désespérément de contrer un dérapage interminable, un bateau qui fatigue contre un vent dominant qui le déporte.

Hier, le chirurgien noir m'a proposé de visiter mon propre cerveau. Ce n'était pas une plaisanterie. Ils ont utilisé un appareil qui radiographie en profondeur et en relief; une sorte de laser. Ils peuvent le brancher sur mon propre écran intérieur; j'ai traversé le squelette de mon visage, sous ma propre peau. Au-delà, des masses bleues palpitaient doucement sous mon front, à l'avant.

La radiographie est descendue un peu, jusqu'au niveau de mes yeux. Les mouvements étaient lents, presque acceptables, ballet au ralenti, dans les masses molles de mes hémisphères. L'ordinateur sculptait en lignes et en masses colorées les détails, les volutes, les lobes enchevêtrés. Derrière mes deux yeux, je montais maintenant au long de deux câbles rouges jusqu'à un carrefour situé juste derrière mon propre nez. En basculant sur le dos, et en plongeant un peu plus, la caméra m'offrait une vision par en dessous. Les deux grands câbles se divisaient chacun à leur tour, et la moitié de chaque câble venait croiser celle de l'autre, en un nœud vivant de nerfs enchevêtrés, agités de spasmes électriques.

Dessous, dessus. Je planais sous ma propre calotte crânienne, survolant deux continents blanchâtres, mes propres hémisphères, parcourus de vallées où je plongeais parfois. De longs filaments lumineux parcouraient cette gélatine; ils n'existaient que sur l'hémisphère gauche, le seul à « voir », à se voir lui-même. Je me suis renversé sur le côté, et en frôlant l'os de la tempe, une paroi blanc ivoire haute comme une muraille, je suis parvenu à l'arrière. J'étais situé juste derrière mon cerveau, à l'intérieur de mon crâne. Je glissais vers une grande tache sombre, débordant sur la moitié arrière gauche, une tache en relief noire comme de l'ébonite, qui envahissait la substance délicate et translucide, pénétrant profond, à mesure que mon regard m'y enfonçait moi-même, plus profond encore, dans la vallée entre les deux hémisphères, plus profond dans un ravin qui semblait ne jamais s'achever, le ravin où se cache notre imagination : la scissure calcarine, le lieu de mon opération.

Au fond du ravin, dans la pénombre laiteuse, environné du battement sourd de mon propre sang, je me suis enroulé en moi-même, baigné de la lymphe de mes abîmes dans la recherche désespérée du moment où je pourrais enfin me contempler moi-même voyant.

Les médecins sont ravis de me voir m'occuper avec la machine; en récompense de cette sagesse j'ai été aujourd'hui emmené par deux MP en bottes et casque qui marchaient comme des robots, jusqu'à un officiel qui acceptait de se considérer comme responsable de ma détention. On m'avait toujours refusé une telle entrevue. Il m'a lu en se raclant la gorge un long papier avec des feuillets agrafés, dont il sautait des pages entières; son haleine empestait le ketchup. Il a posé les papiers, une convention entre moi et le gouvernement des USA, comme quoi je faisais don de mon corps à la science; je lui ai fait remarquer que c'était un peu tôt pour m'autopsier.

Il a changé de voix pour me dire que ce qui allait suivre n'était pas officiel; j'étais une merveille vivante de la science, je devais penser aux autres aveugles, et à toutes les découvertes que mon opération allait permettre. Ils avaient un besoin absolu de ma collaboration, et ils étaient décidés à l'obtenir. Je lui ai rappelé qu'on m'avait promis, en prison, une libération rapide après l'expérience.

On me libérerait quand mon état psychologique le permettrait, et rien d'autre ne pouvait donner la mesure de mon état psychologique que mon adaptation à la machine. Mon entrée dans le monde des voyants. Il faudrait le temps qu'il faudrait. Je pourrais avoir dans vingt ans une villa, avec piscine chauffée, sur un iceberg, comme les officiers de la base. Sortir? La question était obscène.

J'ai beaucoup de peine à m'endormir. Il y a un bruit, dans la chambre, une souris minuscule qui grignoterait sous le plancher. Sous le plancher, aucune souris ne pourrait creuser un kilomètre de glace. Ou derrière le mur? On dirait un signal, celui d'un autre prisonnier tapant sur le mur. Je n'ai pas le droit de me lever plus de trois fois par nuit, que j'échelonne soigneusement. Quand je quitte le casque, une lumière s'allume, et ils admettent que je fasse mes besoins, pas que je rêvasse.

J'ai marché jusqu'au mur; dès que je quittais le lit, le bruit cessait, comme si l'autre m'avait entendu venir. Une autre sensation avait cessé en même temps, quand j'avais enlevé le casque, une sensation que je n'ai retrouvée qu'en le remettant. Les phosphènes, que je ne voyais même plus tant j'y étais habitué. Des phosphènes en sarabande faisaient un télégramme lumineux.

Le bruit venait des phosphènes, correspondait à leur rythme. Mon esprit s'était refusé à l'admettre : je n'ai pas seulement des parasites lumineux, ils sont devenus sonores.

Le bruit et la succession d'éclairs sont devenus si forts, au cours de la nuit, que j'en ai parlé à l'infirmière; et le médecin est venu m'enlever le casque, en parlant de parasites. Ce ne sont pas des parasites; le son et l'image suivaient un ordre, des longues et des brèves. Depuis tout à l'heure, je me recroqueville dans les draps, parce qu'il me semble encore entendre ce bruit de cavalcade irrégulière, et voir des taches lumineuses.

Je l'entends à nouveau; et les phosphènes reviennent, eux aussi. J'ai crié, je me suis tâté le crâne. Pourtant, je n'ai pas le casque; l'infirmière est venue et m'a dit que je faisais un cauchemar. Non, je les vois, je les entends, ils n'étaient pas dans le casque, ils sont dans ma tête.

Le médecin noir est arrivé, je tremblais comme un enfant malade. Le morse continuait; il m'a suggéré de noter les brèves et les longues, pour me distraire de ma terreur. J'ai pris un papier et pendant une demi-heure j'ai tracé des points et des traits, le bruit et la lumière ont décru, et ont disparu au matin, me laissant épuisé. Le chirurgien noir pense que ce sont des courants fabriqués en circuit interne par mon cerveau; un autre moi-même me parle en morse dans ma propre tête.

J'ai dormi la journée et je viens de me réveiller, en sueur; les bruits et les phosphènes ont cessé. Je suis pâteux, comme si on m'avait donné une drogue pour dormir. Je me suis levé, je chancelle un peu; aucun bruit, ni sans ni avec le casque; aucune lumière. Je suis devenu sourd!

Non, je ne suis pas sourd. J'ai frappé sur le mur, et il a rendu un son; pas le même son que la dernière fois, un son mat, étouffé. La pièce a été insonorisée pendant mon sommeil. Les murs sont couverts de plaques de métal, un métal mou que je peux rayer avec l'ongle. On m'a enterré vivant dans un tombeau de plomb.

Je me demande si je ne suis pas dans un cauchemar que la machine fait pour moi. Hier, j'étais dans un tel état d'exaspération que j'ai frappé le plomb qui tapissait ma chambre jusqu'à ce que l'infirmière affolée aille chercher le docteur. Il est arrivé en robe de chambre; j'ai éteint, je me suis glissé à bas du lit, et j'avais disposé les oreillers sous le casque; quand il est entré, je lui ai sauté dessus, pendant qu'il parlait à la caméra qui est censée être moi.

Le docteur de garde la nuit était un petit étudiant qui avait des os de poulet; je les ai sentis prêts à craquer, quand je lui ai tordu le bras derrière le dos. Il a crié, mais je lui ai mis la main sur la gorge et je lui ai promis de l'étrangler s'il ne me disait pas la vérité. J'ai écouté si on venait, l'insonorisation marchait dans les deux sens. J'ai recommencé à lui tordre le bras.

Il a affirmé d'une voix plaintive que tout allait s'arranger. Je sentais qu'il mentait, j'ai tourné encore un peu, au bord de la fracture. Il est tombé à genoux, et a débité des explications, terrorisé. Dérèglement des récepteurs, sous l'action d'acides créés par l'activité électrique de la prothèse, glissement des oscillateurs vers d'autres fréquences, fréquences, fréquences...

J'étais devenu un récepteur radio vivant. Ce n'était pas mon propre cerveau qui m'envoyait ces messages codés, mais quelque radio-amateur, situé peut-être à des milliers de miles.

Les ondes passaient mieux à certaines heures. Il se frottait le bras, en continuant à parler, sans que j'aie besoin de l'y pousser. L'accompagnement des lumières par des bruits venait de la transformation d'un centre, appelé le gyrus angulaire; normalement, il coordonne le son et l'image dans le cerveau. Qu'arriverait-il si d'autres, si beaucoup de récepteurs se déréglaient? Lui, il n'avait jamais pensé, depuis qu'on avait commencé à m'observer, sans me le dire, au sujet de ces phénomènes, que seule l'électronique était en cause. Il ne serait pas étonné si l'autopsie prouvait que mon cerveau s'était adapté à une situation jamais connue; une adaptation fonctionnelle visant à intégrer les récepteurs radio à un nouveau moi. Un moi plus vaste, qui s'exerçait, se perfectionnait, augmentait la puissance comme l'oreille habituelle peut discerner un son infime au milieu du bruit général, et l'amener à la perception consciente, en l'amplifiant. Il est parti sans que je cherche à le retenir. J'étais effondré sur le bord du lit, et la porte en claquant a sonné lourd comme un battant de caveau qui se ferme.

Ce matin, on est revenu me chercher. Dès que je suis sorti de la chambre, les phosphènes ont repris, faiblement. Dans les couloirs, j'ai rencontré le chirurgien noir qui était furieux contre l'autre médecin; je lui ai dit que je préférais savoir.

Dans la grande pièce où l'on m'a entraîné, une dizaine de personnes étaient assises, des vieux, avec des grosses chaussures qui craquaient, des odeurs de cuir et des paroles brèves. De nouveau, le silence, et la transparence dans ma tête; cette salle d'état-major devait être blindée. J'ai pensé que j'étais devant une sorte de tribunal, pour avoir agressé le petit médecin de nuit; mais ils voulaient savoir si j'entendais toujours les signaux, et combien de temps duraient les perceptions.

Ils parlaient de moi tout à fait objectivement,

comme d'un phénomène électronique, alors que j'étais debout devant eux entre deux soldats. Je suis intervenu pour protester que j'étais citoyen tunisien, et que je voulais voir mon ambassadeur. Un des militaires m'a répondu durement que les espions n'avaient pas d'ambassadeurs.

Les espions? Je me suis mis à crier, à donner des coups de pied aux gardes; l'un d'entre eux m'a appliqué une baffe qui m'a sonné. Quand je me suis réveillé j'étais assis sur une chaise à la même place, et l'un des vieux se raclait la gorge pendant que le chirurgien noir me tendait un verre d'eau et un comprimé en marmonnant des protestations.

Ce vieux, le plus vieux des militaires, un devant qui tous les autres s'écartaient dans un grand cliquetis de médailles, avait une badine et des bottes de cuir qu'il frappait doucement; il est venu jusqu'à moi. Il m'a posé la main sur la tête et s'est mis à parler en grand-père, en m'appelant « *son* », et en me caressant les cheveux.

Je voulais qu'on m'opère, tout de suite, qu'on m'enlève la prothèse. Il m'a dit d'être courageux, ce n'était pas possible, n'est-ce pas, docteur? L'autre a dit oui, d'un air pas très convaincu. Le vieux s'est éclairci la voix; je n'étais certainement pas coupable, enfin volontairement coupable, mais les faits étaient là : ce que j'avais noté sur la feuille, ces signaux optiques et sonores en morse ce n'était rien de moins que le code secret de mise à feu des fusées porteuses de bombes H de la défense américaine.

Sa voix s'est enflée; je devais comprendre que je vivais une aventure exceptionnelle. Il m'a donné son mouchoir qui sentait la lavande, pour m'essuyer le front. Le pays avait besoin de moi; il ne m'avait parlé durement qu'en raison de l'importance des secrets que j'avais surpris. Le pays, quel pays? Il a agité devant moi un papier, et m'a annoncé que c'était une attestation de citoyenneté américaine qui me serait délivrée si je collaborais.

Nous sommes passés dans une autre salle, le centre d'écoute de la base. Les signaux sont revenus très fort, dans ma tête, très faciles à noter : une forte lumière blanche et un sifflement suraigu. J'étais très proche de l'émetteur. Ils se demandaient comment mon cerveau avait extrait l'information du brouillard d'ondes, l'avait recomposée, découvrant pour ainsi dire intuitivement le code. En moi un être hybride, un être électro-magnétique était né.

Dans ma chambre, j'ai remis le casque, et je grave dans ma mémoire l'échelle des hautes fréquences que les techniciens m'ont laissée sous la forme d'une grande réglette plastique; de dix millions d'impulsions par seconde, je suis déjà passé à trente.

Une fréquence, un rythme, une pulsation, un battement. Le rythme d'une onde, ou d'un être vivant. Une alchimie électronique se produit en moi, qui associe mes rythmes vivants au bavardage des ondes. Mon cerveau, comme un auditeur qui tourne le bouton de son poste, élargit sa bande de réceptivité, multiplie les possibilités des circuits de ma prothèse à la recherche de la bonne réception, battant aux rythmes variés des hautes fréquences.

Les marteaux de la rue des Forgerons ne pouvaient frapper des millions de coups à la seconde; ces impulsions dépassent infiniment tout ce que mon reste de moi, blotti contre soi-même et menacé d'anéantissement, peut concevoir.

Plus vite, de plus en plus vite, mon cerveau indépendant se grise d'accélérations, élabore peu à peu un centre d'écoute à moitié vivant; un centre dans mon cerveau, comme il y a un centre de l'attention visuelle ou un centre de l'attention auditive.

Plus haut, toujours plus haut dans les fréquences;

plus courtes, sans arrêt plus courtes les longueurs d'ondes.

Cette gamme des fréquences est mon dernier souvenir visuel : je ne remettrai jamais le casque. Ils n'ont plus besoin de moi comme voyant.

Hier soir, la petite infirmière kalmouk m'a éteint la lumière très tôt; et elle a emporté toutes mes affaires pour les mettre dans une cantine de fer. Ce matin, quand elle m'a apporté le café, j'ai senti qu'il se passait quelque chose dans la base.

Le voyage a commencé, un voyage je ne sais où, je ne sais comment, que j'accueille avec reconnaissance, parce qu'il m'a débarrassé de la vue et du casque.

Ce casque, mes anciens camarades de l'institution donneraient dix ans de leur vie pour le porter, ne fût-ce qu'une minute.

L'infirmière m'a boutonné longuement en laissant errer ses mains. Nous avons marché, entourés d'un peloton de gardes, sur le béton des couloirs, sur des planches posées sur la glace, sur une passerelle en fer qui vibrait et résonnait et où le vent glacé soufflait si fort que mes oreilles étaient gelées. Je n'entendais presque pas les phosphènes, qui avaient réapparu quand j'étais sorti de la chambre blindée.

Des mains m'ont attrapé à bras-le-corps, comme pour me jeter en l'air, j'ai eu peur, et j'ai crié. J'ai entendu rire, et je me suis senti descendre comme un paquet le long d'une échelle en fer, profond, très profond; ont-ils fait un trou dans la glace? L'air en bas ne sent pas du tout le renfermé, il est légèrement enivrant. Je le cherche à une ouverture, en montant sur la couchette supérieure, en haut de la cloison, et je le respire à fond. Je me sens beaucoup mieux, les bruits dans la tête ont disparu, ainsi que les phosphènes; il n'y a pas de casque, dans cette cellule en fer que j'ai explorée : je n'entends qu'un ronronnement, un ronronnement rassurant, parce qu'il est tout à l'extérieur; le ronronnement des machines ordinaires, douées de pistons et de moteurs.

Plus de signaux, plus d'hallucinations, plus de casque. Peut-être me ramènent-ils au pénitencier?

Les jours passent, les militaires me font venir chaque matin dans une cellule un peu plus grande, à travers des couloirs étroits où il faut enjamber haut le seuil des portes. Ils veulent savoir si je n'ai rien entendu ni vu, et je réponds non. Je répondais non, jusqu'à hier; et le toc-toc a recommencé, au milieu de la nuit d'abord, enfin au milieu de la période de repos. Il a disparu. Ils m'ont demandé de le noter; le lendemain il est revenu plus fort, ils semblaient l'avoir prévu : ils enregistraient tout, l'heure exacte où les signaux étaient les plus forts, les suites, que je donnais à haute voix, de flashes et de demi-secondes entières d'éblouissements accompagnés de craquements. Ils font joujou avec ces indications; je ne sais comment ils augmentent la force de leurs émissions, sans doute en fonction de mes réponses; cette nuit, l'émission était tellement claire que je n'ai pas pu dormir.

Nootka vient d'entrer, affolée; elle m'a donné un verre et quatre comprimés avec tant de nervosité qu'elle a renversé la moitié du liquide, et elle m'a fait coucher, bien que je vienne juste de déjeuner. Je me suis mis à taper sur la digicassette, après avoir recraché les cachets. J'entends des bruits sourds contre les parois de ma cellule, qui viennent des couloirs, des longs couloirs étroits qu'ils ne m'ont jamais laissé explorer. Des galopades, maintenant; et un choc, un tel choc que j'ai failli tomber de la couchette; ma cellule avait été soulevée par un géant qui l'avait ensuite rejetée à terre. Une sonnerie a commencé à carillonner, à côté de ma porte, mais personne ne venait pour l'arrêter; de nouveaux chocs ont continué à ébranler la cellule. Je devais être dans un bateau, et non plus dans la base.

La porte a claqué, elle est entrée, à nouveau, en courant; elle a voulu repousser la porte; une vague d'eau glacée, qui sentait le poisson pourri, a essayé de rentrer en même temps qu'elle. J'ai sauté en bas de la couchette, je l'ai aidée à tourner la manivelle; nous avions de l'eau jusqu'aux chevilles. Elle s'est caché la tête dans mon épaule en m'agrippant, à quoi j'ai compris que les lumières venaient de s'éteindre brusquement sur une détonation finale, ce qui affole toujours les voyants.

J'ai couché l'infirmière sur la couchette; elle ne voulait pas me lâcher, et elle hurlait que nous allions tous mourir. Je lui ai affirmé qu'on allait venir à notre secours; il devait bien y avoir des canots de sauvetage, sur ce bateau.

Elle a été prise d'un fou rire nerveux; ensuite elle s'est mise à sangloter en me demandant comment un canot pourrait venir nous chercher sous des kilomètres de banquise.

Si je n'avais jamais vu de sous-marin à Kerkenna, j'en avais entendu parler. Nous sommes échoués au fond des eaux blêmes, sous des tonnes d'icebergs où galopent des ours blancs. Autour de nous, glissent, en bancs silencieux, les poissons aveugles des grandes profondeurs.

Je me suis étendu sur la couchette, à côté d'elle; comme elle frissonnait, je l'ai prise dans mes bras et, en attendant la mort, nous avons fait l'amour.

Elle dort à mon côté, et l'air s'épaissit autour de nous. Plus rien ne vient à travers la grille. Elle m'oppresse le bras gauche. Je ne veux pas la réveiller. Elle gémit dans son sommeil, des mots d'une langue que je ne connais pas; et, du coup, quelques mots de la sourate Ya Sin me sont venus aux lèvres, à moi aussi.

Enfin j'ai crié, en pensant que j'allais mourir.

Elle s'est réveillée, et j'ai cru que les émissions recommençaient; heureusement elle entendait aussi ce bruit, à l'extérieur. Nous avons frappé à coups de poing sur la porte; des frottements sur le métal viennent à nous.

Nous avons ouvert la porte, je suis tombé dans les bras du plongeur qui portait encore son caoutchouc humide et glacé. Dans le couloir, l'eau montait jusqu'aux genoux, une eau si froide qu'elle semblait de la glace liquide. Le plongeur tenait à la main un objet rond, une torche électrique. Je me suis retourné vers la cabine et j'ai attrapé la digicassette. Pourquoi Nootka ne suivait-elle pas nos sauveurs? Elle était restée immobile, debout, dans la cabine. La vue du plongeur l'avait terrifiée. Il lui a adressé la parole, et il parlait une langue que j'ai tout de suite reconnue; Mrs. Halloween en utilisait quelques mots : il parlait russe.

Il m'a glissé dans un caisson étanche, que d'autres plongeurs ont traîné jusqu'à la surface; une armoire flottante, où il y avait juste la place pour une personne. Je ne sais pas ce qu'est devenue Nootka.

Quand j'ai demandé de ses nouvelles, ce matin, sur un quai glacé, personne ne parlait anglais. Les policiers russes qui viennent de m'interroger m'ont annoncé qu'elle était morte dans une tentative d'évasion. Je ne peux savoir si c'est vrai, ou s'ils cherchent seulement à m'impressionner.

Ils me considèrent, eux aussi, comme un espion. Plus je proteste que je suis tunisien, que je ne sais rien de ce que les Américains me faisaient faire, plus ils crient fort en me secouant; ils croient que la vérité va tomber de moi comme un fruit mûr.

L'armée russe a coulé le sous-marin espion dans lequel je me trouvais, avec tout l'équipage américain; les témoins de mon innocence sont à des milliers de mètres de profondeur. Par contre, ils m'ont fait entendre ma propre voix, lisant à voix haute les signaux que je recevais : ils ont récupéré la bande, et toutes les notes des officiers du sous-marin américain.

L'émission ne variait pas de puissance; seule ma position, la position du sous-marin, changeait pendant ces journées, naviguant à la recherche de la meilleure écoute, d'après mes indications. La meilleure écoute des codes des fusées russes; jusqu'au moment où ils ont pénétré dans les eaux territoriales de l'URSS. Ma présence sur le sous-marin, la route suivie par lui, le texte des signaux que je transmettais : il n'en faudrait pas plus pour me fusiller, ne cesse de me répéter l'interprète. Depuis ces heures d'attente au fond de la mer, je me suis habitué à l'idée de la mort.

Les militaires russes sont pareils aux militaires américains, sauf qu'ils n'ont qu'une voix, celle de l'interprète; ils m'ont demandé tout de suite de collaborer en me chapitrant sur le pillage du tiers monde par les impérialistes. Je leur ai dit l'histoire de mon opération; ils sont convaincus que je mens pour cacher mon rôle exact. Ils cherchent désespérément ce qu'un aveugle pouvait faire sur un sous-marin espion. Mon histoire d'appareil radio dans la tête a été jugée ridicule, impossible et métaphysique par leurs spécialistes. Ils pensent que je suis simplement un excellent technicien qui fait l'innocent, un technicien des écoutes.

J'ai demandé une radiographie. Ils l'ont faite; ils n'y ont rien vu qu'une vague tache noire, une séquelle de l'accident qui m'a rendu aveugle, comme la cicatrice. Leur matériel est vieux et peu précis.

Je voudrais leur faire une démonstration, mais depuis que j'ai quitté le sous-marin, toute émission a cessé; ni phosphènes, ni bruits. Je ne peux tout de même pas leur demander de m'ouvrir à nouveau le crâne. Peut-être mon cerveau a-t-il digéré la prothèse? Tout condamné en sursis que je suis, l'espoir est revenu.

La digicassette les a plongés dans l'admiration; le maréchal qui commande la base voulait à tout prix que je la lui donne. J'ai dû lui faire remarquer que, sans savoir le braille, il n'en aurait guère l'usage. J'ai eu la prudence de scotcher la fenêtre visuelle, celle où l'on peut lire le texte « en noir ». Je leur ai fait une démonstration; la machine donnait l'heure et effectuait tous les calculs en braille, ils n'ont pas non plus pensé à la mémoire. Je garde l'appareil pour moi seul, pour la nuit sans lune, dans le baraquement où ils m'ont enfermé.

J'entends des loups, ou des chiens, qui hurlent, là-bas, très loin; les gardes ronflent, ils dorment sans se déshabiller. Heureusement, ils m'ont offert une combinaison isotherme, en cuir doublé de mouton, qui est tellement chaude que je dors nu dedans.

J'ai passé la journée avec le commissaire politique de la base et un membre de l'Académie des sciences de l'URSS. Ils sont encore plus bêtes que je ne le croyais : l'Académie est convaincue que je suis un médium, que je pratique la transmission de pensée, et que je lis les codes secrets dans l'esprit des officiers russes. Le professeur, un vieillard barbichu du nom de Vassiliev, m'a fait faire les expériences les plus stupides que j'aie jamais subies, et je commence à avoir une sérieuse carrière de cobaye.

Il parle un peu anglais, le professeur Vassiliev; il expérimente la transmission de pensée depuis trente ans, comme son père le faisait sous les tsars, à la cour. Il habite au Kremlin; les chefs là-bas ne font rien sans lui demander son avis. Il est président de la section de parapsychologie de l'Académie des sciences. Il se caresse la barbiche, il est poli, et enchanté d'avoir trouvé un médium. Il me raconte ses souvenirs de Raspoutine tout en notant mes réponses.

Il a un collègue assis sur une peau de chèvre,

quelque part sur la côte russe du Kamtchatka, et qui envoie vers moi des supposés messages mentaux. Je m'assieds sur une chaise isolée par des petits bouts de verre, et dis « blanc » ou « noir » toutes les deux secondes, suivant ce que je ressens, sans réfléchir, surtout sans réfléchir, au hasard, en somme.

J'ai demandé à Vassiliev comment les communistes pouvaient croire à des contes pour enfants, de la magie que même ma mère n'aurait pas prise au sérieux. Il était très vexé; ils mènent leurs expériences avec tout le sérieux possible. Mon « correspondant » a devant lui une machine qui tire au hasard des cartes blanches ou noires, et ils comparent les séries que le type a vues à celles que j'ai dites. Ils ont déplacé le correspondant; je commence à voir en effet des blancs et des noirs, à force de fatigue.

Vassiliev est revenu triomphant : j'ai deux pour cent de réponses justes, au-delà de ce que fixe le hasard. Comment peut-il comparer mon hasard volontaire et celui d'une machine?

Je viens de calculer qu'au train où marche Vassiliev, il en a pour trente ans avant de pouvoir reconstituer la première phrase d'un code.

Nous jouons aux dames, le soir, dans le baraquement; et il m'a présenté son successeur, qui est son petit-fils, déjà secrétaire de l'Académie des sciences. Ils me voient à vie dans leur labo, un médium de famille, en quelque sorte.

J'abonde dans leur sens; je caresse ces deux naïfs, je les mène par le bout de la barbe. J'ai eu le temps de réfléchir à un moyen de sortir d'ici. Vassiliev est trop distrait pour remarquer que je n'ai plus de menottes pour aller à la visite médicale hebdomadaire, demain. Vassiliev a affaire à un cobaye ingrat qui veut fuir son labo.

Au-dessus de moi, le blizzard souffle, et le tapis de sol est glacé, quand je le touche de ma main gauche, celle avec laquelle j'actionne tout contre moi les touches de la digicassette. Ma main droite ne sent plus rien; j'ai de la peine à la remuer; les filles croient qu'elle est un peu gelée, mais je sens que c'est plus grave.

Les émissions ont repris avec une force nouvelle; j'ai la tête traversée de figures géométriques qui s'allument comme des enseignes en néon, et la partie droite du corps engourdie de haut en bas. Je ne peux écrire que de la seule main gauche, en utilisant le pouce pour deux touches, c'est seulement un peu plus lent.

Mon corps est à demi engourdi, à force d'avoir été tripoté par des médecins. Pauvre corps : à la volonté de Dieu, passé entre toutes les mains. Plus le mal mystérieux ronge mon cerveau, plus mon corps me devient lointain, usé par les regards à qui il s'est frotté, insensible, distrait de mon attention, glissant peu à peu dans le non-être.

Je fais très attention à ne rien manifester de mon état aux filles, elles paniqueraient, me remettraient aux médecins en arrivant à Anchorage. Je ne veux plus voir de médecins, je n'ai plus de temps à perdre. J'ai une tâche à accomplir, en Californie, retrouver celui qui a fait de moi un demi-computer vivant.

Les filles sont emmêlées autour de moi, dans des sacs de couchage de montagne, des bonnets, des moufles, bibendums de plume; elles m'ont mis sur le ventre toute la voile. Je n'ai pas froid, au moins je ne sens pas le froid, à l'intérieur de la combinaison isotherme. J'écoute le bruit dans ma tête : il a repris et a changé de nature. Le moment où je n'entendais plus rien n'était qu'un répit, le franchissement de ce grand vide, sur l'échelle graduée des ondes, entre les radios militaires et les ondes commerciales. Des ondes qui m'arrivent chargées de musiques indéfinissables, nouées autour du pôle, rubans emmêlés, bribes de la conversation du monde entier. En s'éloignant du pôle, le jour approche, la réception est moins bonne maintenant. Tout à l'heure, en suivant les puzzles colorés qui se forment en moi, j'entendais des mots rauques, des gémissements à mi-voix; trois notes de musique aussi claires, soudain, que si on avait joué à côté de moi. Je rêve à moitié, ou ce sont les cris du sommeil agité des sœurs.

La bulle de nylon où nous sommes abrités est amarrée par des piquets enfoncés dans la glace, à mi-chemin de l'Alaska et des eaux russes. Juste au-delà de la frontière, si leurs instruments sont justes.

Pendant que le vent malmène la tente gonflable, ce vent du pôle qui ressemble si fort au vent du désert, le demi-jour fait s'assoupir les voix venues des hautes fréquences. Je me suis évadé aisément. Ils ne savaient pas comme un aveugle est insaisissable. Quand ils m'ont emmené à la visite médicale, un garde, comme chaque fois, me tenait par le bras; j'ai glissé ma digicassette dans mes bottes, en me déshabillant; et j'ai coincé la porte qui conduisait chez le médecin avec un petit bout de bois arraché à ma couchette.

Ils m'ont fait étendre nu sur la couchette, et ils ont commencé à prendre ma tension. Je me suis plaint du froid. Le docteur a approché un objet qu'il a posé sur une chaise, à côté de moi; j'ai touché; aïe, c'était bien le petit radiateur rond à incandescence qu'il avait d'habitude sur son bureau : chaque service s'ajoutait un chauffage individuel, le chauffage central de la base était toujours insuffisant.

Il s'est retourné pour noter ma tension; le garde sifflotait derrière ma tête. J'ai pris ma respiration, et j'ai envoyé un grand coup juste au milieu du radiateur, du pied droit. Heureusement, je n'ai presque rien senti. Il y a eu un bruit de brûlé électrique, un moteur qui s'emballait quelque part dans la base, et le garde qui poussait des jurons en se cognant pour retrouver la couchette. Les lumières avaient donc sauté. Il m'a attrapé par le bras au moment où j'ouvrais la porte que j'avais coincée, mais il a relâché la pression pour gratter une allumette, je suis passé, et lui ai laissé retomber la porte, qui ne s'ouvre que dans un sens, sur le nez.

J'ai enfilé ma combinaison, je suis sorti, en courant, sans remonter la fermeture Eclair, et mes bottes à la main, dans les couloirs, qui devaient être tous dans le noir, au nombre de gens que je heurtais. Les gardes se bousculaient en faisant tomber les meubles.

J'ai suivi des couloirs de béton à perte de son, j'ai passé des carrefours, où mes pas résonnaient interminablement, et je suis arrivé à une partie abandonnée de la base qui sentait la pisse et le moisi. J'ai touché un mur devant moi : j'étais à un cul-de-sac, un cercle en béton où il n'y avait d'autre ouverture que le couloir par lequel j'étais entré.

J'entendais des aboiements, là-bas, d'où j'étais venu. J'ai pensé aux chiens féroces qui gardent le camp, j'ai eu si peur que je me suis remis à palper tous les murs, puis à me hausser sur la pointe des pieds les bras en l'air, et j'ai senti juste au-dessus de ma tête une barre en fer, suspendue dans le vide : une échelle qui commençait, avec un appel d'air glacé, qui m'aspirait à lui. J'ai sauté, j'ai empoigné le dernier barreau, et j'ai fait un rétablissement, et j'ai commencé à monter. J'ai monté pendant une heure, deux heures peut-être. A un moment, les aboiements venaient d'en dessous de moi. Je suis resté immobile, coincé dans mon tube de béton, persuadé que les hommes, en bas, allaient me voir en levant la tête, pour peu que cette interminable cheminée à l'intérieur de laquelle je rampais s'achève sur le jour. Les chiens ont fait demi-tour, suivant, au retour, ma piste de l'aller. En bas, des voix ont parlé, la tête levée vers moi, scrutant la cheminée. Ils sont repartis en suivant les chiens. Ou bien il faisait noir dehors, ou bien la cheminée s'achevait sur un autre cul-de-sac de béton. J'étais si fatigué que je ne savais plus si je descendais ou si je montais, seulement que l'air fraîchissait et engourdissait mes mains à travers le tissu de la combinaison. Ma main droite, ma jambe droite répondaient mal.

Malgré ce froid, j'étais en sueur, une sueur qui gelait sur les barreaux. Les émissions de phosphènes, et les craquements, reprenaient à mesure que je gagnais la surface. J'entendais des couplets de chansons, des reprises d'orchestres, comme si le monde entier avait déversé sur moi, par le trou rond du ciel, une cascade d'ondes. Les récepteurs avaient atteint ce qu'on nomme la modulation de fréquence.

J'ai débouché à l'air glacé, en soulevant une grille mal soudée, et j'ai dû aussitôt m'abriter derrière la cheminée d'où je sortais, tant le vent était violent. J'étais au centre d'une surface couverte de glace, qui avait fondu autour de la cheminée de béton dont j'étais sorti, découvrant le sol que j'ai tâté. C'était du métal.

J'ai marché tout droit en étendant les mains, et j'ai rencontré une rambarde en fer; je me suis penché, le vent sifflait dessous moi. J'étais sur une plate-forme, qui pouvait être à mille mètres d'altitude, et où aboutissait le conduit dont je sortais.

J'ai touché le début d'une autre échelle, qui partait de la plate-forme, que j'ai descendue aussitôt. Elle s'arrêtait au bout de quelques marches, dans le vide. Je me suis suspendu au dernier barreau; mes pieds ne rencontraient rien. Alors, j'ai fait une brève prière, et j'ai lâché.

Je me suis étalé sur la glace, à quelques mètres sous la plate-forme. La glace, je ne l'avais jamais touchée en si grande quantité. Elle était lisse comme du verre, et salée au goût. J'ai commencé à marcher le dos au vent, en ne suivant qu'une seule règle, m'écarter au maximum du point d'où je venais.

Le froid me brûlait le visage, et les pieds à travers mes bottes fourrées. Je me mis à courir, pour me réchauffer, et mes larmes gelaient au coin de mes paupières.

Si la glace était lisse, au point de tomber à chaque pas, autour de la plate-forme, elle prit des formes curieuses et décourageantes dès que je m'en suis éloigné. J'accomplissais une course d'obstacles congelés, durs et coupants : la glace s'élevait en pente, douce d'abord, puis de plus en plus à pic, une pente lisse sur laquelle mes mains n'avaient aucune prise. Un seul moyen : se lancer dans le plat, et agripper au sommet le rebord de la pente, une crête de glace fracassée et coupante derrière laquelle il y avait une crevasse, d'où repartait une autre pente...

Cette glace, c'était la mer, la mer gelée.

J'ai marché quelques heures, en mangeant une tablette d'infect chocolat russe granuleux que j'avais retrouvée dans ma poche. Le vent emportait les éclats de voix, les roulements de tambour, les comètes qui me parcouraient la tête. Je tombais fréquemment, mais la combinaison amortissait les coups, et je voulais tenir jusqu'à la limite de mes forces. Je savais que la nuit polaire venait de commencer pour plusieurs mois, et que la demi-obscurité s'étendait autour de moi.

Et puis je suis tombé, convaincu qu'il ne pouvait plus rien m'arriver d'autre, dans mon capitonnage de fourrure, et j'ai écouté le bavardage des ondes.

Des formes de kaléidoscope apparaissaient au centre, juste devant moi; des hélices infinies, qui vrillent dans le vide, et se résolvent en fleurs, en feux d'artifice, en retombées qui s'inversent et se recourbent pour repartir au centre vers la périphérie.

Les modulations des fréquences me parcouraient

inlassablement comme les mains d'un pianiste sur un clavier fait de nerfs. Cette nuit-là, perdu au creux d'une vague de glace, j'ai assisté médusé à la naissance de la musique dans ma tête. Les crachotements de hasard se sont mués en soupçons de voix, des phrases entières me sont parvenues, reconstruites par mon nouveau cerveau à partir des milliards d'excitations qui le parcourent, traduites en images abstraites et colorées. Des jingles de publicité, des applaudissements de concerts, des indicatifs d'émissions me parvenaient intégralement, prenant le pas sur les sensations visuelles au point de m'assourdir. Toutes les voix de tous les présentateurs du monde se concentraient en moi, dans une folie de communication hystérique rythmée de paroles envolées, de chansons, de hurlements, de rires. Et j'ai encore sombré.

Le crissement de l'acier rayant la glace m'a réveillé; je me suis relevé pour fuir; quelqu'un m'a sauté dessus et m'a ceinturé.

Elles m'ont chargé dans leur véhicule, en parlant entre elles en suédois, et m'ont frotté le visage avec de l'alcool. Elles sont si grandes et fortes, que je les ai d'abord prises pour des hommes. Elles ont commencé à désinfecter mes égratignures sous la combinaison, en riant très fort parce que j'étais nu dessous.

Nous nous déplacions, j'entendais le vent siffler autour de nous; quand j'ai baissé le bras pour toucher la glace, elles m'ont retenu. J'étais sur un traîneau, qui n'était tiré par rien, et qui semblait voler au-dessus des vagues de glace.

L'une d'entre elles, la plus vieille, parle un peu anglais. Leur traîneau est à voile, et nous évitons les vagues de glace en glissant continuellement dans le creux de la même vague gelée, qui fait un grand arc de cercle de la Sibérie jusqu'en Alaska. Elles sont trois sœurs, championnes du monde de traîneau à voile, et elles ont des permis pour traverser le détroit de Behring. Elles n'arrivaient pas à saisir d'où je sortais. Elles n'ont pas été tranquilles avant d'avoir passé la frontière américaine.

Je lui ai demandé comment elle m'avait trouvé, elle a mis le doigt sur ma combinaison, et a crié en éclatant de rire : « Red! » J'ai ri aussi : je ne tiens pas à ce qu'elles me sachent aveugle. Ma combinaison russe est rouge vif. Demain, je les quitterai avant qu'elles rencontrent le comité d'accueil. Elles m'ont conseillé d'aller voir tout de suite l'officier d'immigration, en débarquant juste avant Anchorage, là où il y a le petit aérodrome d'affaires. Elles sont plutôt heureuses de se débarrasser de moi, parce qu'elles ont déjà perdu cinquante-trois minutes sur leur horaire à cause de la surcharge de poids que je représente.

Les trois grands doigts, puis l'index seul, plus le petit doigt.

Les trois grands doigts, puis l'index seul... On peut le faire d'une seule main, sur le clavier braille, le mot « je ». La main gauche écrit maintenant « je », la main gauche continue à travailler toute seule, à se prendre pour un sujet parlant; le sujet d'un corps qui est étendu à l'arrière d'une voiture rouillée et sans roues, sur un tas de vieux pneus, au milieu du champ de voitures abandonnées et cassées, qui termine une plage. On entend la rumeur de la mer, au-delà de la clôture.

Une tôle bat au vent du petit matin, à l'entrée du champ de casse. Il n'a pas été difficile d'entrer; juste sauter un grillage devant les pompes à essence. Le garagiste ne vient qu'en été, et le printemps commence à peine.

Le cab-driver s'est étonné qu'on puisse vouloir se baigner de nuit, en anorak rouge, par cette température. Sur la plage un couple s'embrassait dans le sable, dans un trou qu'ils avaient creusé, comme de gros coquillages. Un couple de nudistes noctambules, sans doute, qui se sont sauvés en entendant le sable crisser sous les pas.

Le vent balaye les terrasses, siffle dans les tas de chaises ou de parasols repliés, contourne les petites baraques foraines aux planches closes où l'on vend des hot-dogs. La « resort area » de cette banlieue d'Oakland, au sud de San Francisco, ne vit qu'à la belle saison. La région n'est habitée que de techniciens, qui travaillent dans des laboratoires. Pas un cri ne trouble les mouettes, qui dévorent paisiblement les restes de sandwiches de l'année passée.

« Bonjour, ici Fresno 98 mégahertz. Voici notre programme de musique matinale... » La voix était si nette qu'une autre lui a répondu, ensommeillée, coassant un bonjour en réponse. Cette nuit, à force de lutter contre la marée des ondes, j'ai douté de moi; ce moi qui dormait à moins de dix miles de Neurone Valley, qui connaissait la plage que borne l'observatoire astronomique, où Larry venait souvent.

Hier matin, il y a cent ans, les sœurs suédoises ont bourré les poches de ma combinaison de céréales et de lait concentré où trempaient des harengs fumés, plus deux billets de cinquante dollars. J'ai sauté en marche, tandis qu'elles freinaient toutes ensemble avec leurs pieds dans une gerbe de glace pilée, sans abattre la voile pour ne pas perdre de temps, et marché droit dans la direction qu'elles avaient indiquée; un quart d'heure plus tard, ma jambe droite presque paralysée s'est posée sur le sol américain, c'est-à-dire sur une autre sorte de glace sale. Les émissions sont devenues moins nettes, la terre les reflète moins bien que la mer. Une route longeait la côte, avec, sur le côté opposé à la mer, des débuts d'allées qui conduisaient à des maisons d'où sortaient des odeurs de petit déjeuner. Un bruit de tracteur vrombissait. Une chenillette des neiges. Le conducteur allait à l'aéroport. Je suis entré dans le hall, j'ai été droit au bureau de tabac, où j'ai acheté une paire de lunettes noires. Je me suis fait conduire au salon des premières classes, en donnant toute ma monnaie à un employé, qui m'a reconnu aveugle. Aucun contrôle de douane; les seuls passagers étaient des hommes d'affaires, venus avec leur propre avion, chasser dans le Grand Nord.

La conversation s'est engagée avec le premier venu, qui racontait sa vie de cadre dans le saumon fumé. Il était déjà à moitié rond. Le reste de moi répondait par phrases courtes. Oui, étudiant; voyageant en stop, prouvant ainsi que les aveugles savent se débrouiller. Il me tapait dans le dos, et m'a emmené sur la piste. Mon corps brisé s'est calé dans son petit jet entre des fusils repliés et des têtes d'élans; lui continuait à boire du bourbon canadien à la bouteille, en parlant pendant tout le trajet et en tournant la tête vers moi pour m'empêcher de dormir.

En l'air, les émissions s'étaient calmées; la modulation de fréquence doit rester près du sol. Il s'est arrêté à San Francisco pour faire de l'essence, sur un autre petit aérodrome d'affaires, où il n'y avait pas non plus de contrôle, au moins pour les avions venant de l'Alaska. Le taxi en sortant de l'avion : les cinquante derniers dollars y sont passés.

Le taxi est reparti lentement, comme s'il s'attendait à être rappelé. Sa radio était allumée; il fallait, adossé aux pompes fermées, attendre que le bruit s'en aille. Le moteur s'éloignait, mais la radio était restée en moi, accompagnée de la vision de volutes d'une fumée qui allait du bleu au noir brillant.

Cet endroit sent le moteur froid, l'huile rance; à gauche, une dépanneuse avec un crochet et une chaîne; à droite des instruments accrochés, un petit tournevis qui a glissé dans la poche de la combinaison, et des pièces détachées rangées sur des étagères en fer, dont un bout de tuyau très lourd. Il tient bien dans ma main gauche, et est long à peu près comme la moitié de l'avant-bras.

A l'entrée du champ de casse, une grosse limousine posée sur des poutres, et sans portières : un endroit où s'affaler. La main gauche a trouvé des boutons : une radio de bord en état de marche.

Trois doigts, deux doigts. Je, qui écrit encore « je », ce matin? Trois doigts. La main gauche a erré sur les touches du clavier de l'autoradio, pour retrouver les modulations de fréquence. Dans la gamme, au milieu, les mêmes stations jouaient dans ma tête les grandes orgues du light show, et vibraient dans les haut-parleurs de bord. Les mêmes? Pas tout à fait. Deux versions du même thème, exécutées par deux orchestres différents, ou deux agglomérats d'orchestres différents; une voix espagnole pleurait, un orchestre de nuit jouait, aux violons sucrés, roses, blancs, bleus; une guitare au coin du feu, en fond lointain; le trépignement d'une insurrection de batteries, explosant en fusées amorties. A mesure que le jour est revenu, les voix sont revenues en force; voix de ménagères vantant des lessives, de soldeurs vantant leurs stocks, de vamps désodorisées, de speakers endormis, couvrant la musique d'une marée de confidences, de nouvelles, marquant l'éveil de l'Amérique.

Musiques évoquées par des flots de lumière, déferlements de couleurs naissant les unes aux franges des autres, dans les nasses d'une mélodie sirupeuse; éclatements en explosions ralenties du disco; ces musiques n'étaient pas les vraies musiques, celles qu'une oreille entend. Elles formaient la traduction sonore d'une traduction lumineuse. Les entrelacs de corpuscules qui se cherchent derrière la nuque obéissaient même à la main, à cette main tournant dans le vide un curseur de radio intérieure. Toute la nuit, dans la limousine glacée, la main a fait tourner le bouton de réglage des stations, montant de fréquences en fréquences, au rythme de ce qui se passait en haut, sous le crâne, jusqu'à l'extrémité des fréquences du poste, au bout de la course, coincé entre deux stations mêlées.

Brutalement, le kaléidoscope sonore s'est interrompu, et le soleil a surgi sur mon bras par la portière sans glace de la voiture. Le sang réchauffé a mieux circulé.

Personne, heureusement, n'avait eu l'air de trouver bizarre ce type écoutant toute la nuit la radio à plein tube, dans une casse de voitures. Personne, il n'y a plus personne, ce matin, pas une voiture sur le parking que j'ai parcouru de long en large en me réchauffant dans le premier soleil. Je traîne la jambe droite, et le bras droit est toujours engourdi, mais les émissions ont à nouveau cessé. J'ai voulu dire le mot « je » à haute voix, mais j'ai de la peine à articuler. La parole commence à me manquer, avec le côté droit, comme dans une hémiplégie. Pourtant, JE garde le langage, et JE peux continuer à frapper en braille. J'ai dû avoir une petite attaque, cette nuit, après avoir franchi le grillage.

Je suis réincorporé. J'entends parfaitement bien le bruit de la mer à ma droite; à ma gauche je sens le vent qui descend la vallée, où va la route qui me mènera à Larry. La gauche, la droite. Comment ai-je pu garder ces notions-là, quand la moitié gauche de mon cerveau ne fonctionne plus, sans doute, que pour transformer des ondes en lumière et en bruit, me volant jusqu'à la parole articulée? J'irai à gauche, sur la route, avec le soleil sur le front, qui provoque des orages électriques dans ma tête, à gauche dans la nuque. La paralysie gagne, comme le froid dans le corps du nageur fatigué, les reins, les côtes, à droite.

Au carrefour de la plage et de la route de Neurone Valley, il y a une cabine téléphonique. J'ai décroché, fait le zéro, et demandé à l'opératrice le numéro du professeur Larry Home, à Neurone Valley.

J'ai dû m'y reprendre à trois fois; ma bouche se refusait à séparer les mots. Nouvel abonné, il fallait des recherches. « Domicile, bureau, ou voiture? » Il a fallu compulser les listes récentes.

La voix de la standardiste a répété la question sèchement. Larry avait maintenant trois numéros, dont un à Neurone Valley. J'ai noté sur la digicassette le numéro d'appel du poste sur automobile. Elle pouvait me passer le standard à Neurone Valley, si je mettais vingt-cinq cents. Je n'avais pas vingt-cinq cents. J'ai bredouillé une question : depuis quand Larry était-il revenu au centre? Elle n'a pas répondu, furieuse de s'être laissé embobiner par un type qui n'avait même pas vingt-cinq cents.

J'ai demandé alors quel jour on était, je ne le savais même pas. Elle me l'a dit, puis elle a raccroché. Je suis resté debout devant le récepteur muet. Larry avait dû rentrer juste après mon opération. Amnistié pour services rendus, ai-je supposé.

J'ai raccroché, décroché à nouveau, et j'ai formé moi-même le numéro de la voiture de Larry. J'ai dû recommencer, les chiffres me fuyaient. Et j'ai laissé sonner, sonner, sans raccrocher, le combiné pendant au bout du fil.

Deux camions m'ont pris en stop jusqu'à l'entrée de la base; le premier était conduit par des Mexicains, et j'étais au milieu des légumes. Le deuxième conducteur était un technicien du centre, et ne cessait pas de m'observer curieusement. Il n'arrivait pas à décider si j'étais vraiment un aveugle qui faisait du stop, ou un type qui avait trouvé ce truc des lunettes noires pour se faire ramasser.

Jusqu'au bout, j'aurai su faire l'aveugle, marcher

les mains écartées au milieu de la route en tâtonnant.

Le technicien du centre devenait franchement soupçonneux; je me suis fait arrêter en bas de la rampe qui conduit à l'entrée de la vallée, où il y a un petit village mexicain avec une buvette. Le conducteur s'est rasséréné, je devais être un chicano.

J'ai attendu qu'il soit reparti; le soleil était déjà chaud, et je suais seulement à gauche, je restais froid à droite, même à l'intérieur de la combinaison.

La voiture du technicien s'est arrêtée en haut; regardait-il dans ma direction? J'ai entendu la voix du garde de l'entrée : apparemment il laissait là son camion et prenait la navette à l'intérieur de la vallée.

Je suis monté le long de la pente, au milieu des arbustes desséchés plantés sur le remblai. Le parking venait jusqu'au bord de la vallée; j'ai glissé entre les voitures à quatre pattes. Dans la première rangée, il y avait trois ou quatre jeeps. Je ne percevais pas le bruit de l'appel téléphonique, il fallait coller l'oreille à la vitre.

Au bout de dix minutes, j'ai entendu un buzzer étouffé, droit devant moi. Je suis passé dans la seconde rangée, et je l'ai trouvée. J'ai donné un bon coup de tuyau dans le phare arrière en le couvrant avec ma manche pour ne pas faire de bruit. Je me suis relevé, et j'ai commencé à le dévisser avec le tournevis. Juste à temps, la voix du gardien approchait; il a demandé ce que je fabriquais là. J'ai répondu sans me retourner, mais en m'écartant un peu, que Mr. Home m'avait demandé de remplacer son phare arrière qui était cassé. J'avais imité l'accent chicano; il m'a demandé où était la dépanneuse, je lui ai fait signe avec le tournevis que c'était en bas. Il s'est planté derrière moi, et j'ai senti qu'il regardait la drôle de salopette rouge que je portais, sous laquelle je suais à grosses gouttes. On a klaxonné à sa barrière avant qu'il ait décidé d'aller jusqu'à la balustrade pour voir la dépanneuse. A l'intérieur de la voiture de Larry, le buzzer continuait de bourdonner.

Il est retourné dans sa guérite; la circulation ne cessait pas : la sortie de midi. J'ai rangé mon tournevis, je suis sorti ostensiblement par la route, au milieu des vélomoteurs des employés de la base, qui allaient se baigner entre midi et deux heures. Le soleil était très chaud. Je suis revenu en rampant jusqu'à la voiture, et je me suis étendu sur le sol, sous une couverture, entre le siège arrière et l'avant, après avoir forcé la petite fenêtre avec mon tournevis. J'ai décroché et raccroché le radiotéléphone, qui s'est tu. Un long moment étouffant a passé. Et j'ai entendu sa voix, qui jurait en regardant le phare arrière enfoncé : il a ouvert la porte que j'avais refermée, s'est assis en grognant sans jeter un regard à l'arrière, et a commencé à descendre la rampe à toute vitesse. J'ai entendu qu'il ouvrait la boîte à gants; alors je me suis relevé doucement. Mon côté gauche, contre le plancher, était tout endolori, et je ne pouvais plus m'appuyer sur le bras droit. Il a poussé l'allume-cigare, et il m'a vu dans son rétroviseur en se redressant au moment où je lui appuyais le bout de mon tuyau sur le dos.

Il ne pouvait pas voir ma main, et il a poussé un petit cri d'animal pris au piège. Il a retrouvé sa langue au bout de quelques miles, pour dire qu'il avait quelques centaines de dollars dans son portefeuille; si je voulais la voiture, je pouvais la prendre tout de suite : il s'engageait à ne pas porter plainte. Il parlait d'une voix étouffée et pressée; j'ai été pris d'une grande hilarité qu'il ne me reconnaisse même pas. Je ne savais plus qu'en faire, maintenant que je le tenais; il a demandé où nous allions d'une voix de petit garçon. Je me suis senti de très bonne humeur, j'ai simplement grogné « à droite » au carrefour, et pendant qu'il virait lentement je sentais son esprit qui recherchait obscurément cette voix.

Je l'ai fait arrêter au bord du terrain vague planté de tamaris qui entoure l'observatoire, où il m'emmenait autrefois en promenade. Quand je l'ai un peu poussé, du bout du tuyau, pour le faire sortir de la voiture, le dos de Larry a sursauté. J'ai moi-même ouvert la portière, et j'ai perdu le contact avec son dos, le temps qu'il se dégage de son siège. J'ai entendu qu'il sautait sur le gravier, et se mettait à courir; ma main gauche a touché mon front glacé; une nouvelle vague d'ondes, plus fortes que jamais éclatait en moi : un bruit de guerre terrifiant, semé de bombardements, de mitraillettes et de cris, qui m'a laissé, hébété, quelques secondes, le temps pour Larry d'échapper. Une vague de messages publicitaires a suivi, si forte que j'ai trébuché. J'ai reconnu le son de la télévision, un son déformé, simplifié; fait des coups de revolver des westerns, des gongs d'interruption pour publicité, des voix mielleuses, des appels de trompettes. Et sur ce fond, la silhouette de Larry se détachait terriblement nette : je veux dire sur le fond des images qu'étaient ces sons, le jeu fou des injections de formes et de couleurs qui accompagnaient la bande-son.

Larry courait droit sur un obstacle énorme, qui s'est rapproché à toute vitesse comme je courais moi aussi. Un obstacle immatériel; le son réel de nos pas ne s'y reflétait pas. Un obstacle qui renvoyait les ondes vers moi. Un mur d'images et de sons. Cela s'élevait et se creusait au-dessus de nous, comme une gigantesque coupole, à mesure que j'en approchais. Et puis Larry s'est appuyé contre la base de cette coupole dressée à la verticale, s'est retourné vers moi et s'est baissé pour ramasser une pierre. J'ai dit « Larry » d'une voix faible et j'ai jeté mon tuyau, droit sur la silhouette accroupie. Il y a eu un petit choc humide et lourd, et la silhouette est tombée en avant, au pied de l'antenne du radio-télescope.

Je me suis approché, une sorte de soupe gluante et tiède coulait de son front. J'ai goûté, c'était un peu salé, j'ai reconnu le goût de steak mal cuit. Il n'y avait plus aucune respiration. Larry était mort.

Encore une autre attaque de sang au cerveau. L'avant-dernière, peut-être. La main tape toute seule, une main qui a l'index tout engourdi aussi. Les images sont apparues juste après la mort de Larry, au soleil de la plus grande chaleur, des images qui n'ont pas cessé de se mêler tout l'après-midi, jaillissant de la fournaise du soleil au-dessus de la tête.

Visages en négatif agitant des lèvres orange aux ombres vertes pour annoncer d'inaudibles malheurs, femmes qui sourient des chansons en violet, sifflements crachotés d'une musique synthétique; et surtout, des explosions, des explosions par centaines, filles d'une grande explosion solaire qui aurait ravagé les nerfs de la population terrestre; des explosions au bout de revolvers, de canons, de tanks, de bateaux et de gangsters, des explosions qui sont les seuls moments où l'image et le son coïncident parfaitement.

L'image de la télévision qui produit son propre son, comme le son produisait sa propre image : plus haut dans les fréquences, à des milliards de battements par seconde, toujours plus haut. Le tourbillon s'est englouti en lui-même, s'est résorbé, et la tête est redevenue lucide, mais elle est séparée de la main qui écrit par un vide infranchissable. La main est à gauche, et la tête à droite. A gauche de la tête, mais en réalité derrière le crâne, il y a une oreille énorme, une oreille qui n'entend plus qu'un bruit confus accompagné de lueurs mourantes, le bruit des ondes qui reviennent. La main gauche peut toucher, peut pincer ce corps, appuyé contre une masse froide, la base en béton qui supporte l'antenne géante. Et la main continue inlassablement à actionner les petites touches tièdes, formant des mots qui ne pourraient plus être dits.

Le corps doit avoir l'air debout, juste debout contre le pilier de l'antenne, qui elle aussi tourne, suivant le soleil, avec un bruissement de vent dans la dentelle de métal.

Le soleil se couche, et frappe juste la nuque de ce corps qui lui tourne le dos, tandis que les yeux doivent rester dans l'ombre; les lunettes noires ont glissé à terre.

Des dizaines de milliards de vibrations à la seconde. Au-delà des radars, à l'extrême de la gamme des ondes, là où l'atmosphère ne laisse plus passer que la lumière, et les rayons sans nom venus du cosmos.

Des pas qui font résonner l'acier et le grillage de l'antenne. Et le soleil est apparu, au plus bas des infrarouges, boule tournoyant en hésitant à sortir du néant; le soleil, qui chauffe la nuque, mais qui apparaît devant, frappant la prothèse de plein fouet, se rapprochant du centre à mesure que ses couleurs s'éclaircissent dans une courbe sinueuse qu'aucun soleil terrestre n'a jamais accomplie.

Le soleil dans le dos, et pourtant le soleil devant soi. Un soleil qui n'est pas au centre, mais à l'extrême bord du champ visuel, qui marche en rampant vers le milieu. Un soleil de synthèse, fabriqué par des milliers d'émetteurs atteints en même temps, par les millions de milliards de battements chaque seconde, les fréquences de la lumière visible enfin atteintes. L'astre est monté au jaune, a explosé en vert, a fondu en bleu, et s'est doucement résorbé en violet, dans un tintamarre d'éruptions. Tout autour, des gens timides, isolés, et qui pourtant formaient une foule, se réunissaient en parlant des nuages qui assombrissaient l'ouest, ce soir-là, sur la mer. Le soleil n'existait que pour moi, perdu au-delà des ultraviolets, invisible à d'autres. Le corps a repris sa dispersion, pendant que des mains commençaient à le palper résolument. La nuit devait être tombée, des allumettes craquaient, des pas trébuchaient sur le métal.

Milliards de milliards : les zéros sautent sur un compteur fou. Milliards de milliards de microgravures sans cesse accélérées, chacune plus courte et plus rapide que la précédente.

Rayons X venus de l'univers, qui découpent les silhouettes agglutinées autour du poteau d'acier en un entrelacement amoureux de squelettes; rayons cosmiques, signaux lointains des galaxies, messages si rapides qu'ils s'enfuient plus loin, vers d'autres années-lumière, après avoir un instant percé le crâne jusqu'à l'oreille intérieure; sifflements suraigus et longues plaintes glacées des constellations, râles sidéraux, disques rayés des soleils tournant dans le vide, gongs roulant secrètement dans l'espace, chuchotements de voix immenses tout contre l'oreille, trompettes électroniques annonçant interminablement un éclatement final qui ne vient pas.

Etait-ce réellement la musique des sphères, ou la bande-son égarée d'un film de space opéra, sur une chaîne TV de la côte? La cassette glisse inexorablement vers le sol, les doigts s'engourdissent. La tête s'est renversée en arrière, sans pouvoir tomber, tant le groupe est compact maintenant. Le voile s'est déchiré, et le ciel est apparu, le ciel entré à l'intérieur de la tête, un ciel de planétarium, grande coupole noire semée de radiosources d'argent et d'or. Les yeux se sont fermés pour mieux voir. Plus vite, plus haut, les vagues d'ondes pressent dans le vide un surfer sidéral. Le ciel entier, sans horizon, sans limites; le ciel où se surimposent les spectres d'astres émis au-delà de la lumière, la splendeur des galaxies mortes envoyant encore leur rayonnement refroidi.

A Kerkenna, les hadjs, pour manifester Dieu, remuent imperceptiblement un doigt, dans un geste presque amoureux qui est un chapelet réduit à l'essentiel. Les doigts qui frappent les touches bougent à peine, presque de la même manière. Le monde se roule sur lui-même comme une feuille de papier, se divise en quatre images parallèles, puis en cent, puis en mille éclats dont chacun est une scène entière, taillée en facettes diamant. Danses de l'Achoura dans la poussière, halls de marbre noir d'un grand hôtel funéraire et désert d'où retentit le boitillement d'une canne, où se glisse, frôlante, une ombre de félin; le tremblement des ultra-fréquences a gagné tout le corps, un tremblement si rapide qu'il semble secouer la toile d'araignée de métal, entrechoquant les fils du grillage; et la terre elle-même, le socle de béton où s'enracine le pilier de l'antenne, tremble à son tour. Avec des cris aigus, le groupe s'est défait; le corps a glissé au sol, un sol fait de soubresauts et de hoquets, un sol ivre. A Kerkenna, les mêmes cris aigus, ceux des femmes, annonçaient le réveil du volcan, quand le sol se secouait sous les pieds d'un géant furieux marchant la tête en bas sous l'écorce de roc.

Dans la course pour échapper aux morceaux de ferraille qui tombent maintenant du ciel, quelqu'un a écrasé le petit appareil rouge que la main gauche vient de lâcher. Il y a eu un craquement de plastique, et puis la détente d'un ressort, et un petit rectangle blanc a sauté dans la nuit, et a roulé sur la pente caillouteuse.

Là-bas, au pied de l'antenne, une voiture manœuvre, à grands coups d'accélérateur, entre la route et l'antenne géante en coupole, tournée vers la lune qui est sortie des nuages. Des frémissements agitent encore les grands bras noirs et leurs réseaux de fils qui se détachent sur le disque blanc.

Les phares de la voiture continuent à tourner, les roues dérapent en arrachant du gravier.

Quelle idée idiote d'être venus là pour prendre l'air, en sortant du sauna! On était arrivés devant le radiotélescope, très joli sous la lune; on a arrêté la voiture et on s'est demandé si c'était une zone militaire; d'autres voitures, rassurantes, étaient stationnées devant le terrain vague. Quelques-unes qu'on connaissait déjà : le petit van du propriétaire du cinéma porno de Highlands Avenue, la Chevrolet décapotable et la Mustang de ce médecin et de cet avocat qui draguent toujours ensemble à deux voitures; et beaucoup d'autres, même d'autres Français. Lui, il portait une combinaison de cuir rouge. Il était très beau, juste contre le pilier de l'antenne; ce genre de vêtement, on le trouve dans les boutiques de Castro Street. On ne s'est pas approchés; un type si beau tout seul, c'est louche, il avait l'air drogué, il balançait d'avant en arrière et gardait sa main gauche dans sa poche, il devait avoir un couteau caché, c'était un Mexicain ou un Arabe.

On est partis quand il y a eu la secousse, la troisième de la journée, on ne voulait pas rester sous cet écheveau de ferraille pendant un séisme. En manœuvrant, les phares de la bagnole ont fait le tour du pilier, et c'est à ce moment-là qu'on l'a aperçue, juste devant les roues. On a failli passer dessus, on a ouvert la portière et on l'a ramassée.

C'était une cassette, une cassette de magnétophone, plus petite que toutes celles du commerce, avec un nom arabe marqué sur chaque face, et une adresse à Paris.

En finissant le demi-tour, les phares sont revenus

sur le radiotélescope. Il était monté sur l'antenne, et il rampait à sa surface, petite araignée rouge, dans le vide. Son vêtement s'est pris dans le fil de fer, il s'en est défait; une nouvelle secousse et il est tombé tout nu dans la mer.

Comment y croire? Pourtant cette cassette est bien ici, dans la petite vitrine, en face de mon bureau, à Lamorne, entre un cendrier idole japonais et une boîte à musique du temps de Freud.

Mais qui ose parler encore, dans le silence revenu sur les ruines cosmiques et sismiques? Qui a décrypté ce texte, y a joint le récit ultime de personnes désirant rester anonymes présentes ce soir-là sur cette plage?

Il est temps, lecteur, de lever le masque. Je me nomme Philippe Marcœur, je suis médecin. Je suis le psychiatre de ce récit, où je dois dire que ma patiente est souvent passée au-delà du réel. En particulier quand elle me prête des relations délirantes avec un homme que je respecte, que j'admire, qui est mon maître, et encore aujourd'hui son mari.

Ma patiente n'a jamais divorcé que dans son imagination. Nous nous sommes permis cette innocente ruse, son mari et moi, envers une malade que je suis depuis quinze ans, dont je publie aujourd'hui l'aventure.

« A cura di », disent les Italiens, pour l'éditeur d'un texte; jamais expression ne fut plus juste.

Quinze ans, depuis mon internat à Lausanne, quinze ans où elle n'a cessé de se livrer entièrement à moi.

Eclatement du globe oculaire par lésions profondes et infectées déchirant la cornée et la zonula; à droite, dans la bouillie de chair griffée des muscles oculaires, une hémorragie de la chambre intérieure, avec déchirures de l'iris, et ces tremblements lors des mouvements du globe qui trahissent le passage du vitré en avant du cristallin, hypertension persistante, diagnostiquée dans les jours suivants, qui entraîna un glaucome secondaire, privant ma patiente de son dernier œil, par bonheur peut-être, avant qu'elle ait pu se contempler dans un miroir. Quand on me l'a ramenée, le sang avait séché en grosses macules sur le visage, et on voyait l'os de la pommette, tout blanc, entre les larges lèvres brunes de la plaie; le vitré coulait en coagulant lentement sur la joue.

Ces blessures de panthère provenaient d'une chatte, une petite chatte à la queue coupée qui se léchait les griffes dans une cage portée par un agent. Des griffes tachées de sang.

Tel fut le prix final dont ma patiente a payé une longue illusion amoureuse et perverse.

Dans la poche de son manteau, j'ai trouvé cette cassette. C'était en s'en saisissant qu'elle avait provoqué la réaction du petit félin ensauvagé. Les inventeurs, respectant la souscription, l'y avaient expédié avec une lettre, à l'adresse indiquée.

Il fallait trouver un responsable, pour régler une note d'hôpital véritablement astronomique. Les jeunes filles arabes, habitant l'appartement où la cassette avait été réexpédiée, déclarèrent que l'animal vivait avec leur demi-frère. La chatte portait à son collier un numéro sous lequel elle était recensée à l'International Pedigree de la race féline. Je découvris ainsi qu'elle avait appartenu à une vieille dame du demi-monde, qui lui avait légué une fortune considérable en mourant, à San Francisco.

Heureusement pour ma malade, l'agresseur était largement en mesure de réparer financièrement les dégâts qu'il avait causés. Une banque suisse, gérant un compte portant comme identification celle de la chatte Zita, avec son numéro, l'empreinte de la patte, faisait d'elle la bête la plus riche du monde. Encore aujourd'hui, elle paie l'entretien de ma patiente, de la villa au bord du Léman où elle vieillit dans une cage dorée.

Et Amar? Pour les services de la police américaine, que j'ai consultés, il s'agit d'un dangereux trafiquant d'héroïne sur une grande échelle, quelque temps détenu dans un pénitencier du Nevada avant son évasion. Il n'a jamais fait l'objet d'une quelconque expérience, interdite par la Constitution des USA. Même le fait qu'il soit aveugle était fortement suspect. Il semble qu'on assiste à la naissance d'une nouvelle forme de criminalité, sans scrupules, qui n'hésite plus à prendre les dehors les plus pitoyables. Cet autodidacte mythomane est réellement un assassin. Le corps du professeur américain fut retrouvé sur la plage. Le meurtrier avait connu la victime autrefois, lors de son passage comme prostitué à Los Angeles. Vengeance pour quelque dénonciation inconnue?

Le caractère délirant des derniers textes de la cassette, déchiffrée par moi grâce à un appareil miraculeusement tombé entre les mains de ma patiente, ne permet pas de conclure.

Restaient les crimes dont s'accusait ma malade. Le premier, à San Francisco, était de toute évidence l'œuvre du jeune prostitué, croyant alors figurer sur le testament. Elle le couvrait, comme on dit en police. Un autre crime au Harry's Bar, par contre, était avéré; elle n'y était guère que complice. Après consultation d'amis magistrats, et grâce à la compréhension du procureur, un non-lieu fut rendu sans même que ma malade comparaisse, les faits ayant été accomplis en état de démence.

J'ai lu le texte à ma patiente, qui y croit, si j'ose dire, aveuglément.

Devant moi, le paisible tableau de la clinique de Lamorne. Sur le gazon de la pelouse, une jeune femme est assise sur une chaise longue, dont je distingue mal le visage couturé, dans le crépuscule.

A côté d'elle, sa visite, un employé aux PTT d'origine maghrébine qu'elle a connu à Kerkenna; il tient sur ses genoux le petit Abd el-Kader, et ils parlent du passé. A ses pieds, dans l'herbe, un de ces postes à transistors dont les commerçants sans scrupules inondent nos malades, qui gazouillent tous les résultats d'élection. Alex va devenir presque ministre, la gauche a gagné.

Tout à l'heure, quand le soleil sera couché, elle raccompagnera son visiteur à la grille, en errant à tâtons sur la pelouse et elle reviendra à son banc avec l'enfant dans les bras. Elle pourrait le faire tomber, mais je la surveille en permanence, d'ici. J'entendrai la pétarade du scooter jaune qui démarre, et elle rallumera le petit poste; il faudra encore que j'aille lui prendre Kader, parce qu'elle restera longtemps, dans le serein humide, à tourner les boutons pour écouter les bruits de fond, les crachotements venus d'ailleurs qui sont une voix pour elle.

Docteur Philippe Marcœur
Lamorne, mai 1981

Table

DU MÊME AUTEUR

Aux Éditions Albin Michel :

RACE D'EP !, 1979.
L'AMOUR EN RELIEF, *roman,* 1982.
LES PETITS GARÇONS, *roman,* 1983.
LES FRANÇAIS DE LA HONTE
essai en collaboration avec Jean-Luc Hennig, 1983.
LA COLÈRE DE L'AGNEAU, *roman,* 1985.
ÈVE, *roman,* 1987.
LETTRE OUVERTE À CEUX QUI SONT PASSÉS
DU COL MAO AU ROTARY, *essai,* 1986.
L'ÂME ATOMIQUE, *essai*
en collaboration avec René Scherer, 1986.

Chez d'autres éditeurs :

LE DÉSIR HOMOSEXUEL, 1972.
L'APRÈS-MAI DES FAUNES, 1974.
FIN DE SECTION, 1976.
CO-IRE, *album systématique de l'enfance*
en collaboration avec René Scherer, 1976.
LA DÉRIVE HOMOSEXUELLE, 1977.
COMMENT VOUS APPELEZ-VOUS DÉJÀ ?
en collaboration avec Jean-Louis Bory, 1977.
LA BEAUTÉ DU MÉTIS, 1979.

Le Livre de Poche Biblio

LE LIVRE de POCHE

Extrait du catalogue

Sherwood Anderson. *Pauvre blanc.* 3078
« Je m'en vais, je m'en vais pour être un homme parmi les hommes. »

Miguel Angel Asturias. *Le Pape vert.* 3064
« Le costume des hommes libres, voilà le seul que je puisse porter. »

Adolfo Bioy Casares. *Journal de la guerre au cochon.* 3074
« " Ce n'est pas pour rien que les Esquimaux ou les Lapons emmènent leurs vieux en pleine neige pour qu'ils y meurent de froid ", dit Arévalo. »

Karen Blixen. *Sept contes gothiques (nouvelles).* 3020
« Car en vérité, rêver c'est le suicide que se permettent les gens bien élevés. »

Mikhaïl Boulgakov. *La Garde blanche.* 3063
« Oh ! Seul celui qui a déjà été vaincu sait ce que signifie ce mot. »

Mikhaïl Boulgakov. *Le Maître et Marguerite.* 3062
« Et quelle est votre spécialité ? s'enquit Berlioz.
— La magie noire. »

André Breton. *Anthologie de l'humour noir.* 3043
Allais, Crevel, Dali, Jarry, Kafka, Poe, Sade, Swift et beaucoup d'autres.

Erskine Caldwell. *Les Braves Gens du Tennessee.* 3080
« Espèce de trousseur de négresses ! Espèce d'obsédé imbécile !... Un baiseur de négresses ! C'est répugnant, c'est... »

Italo Calvino. *Le Vicomte pourfendu.* 3004
« ... mon oncle ouvrait son unique œil, sa demi-bouche, dilatait sa narine... Il était vivant et pourfendu. »

Elias Canetti. *Histoire d'une jeunesse : La langue sauvée.* 3044
« Il est vrai qu'à l'instar du premier homme, je ne naquis qu'après avoir été chassé du paradis. »

Elias Canetti. *Histoire d'une vie :*
Le flambeau dans l'oreille. 3056

« Je m'incline devant le souvenir... et je ne cache pas les craintes que m'inspirent ceux qui osent le soumettre à des opérations chirurgicales. »

Elias Canetti. *Les Voix de Marrakech.* 3073

« Trois fois je me suis trouvé en contact avec des chameaux et, chaque fois, cela s'est terminé de façon tragique. »

Blaise Cendrars. *Rhum.* 3022

« Je dédie cette vie aventureuse de Jean Galmot aux jeunes gens d'aujourd'hui fatigués de la littérature. »

Jacques Chardonne. *Les Destinées sentimentales.* 3039

« Il y a en France une grande variété de bourgeois; j'ai choisi les meilleurs; justement je suis né chez eux. »

Jacques Chardonne.
L'amour c'est beaucoup plus que l'amour. 3040

« J'ai choisi, dans mes livres, des phrases qui ont l'air d'une pensée... »

Joseph Conrad et Ford Madox Ford. *L'Aventure.* 3017

« Partir à la recherche du Roman... c'est un peu comme essayer d'attraper l'horizon. »

René Crevel. *La Mort difficile.* 3085

« Pierre s'en fout. Pierre est libre. Sa liberté, à lui, sa liberté s'appelle la mort. »

Iouri Dombrovski. *La Faculté de l'inutile.* 3034

« Que savez-vous de notre vérité ? »

Lawrence Durrell. *Cefalù.* 3037

« ... la signification profonde de toute sa vie allait peut-être se dégager de cette épouvantable aventure. Mais laquelle ? »

Friedrich Dürrenmatt. *La Panne.* 3075

« Curieux et intrigué, Traps s'enquit du crime dont il aurait à répondre. " Aucune importance !... Un crime on en a toujours un ! " »

Jean Giono. *Mort d'un personnage.* 3084

« Elle est si près de la mort maintenant qu'elle doit déjà entendre les bruits de l'autre côté. »

Jean Giono. *Le Serpent d'étoiles.* 3082

« On aura trouvé, dans les pages précédentes, l'obsession de l'eau et de la mer : cela vient de ce qu'un troupeau est une chose liquide et marine. »

Henry James. *Roderick Hudson.* 3053

« On nous dit que le vrai bonheur consiste à sortir de soi-même; mais il ne suffit pas d'en sortir; il faut rester dehors. »

Henry James. *La Coupe d'or.* 3067

« " Ma Coupe d'Or ", prononça-t-il... Il laissa cette pièce remarquable, car certainement elle était *remarquable,* produire son sûr effet. »

Henry James. *Le Tour d'écrou.* 3086

« ... et puis ce fut sa face pâle de damné qui s'offrit à ma vue, collée à la vitre et dardant sur l'intérieur de la chambre ses prunelles hagardes. »

Ernst Jünger. *Jardins et routes*
Journal I (1939-1940). 3006

« ... dans la littérature, le journal est le meilleur médium. Dans l'état totalitaire, il reste le seul mode de discussion possible. »

Ernst Jünger. *Premier journal parisien*
Journal II (1941-1943). 3041

« Tandis que le crime se répandait sur la terre comme une peste, je ne cessais de m'abîmer dans le mystère des fleurs ! Ah ! plus que jamais, gloire à leurs corolles... »

Ernst Jünger. *Second journal parisien*
Journal III (1943-1945). 3042

« 1944 — Pendant la nuit, raids aériens et violentes canonnades... Terminé *Passe-temps* de Léautaud. »

Ernst Jünger. *La Cabane dans la vigne*
Journal IV (1945-1948) 3097

« Toujours fiévreux, mais des descriptions du climat des Tropiques m'ont remonté. »

Ismaïl Kadaré. *Avril brisé.* 3035

« " Oui, maintenant... nous sommes bien entrés dans le royaume de la mort ", dit Bessian. »

Ismaïl Kadaré. *Qui a ramené Doruntine ?* 3089

« ... Finalement, toute cette histoire n'a de sens que si quelqu'un est sorti de sa tombe. »

Franz Kafka. *Journal.* 3001

« Il faut qu'une ligne au moins soit braquée chaque jour sur moi comme on braque aujourd'hui un télescope sur les comètes. »

Yasunari Kawabata. *Les Belles Endormies.* 3008

« Sans doute pouvait-on appeler cela un club secret... »

Yasunari Kawabata. *Pays de neige.* 3015

« ... ce blanc qui habitait les profondeurs du miroir, c'était la neige, au cœur de laquelle se piquait le carmin brillant des joues de la jeune femme. »

Yasunari Kawabata. *La Danseuse d'Izu.* 3023

« Peut-être un jour l'homme fera-t-il marche arrière sur le chemin qu'il a parcouru. »

Yasunari Kawabata. *Le Lac.* 3060

« Plus repoussante était la femme et mieux elle lui permettait d'évoquer le doux visage de Machié. »

Yasunari Kawabata. *Kyoto.* 3081

« Et puis, cette jeune montagnarde disait qu'elles étaient jumelles... Sur son front, perla une sueur froide. »

Yasunari Kawabata.
Le Grondement de la montagne. 3071

« J'ai des ennuis avec mes oreilles ces temps-ci. Voici peu, j'étais allé prendre le frais la nuit sur le seuil de la porte, et j'ai entendu un bruit, comme si la montagne grondait. »

Andrzeij Kusniewicz. *L'État d'apesanteur.* 3028

« Cela commença le 31 janvier vers six heures et demie du matin... par une brusque explosion... Je restais en suspens... dans une sorte d'apesanteur psychique, proche par moments de l'euphorie. »

Pär Lagerkvist. *Barabbas.* 3072

« Que faisait-il sur le Golgotha, lui qui avait été libéré ? »

D.H. Lawrence. *L'Amazone fugitive.* 3027

« La vie n'est supportable que si l'esprit et le corps sont en harmonie... et que chacun des deux a pour l'autre un respect naturel. »

D.H. Lawrence. *Le Serpent à plumes.* 3047

« Les dieux meurent en même temps que les hommes qui les ont créés, mais la divinité gronde toujours, ainsi que la mer... »

Sinclair Lewis. *Babbitt.* 3038

« ... il avait, en ce mois d'avril 1920, quarante-six ans et ne faisait rien de spécial, ni du beurre, ni des chaussures, ni des vers... »

Edna O'Brien. *Une rose dans le cœur.* 3093

« Pour Mme Reinhart, tout commença d'aller mieux dès le moment où elle devint somnambule. »

Liam O'Flaherty. *Famine.* 3026

« " ... Je ne suis pas encore affamée au point d'aller mendier de la soupe aux protestants ! " s'exclama Sally. »

Mervyn Peake. *Titus d'Enfer.* 3096

« La bouffe, dit Lenflure, est une chose chéleste, et la boichon une chose enchanterèche. L'une donne des fleurs de flatulenche, et l'autre des bourgeons de gaz vomichants. »

Augusto Roa Bastos. *Moi, le Suprême.* 3048

« Moi, Dictateur Suprême de la République, j'ordonne... »

Raymond Roussel. *Impressions d'Afrique.* 3010

« Vers quatre heures, ce 25 juin, tout semblait prêt pour le sacre de Talou VII, empereur du Ponukélé, roi du Drelchkaff. »

Arthur Schnitzler. *Vienne au crépuscule.* 3079

« J'admire en général tous les gens qui sont capables de risquer autant pour une cause qui, au fond, ne les concerne pas. »

Arthur Schnitzler. *Une jeunesse viennoise, Autobiographie (1862-1889).* 3091

« Je suis né à Vienne, le 15 mai 1862, au troisième étage de la maison attenante à l'hôtel Europe, dans la Praterstrasse... et quelques heures après — mon père me l'a souvent raconté — je passai un moment couché sur son bureau. »

Isaac Bashevis Singer. *Shosha.* 3030

« Je ne crois pas en Dieu. Mais je reconnais qu'il existe là-haut une main qui guide notre monde... une main vicieuse, une main sanglante... »

Isaac Bashevis Singer. *Le Blasphémateur.* 3061

« " Et qui a créé le monde ? demandai-je.
— Et qui a créé Dieu ? " répliqua Chakele. »

Isaac Bashevis Singer. *Le Manoir.* 3077

« Oui, ce monde du dehors était vaste, libre et moderne, tandis que lui-même restait enterré en Pologne. " Je dois sortir d'ici avant qu'il ne soit trop tard ", pensa Zipkin. »

Isaac Bashevis Singer. *Le Domaine.* 3088

« L'homme a-t-il réellement un devoir à remplir ? N'est-il pas simplement une vache qui a besoin de paître jusqu'à ce qu'elle meure ou qu'elle soit tuée ? »

Robert Penn Warren. *Les Fous du roi.* 3087

« ... Je l'écraserai. Des tibias jusqu'aux clavicules, coups aux reins et sur la nuque et au plexus solaire, et uppercuts. Et peu importe avec quoi je frappe. Ou comment ! »

Thornton Wilder. *Le Pont du roi Saint-Louis.* 3094

« Le vendredi 20 juillet 1714, à midi, le plus beau pont du Pérou se rompit et précipita cinq personnes dans un gouffre... »

Virginia Woolf. *Orlando.* 3002

« J'étais au désespoir... J'ai trempé ma plume dans l'encre et écrit presque machinalement : " Orlando, une biographie. " »

Virginia Woolf. *Les Vagues.* 3011

« J'espère avoir retenu ainsi le chant de la mer et des oiseaux... la vie elle-même qui s'écoule. »

Virginia Woolf. *Mrs. Dalloway.* 3012

« Alors vint le moment le plus délicieux de sa vie : Sally s'arrêta, cueillit une fleur et l'embrassa sur les lèvres. »

Virginia Woolf. *Promenade au phare.* 3019

« ... la grande assiettée d'eau bleue était posée devant elle; le Phare austère et blanc de vieillesse se dressait au milieu... »

Virginia Woolf. *La Chambre de Jacob.* 3049

« Je progresse dans *Jacob* — le roman le plus amusant que j'aie jamais fait, je crois — amusant à écrire s'entend. »

Virginia Woolf. *Années.* 3057

« " C'est inutile, coupa-t-elle... Il faut que l'instant présent s'écoule. Il faut qu'il passe. Et après ? " »

Virginia Woolf. *Entre les actes.* 3068

« " Cette année... l'année dernière... l'année prochaine... jamais " »

Virginia Woolf. *Flush.* 3069

Attention !... « Prenez garde que sous le poil de cette bestiole pourrait se loger quelque secret. » Louis Gillet.

Virginia Woolf. *Instants de vie.* 3090

« Pourquoi ai-je oublié tant de choses qui auraient dû être, semble-t-il, plus mémorables que celles dont je me souviens ? »

IMPRIMÉ EN FRANCE PAR BRODARD ET TAUPIN
Usine de La Flèche (Sarthe).
LIBRAIRIE GÉNÉRALE FRANÇAISE - 6, rue Pierre-Sarrazin - 75006 Paris.

ISBN : 2 - 253 - 05058 - X

30/6653/7